林慶彰 總策畫

民國時期稀見期刊彙編

第一輯

史學科研究年報②

# 臺北帝國大學研究年報

第二冊

臺北帝國大學文政學部

# 史學科研究年報

第二輯

# 臺北帝國大學文政學部 史學科研究年報 第二輯

目次

# ジャガタラの日本人　補遺

村上直次郎

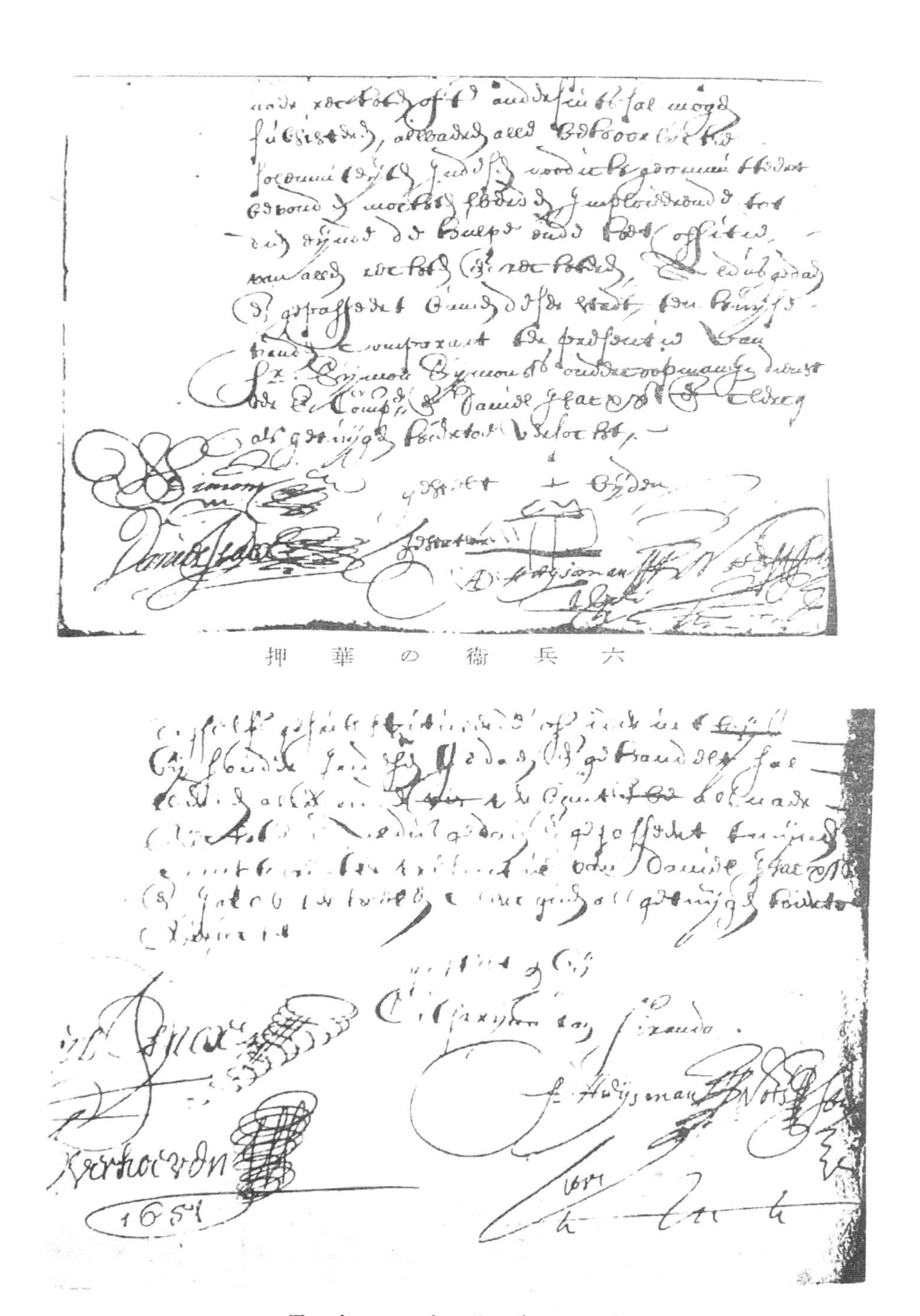

六兵衛の華押

六兵衛後家の自署

# ジャガタラの日本人　補遺

村上直次郎

昭和九年の夏季休業中ジャバに再遊し、バタビヤ市滯在約一週日の間、ランジ・アルヒーフに通つて研究を重ねたが、本年報第一輯所載の「ジャガタラの日本人」附錄第一號の Trouw Register 1616—1657 は改訂して、外題も Hollandsche Trouwboek 1616—1652, Inlandsche Idem 1652—1657 と改めてあつた。念の爲め同附錄第二號として揭げた Trouwboek 1621—1649 と兩方再閲した處が、前回見落した日本人關係の登錄が數項あつたので、左に追加する。從つて第一輯の「ジャガタラの日本人」第十二頁にある日本人の結婚登錄數は、兩帳簿の重複したものを除いて、一六一九年から一六三三年までが男子二十六人女子十一人、同第十八頁の一六三五年から一六五五年までが男子三十八人女子十六人と改むべく、登錄取消男子一人、再婚者の關係で先夫又は先妻として始めて名の出てゐる日本人男子が七人女子が一人となるのである。

## 婚姻登錄簿　一六一六年至一六五七年

一六三〇年

四月二十五日　第　回目

長崎の青年日本人ドミンゴ

軍曹クレメントの後家パタニのリスペットと

一六三九年七月十四日

第　回目

バリの青年ヘンドリック・バレンツゾーン

日本人ヤン・セキンの後家バリのヤンネチエ・マルテンスと

## 婚　姻　帳　一六二一年至一六四九年

一六二四年八月

同十一日　日本人マテウス

今マリヤと稱するパタニのセミユエンと

一六二七年五月十四日

第　回目　○同前。以下同じ。

堺の日本人ペドロ

バリのルシヤと

一六二七年七月二十二日

第　回目

## TROUW REGISTER 1616-1657

Anno Domini 1630

April 25, Voor de III reise

Domingo Japonner jongman van Langesacq met

Lysbet van Patane weduwe van Clement sergeant

Den 14 Julij Anno 1639

Voor de III Reijse

Hendrick Barentsz. van Baly, ionghman met

Iannetie Martens van Baly, weduwe van Ian Sekijn Japander

## TROUWBOEK 1621-1649

Augusti 1624

11 dijto Matheus Japannees met

Semuen van Patania nu genamt Maria

1627 May 14

Voor de III reijse



Pedro Japon van Saccajen met

Lucia van Balij

1627 Julij 22

Voor de III reise

當市の住民にして故伏見のグリーチエの鰥夫なるヤン・ヤンスゾーン・マツケル

ミヒール・スプリートの後家スカダナのロセニヤと

一六三〇年四月二十五日

第　回目

長崎の日本人ドミンゴス

軍曹クレメントの後家パタニのリスベツトと

一六三一年四月二十四日

第　回目

當市の住民アムステルダムの青年アブラム・マレスハル

平戶の若き娘フエンメチエ・フアン・デン・ブルークと

一六四〇年七月十二日、木曜日 〇同上

河内の青年ジユワン

バタビヤの若き娘ギベルラと

一六四〇年十一月一日、木曜日 〇同上

長崎生れの青年日本人トメー

當バタビヤ市生れの若き娘ドミンガ・チヤスと

一六四三年六月十八日、木曜日 〇同上

バンタン生れの青年ペドロ

日本人フランシスコの後家バリのマリヤと

日本人青年ミヒール・フアン・マードレ

若き娘マリヤ・デ・コスタと

Jan Jansz. Macker weduwenaer van wijlen Grietge van Fuscima borger deser stede met

Rosenia van Succadane weduwe van Michiel Spriet

1630 April 25

Voor de III reise

Domingos Japon van Langesacque met

Lysbet van Patane weduwe van Clement Sergeant

1631 April 24

Voor de III reise

Abram Mareschal jongman van Amsterdam borger deser stede met

Femmetge van den Broeck jonge dochter van Firando

Donderdach adij 12en Julij 1640

III Juan de Cotsie jonghman met

Gibella van Batavia jonge dochter

Donderdach adij primo November 1640

III Tome Japander geboortich van Nangesackij jongman met

Dominga Dias jonge dochter geboortich binnen deser stede Battavia

Donderdach den XVIII Junij 1643

III Pedro geboortich van Bantam jongman met

Maria van Baly weduwe van Francisco Japander

III Michiel Japan van Madre jongman met

Maria de Costa jonge dochter

兩帳簿の結婚登錄數を年別にすれば、

| | 男 | 女 |
|---|---|---|
| 1619 | 2 | |
| 20 | 3 | 1 |
| 22 | 3 | |
| 23 | 1 | |
| 24 | 2 | 5 |
| 25 | 5 | 3 |
| 26 | 1 | |
| 27 | 3 | |
| 29 | 1 | |
| 30 | 5 | |
| 31 | | 1 |
| 33 | | 1 |
| 計 | 26 | 11 |

| | 男 | 女 |
|---|---|---|
| 1635 | | 1* |
| 36 | 3 | |
| 37 | 5 | 1 |
| 39 | 1 | |
| 40 | 6 | 1 |
| 42 | 4 | 4 |
| 43 | 3 | 1 |
| 44 | 2 | 2 |
| 46 | 2 1* | 2 |
| 47 | | 1 |
| 48 | 1 | |
| 50 | | 1 |
| 52 | | 1 |
| 55 | 2 | 1 |
| 計 | 30 | 16 |

となる。內同一人で二回登錄された者は第二回目に＊を附してあり、男一女一で、外に結婚不成立で登錄を取消された者、又先夫先妻として名の出てゐる者を加へ、重出を一切除いて、總數九十の日本人男女の名が載つてゐる。但し右の中には蘭英伊等の混血兒も雜つてゐるのである。

又同文書館所藏のアントニー・ハイスマン公證役場の書類の一部分を閲覽した

が、その中に一六五一年三月二十五日附、日本人基督敎徒ルイス・六兵衛Louwijs Locqbeが、死に瀕して市内の貧民救恤金二十レアル・ファン・アハテン以外の財產一切を其の妻平戶のカタリナCatharijna Ferandoに相續させる爲め、公證人ハイスマンの出張を請うて作成し、其の華押を附した遺言狀と、Catharijna van Firandoと記し、フクと署名した同十月十日附の委任狀と二通あつた。之に依て婚姻帳に、「一六四四年七月十四日長崎の靑年ルイス　自由なる婦人平戶のカタリナと」とあるのが六兵衛とフクとの結婚であつて、七年後の一六五一年卽ち慶安四年に六兵衛が死亡し、其の妻が寬文五年(一六六五年)の新ジャガタラ文を書いた六兵衛後家であることが明瞭になつた。フクは我國から流されて、一六四〇年一月一日ジャガタラに着いたのであるが、婚姻簿には其の名が見えないと第一輯に記したのは誤であつた。

一六五一年四月十日、ハイスマンがバタビヤ市居住の日本人基督敎徒フランショア・スヒケロFranchoijs Schickero(助九郎ならん)の家に出張して作成した遺言狀には其の妻平戶のヨハンナJohanna van Firandoを遺產相續人に指定し、姙娠中の子供を養育し、成人の上百レアル・ファン・アハテンを分與する事、妻の先夫の一子にマラバル人奴隷一人を與へる事、市内の貧民に五レアルを給與する事等が掲げてあるが、之を以て其の遺産は相當の額に上つてゐたものと想像される。此の人は婚姻登錄簿にある一六四二年一月九日に結婚した長崎生れのフランシスコで、一六二〇年ジャガタラ在住日本人兵士名簿中(附錄第五號)にあるSchickeroo と同一人であらう。

又一六五一年十二月十一日、ハイスマンが日本人基督教徒長崎のトマス Thomas の病床に臨んで作成した、其の妻パウリニャ・デ・ローサ Paulinia de Roosa を、財產一切の相續人に指定した遺言狀がある。婚姻帳一六四四年三月卅一日の項に、右兩人の名が掲げてあり、此の結婚は中止されたと註記してあるが、其の後に結婚が成立したものと思はれる。遺言の中に市內の貧民救恤金を二十レアルとし、受洗の際女名親となつたオンバ・カロン Omba Caron に日本の家具及び衣服一式と日本刀二振を贈與し、マラバル人奴隷二人は向五年間其の妻に仕へることを條件として解放することが載せてあるので、前の助九郎よりも有福であつたらうと思はれる。

尙ほ一六五一年十月十六日、長崎のヤン卽ち濱田助右衛門が、印度參事會員ヘラルド・デンメルの代理人ヤン・ファン・ネスと、プリンス街の通りで、プリンス街橋とテイヘルス堀との間にある石造ペダカ二十四軒を、十一月一日から向一箇年間毎月八十二レアル・ファン・アハテンで借受ける契約を結んだ證書がある。助右衛門が同年に結んだ他の契約は第一輯に載せてある。それで市内目抜の場所に、合計五十八軒を借受けて、毎月二百四十七レアル、即ち其頃の相場で我が銀約二貫目に當る家賃を支拂つたことが分り、同人が相當な資産を有してゐたことが推察されるのである。

又印度參事會議の決議錄中に、一六七九年(延寶七年)六月二十一日水曜日朝、バタビヤ城内で臨時會議を開き、昔からバタビヤ市に居住してゐる日本婦人數人から、從來數回行つた樣に、日本に居る知友扶助の爲め少しの品物を會社の船で同地に送り、又自用の爲め彼地の產物其他を取寄せる許可を願出たが、會社に不利とならざる限り之を許し、便宜を與ふることに決したと記入してある。此の婦人達の中には延寶年中までジャガタラで暮してゐたと傳へられ、平戶のジャガタラ文にも其の名が見える濱田助右衛門後家、エステル、コルネリヤ、ハル、フク等があつたのであらう。(終)

# 第一輯所載ジャガタラの日本人附錄正誤

| 頁 | 行 | 誤 | 正 |
|---|---|---|---|
| 四 | 四 | マリヤ | マルタ |
| 五 | 四 | Maria | Marta |
| 六 | 四 | トリイセン | テイセン |
| 七 | 四 | Trijssen | Tijssen |
| 一八 | 七 | 一六五一年 | 一六五二年 |
| 一八 | 一一 | ○數字不明 | 二十三 |
| 一九 | 七 | 1651 | 1652 |
| 一九 | 一一 | 〔 〕Junij | 23 Junij |
| 三四 | 三 | ヨハイ○與兵衞か | ヨハン |
| 三五 | 三 | Johai | Johan |
| 三六 | 四、六、九 | 孤女 | 後家 |
| 三六 | 一二 | ピユネヤ | パウリニヤ |
| 三六 | 一三 | 此の結婚以下 | 此の結婚は同二十一日の當事者の願書に見ゆる通り法律上の理由に依りて中止せられ、司法委員會の適當なる處置に委せられたり。 |
| 三七 | 五、一一 | weise | weduwe |

| | | | |
|---|---|---|---|
| 三七 | 七 | waise | weduwe |
| 三七 | 一五 | Punea | Paulinia |
| 三七 | 一八 | geregistreert in | gerevoqeert en ter |
| 三七 | 一九 | hetselve | haere |
| 三七 | 一九 | geworden | te worden |

# 南洋日本町の盛衰（一）

岩生成一

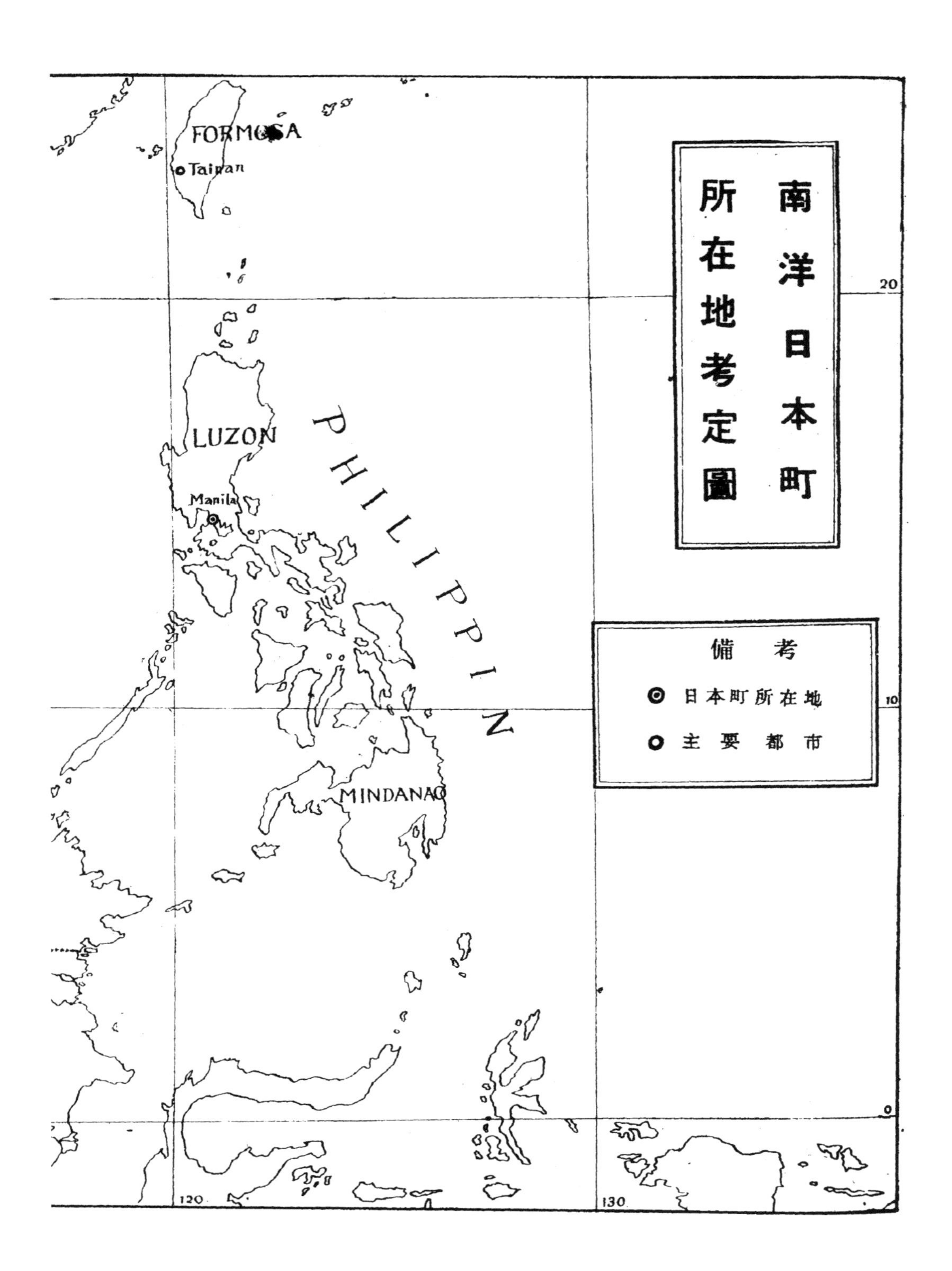
南洋日本町
所在地考定圖
備考
日本町所在地
主要都市
FORMOSA
Tainan
LUZON
Manila
PHILIPPIN
MINDANAO
20
10
0
120
130

CHINA
Canton
Macao
TONGKING
Hanoi
SIAM
ANNAM
Rangoon
Hue
Tourane
Faifo
Ayut'ia
Bangkok
Angkor Wat
CAMBODIA
Pinhalu
Pnom Penh
Saigon
Ligor
Singora
Patani
Brunei
SUMATRA
Malacca
BORNEO
100
110

# 南洋日本町の盛衰

## 目次

（以下次號）

# 南洋日本町の盛衰（一）

岩生成一

## 序論

### 一　御朱印船貿易の躍進

德川幕府の和親外交、通商奬勵は、既に前代より萠しつゝあつた我が國民海外發展の動向に拍車を加へた。殊に關ヶ原の役によつて、德川氏覇權の基礎確立するや、家康は直に海外渡航船に對して、渡航免狀にして船籍證明をも兼ね、更に極めて廣汎なる性質を具備した所謂異國渡海御朱印狀を下附して貿易特許制度を創設し、之を關係諸外國に通告して其の諒解を求めた。爾來我が御朱印船は、此の時運に乘じ順風に帆を胎んで、南溟遙けき新天地を目指し相次いで解纜した。創設以來數年ならずして、御朱印狀の下附數は、年々二〇通以上にも上り、南洋各地の要津には、我が商船の帆影の絶えたる年もなかつた。幕府から異國渡海御朱印狀の下附を受けた者は、大名を始めとして、幕吏、大商人等より、さては在留支那人、西洋人にまで及び、總數八十餘氏を數へることが出來る。今、盛大なりし御朱印船渡航貿易の概況を、御朱印狀下附數の多寡を以て推知し得るとすれば、左の如き統計を擧げて、之が參考に資することが出來やう。

### 御朱印船統計表

| 年次＼渡航地 | | 南支 | | | | 後印度諸地 | | | | | | | | | | | 南洋諸島 | | | | 計 |
|---|---|---|---|---|---|---|---|---|---|---|---|---|---|---|---|---|---|---|---|---|---|
| 年次 | | 信州 | 西洋 | 高砂 | 毘耶宇 | 安南 | 東京 | 順化 | 交趾 | 迦知安 | 占城 | 東埔寨 | 田彈 | 暹羅 | 太泥 | 摩利伽 | 呂宋 | 密西耶 | 芠萊 | 摩陸 | 計 |
| 慶長九年 | 一六〇四 | 二 | 一 | | | 四 | 三 | 一 | | 一 | 一 | 五 | | 四 | 三 | | 四 | | | | 二九 |
| 同一〇年 | 一六〇五 | | 八 | | | 三 | 二 | | | | 一 | 五 | | | 二 | | 四 | 一 | 一 | | 二七 |
| 同一一年 | 一六〇六 | | 一 | | | 二 | 一 | | | | 一 | 三 | 一 | 四 | | | 三 | 一 | 一 | | 一八 |
| 同一二年 | 一六〇七 | | 八 | | | 一 | | | | | 一 | 三 | 一 | 四 | | 一 | 三 | | | | 二二 |
| 同一三年 | 一六〇八 | | | | | 一 | | | | | | 一 | | 一 | | | | | | | 三 |
| 同一四年 | 一六〇九 | | | | | | 一 | | 一 | | | 一 | | 六 | | | 三 | | | | 一二 |

| 同 一五年 一六一〇 | 同 一六年 一六一一 | 同 一七年 一六一二 | 同 一八年 一六一三 | 同 一九年 一六一四 | 元和元年 一六一五 | 同 二年 一六一六 | 計 |
|---|---|---|---|---|---|---|---|
| | | | | | | | 二 |
| | | | | | | | 一八 |
| | | | | | 一 | | 一 |
| | | 一 | | | | | 一 |
| 一 | 二 | | | | | | 一四 |
| | | 一 | 一 | 一 | | 一 | 三 |
| | | | | | | | 一 |
| 二 | 二 | 二 | 六 | 七 | 五 | 四 | 二九 |
| | | | | | | | 一 |
| | | | | | | | 四 |
| 一 | | | 一 | 二 | 一 | | 三 |
| | | | | | | | 二 |
| 三 | 一 | 二 | 三 | 三 | 四 | | 三五 |
| | | | | | | | 五 |
| | | | | | | | 一 |
| 二 | 一 | | 一 | 四 | 五 | | 三〇 |
| | | | | | | | 二 |
| | | | | | | | 二 |
| | | | | | | 一 | 一 |
| 九 | 六 | 六 | 一三 | 一七 | 一六 | 六 | 一八三 |

此の統計表は、主として異國渡海御朱印狀の原簿とも稱すべき南禪寺所藏の異國御朱印帳及び異國渡海御朱印帳により、其の脱漏を現存の御朱印狀及び諸記錄文書より拾つて加算表計したものである。卽ち御朱印狀の下附數は、早くも慶長九年には二九通に達し、元和二年に至る十九年間に總計一八三通に上り、年平均一四・五通を算してゐる。

南禪寺の兩御朱印帳は遺憾ながら、元和二年を以て筆を絶ち、爾後の記載を欠いで、元和寛永に亙る我が商船の海外渡航貿易の狀況を知る由もないが、彼等の南洋渡航は、寛永十三年の鎖國令發布に至るまで、引續いて連年繼續し、内外の記錄文書中にも、往々にして其の間の消息を傳へたものが散見してゐる。元和三年より寛永の鎖國に至る十九年間に、我が國諸港より南洋各地に渡航した我が商船の事例の、今迄私の管見に上つたものを蒐集統計すれば、次の如くなる。

元寛年代南洋渡航船數表

| 渡航地／年次 | | 交趾 | 東京 | 柬埔寨 | 暹羅 | 占城 | 高砂 | 呂宋 | 媽港 | 計 |
|---|---|---|---|---|---|---|---|---|---|---|
| 元和三年 | 一六一七 | 五 | 二 | | 一 | | | | | 八 |
| 同　四年 | 一六一八 | 六 | 二 | 二 | | | 一 | 三 | | 一四 |
| 同　五年 | 一六一九 | 一 | 三 | | | | | 一 | | 五 |
| 同　六年 | 一六二〇 | 一 | | 一 | | | 一 | 一 | | 四 |
| 同　七年 | 一六二一 | 二 | | | | | 三 | 四 | | 九 |
| 同　八年 | 一六二二 | 一 | | | 二 | | 一 | | | 四 |
| 同　九年 | 一六二三 | 三 | 三 | 四 | 四 | 一 | 六 | 一 | 一 | 二三 |
| 寛永元年 | 一六二四 | 二 | 二 | | 一 | | | | | 五 |
| 同　二年 | 一六二五 | | 一 | | 二 | | 三 | | | 六 |
| 同　三年 | 一六二六 | 一 | | | 一 | | 二 | | | 四 |

| 年 | | | | | | | | | |
|---|---|---|---|---|---|---|---|---|---|
| 同 四年 一六二七 | 一 | | 一 | 二 | | 二 | | | 六 |
| 同 五年 一六二八 | 二 | 二 | 二 | 三 | | 二 | | | 一一 |
| 同 六年 一六二九 | 一 | | 一 | 一 | | | | | 三 |
| 同 七年 一六三〇 | | | | | | | 二 | | 二 |
| 同 八年 一六三一 | | | 一 | | | 五 | | | 六 |
| 同 九年 一六三二 | 二 | 三 | 四 | | | | 一 | | 一〇 |
| 同 一〇年 一六三三 | 二 | 四 | | | | 三 | | | 九 |
| 同 一一年 一六三四 | 二 | 三 | 二 | | | | | | 七 |
| 同 一二年 一六三五 | 一 | | 一 | | | | | | 一一 |
| 合計 | 三三 | 二五 | 一九 | 一七 | 一 | 二九 | 一三 | 一 | 一三八 |

此の統計表は、固より不完全にして、連年頻りに南洋に渡航した我が船舶の實數以下なることは言ふまでもない。恐らく其の實數は右表を遙かに超過してゐたであらうが、不完全なる此の表によつても當時我が商船の南洋渡航貿易の盛況を推知するに足るかと思ふ。

御朱印船などの渡航地に就いては、川島元次郎學士の朱印船貿易史を始めとして、先人の研究論考も尠くないが、今其の考證の過程を全然省略して、聊か私見を加へて之を現時の地名に比定すれば次の如くなる。

| 御朱印狀充先 | 當時慣用發音 | 西洋式慣用綴方 | 現今該當地名 |
|---|---|---|---|
| 信州 | シンチウ | Chincheô | 漳州 |
| 高砂 | カタサグン タカサゴ | Tacasangum, Taccasanga | 臺灣 |
| 毘耶宇 | ビヤウ | Pehu, Peng-hu | 澎湖島 |
| 安南 | アンナン | Annam | 東京、廣義には東京及び安南 |
| 東京 | トンキン | Tongking, Tonkin | 河内(Hanoi)、廣義には東京 |
| 交趾、跤趾 | カウチ 河内 | Cochin [-China] | 略ゞ安南の中部以南 |
| 迦知安 | カチヤン | Cacciam, Cachão, Cachan | 廣南、廣義には廣南省 |
| 順化 | ソンハ スノハイ | Thuân-hóa | 順化(Hué)、廣義には順化省 |
| 占城 | チャンパン | Champa | 交趾支那東部 |
| 東埔寨 | カボチヤ | Cambodja | カンボヂャ |
| 暹邏 | シャムロ | Siam | シャム |

|  |  |  |  |
|---|---|---|---|
| 太泥 | バタン<br>タニ | Patani | マレイ半島東岸パタニ |
| 摩利加 | マリカ<br>マラカ | Malacca | マラッカ |
| 呂宋 | ルスン | Luzon | ルソン島 |
| 密西耶 | ミサイヤ | Bisaya | ミンドロ (Mindoro) 島? |
| 芠萊 | ブルネル<br>ブルネイル | Brunei | ボルネオ島北岸ブルネイ |
| 摩陸 | マロク | Maluco, Moluccas | モルッカス諸島 |
| 西洋 | サイヤウ | 御朱印狀の筆者も不明としてゐる。或は明人の東西洋の西洋を指すかとも思はれるが、『南唐へ可レ行』ことを明示せる點より見て澳門邊りかと思はれる。 | |
| 田彈 | タタン | 比定し難き地名であるが、良質奇楠香を産する土地とあるから、或は後印度東南海岸の一地ではあるまいか。 | |

此等の南洋全面に亙る我が御朱印船の寄港貿易地には、固より乗組の船員や、便乗の商人等多數の我が同胞が年々渡航してゐるが、彼等の中には、進んで渡航先に踏み留まり、我が國民南方發展の第一線に立つて活躍する者も決して尠くなかつた。

## 二　日本人の南洋移住

御朱印船による南洋交通貿易の發展に伴ひ、之に便乘して南洋各地に渡航したる我が國民の總人員も、亦從つて莫大な數に上つたであらうと推せられる。更に年々我が國の諸港より歸航する諸外國船に便乘した我が商人、外人に雇傭された船員、或は海外に於いて外人の經營する諸種の業務に從事するため、或は外國の軍隊に參加せんとして渡航する同胞の數も亦決して尠少ではなかつたであらう。

當時南洋に渡航した我が諸船舶の乘組員數を、數例に就いて見るに、

| 年次 | 渡航先 | 乘組員數 |
|---|---|---|
| 文祿二年（一五九三） | 呂宋 | 一六〇人（註一） |
| 同　年（〃） | 〃 | 三〇〇人（註二） |
| 慶長一〇年（一六〇五） | マラッカ | 九〇人（註三） |
| 元和三年（一六一七） | 福建 | 一〇〇人（註四） |
| 同　六年（一六二〇） | 交趾 | 三〇〇人（註五） |

寛永三年(一六二六)　暹　羅　三九四人(註六)

同　五年(一六二八)　同　五七人(註七)

卽ち寛永五年暹羅渡航船の乘組員五七人と、同三年同地に渡航した御朱印船一組員三九四人との間には、其の寡多に可也の開きがあるが、右七例にて平均一隻一九八・七人强となる。慶長九年より元和二年まで異國渡海御朱印船の總乘數八三隻とすれば、此の十三年間に南洋方面に便乘渡航した我が同胞の延人員は三六三六二・一人强となり、元和三年から寛永十二年までの渡航船數を、前表により不完全ながら一三八隻とすれば、少くとも二七四二〇・六人强となり、江戸時代初期鎖國までの海外渡航延人員總計六三七八二・七人强となるが、上述の計算にて除外した慶長九年以前の船數を加算すれば、其の實數の遙かに大なりしことは疑ない。更に日本より歸航する外國船による渡航人を拾へば、其の頃年々海外に出た同胞の延人員總數は十萬人內外に上つたと推定しても差支へあるまい。其の中假に一割の人員が渡航先に踏留まつたとすれば、南洋各地に移住した同胞の數は一萬人位となるが、後年幕府諸大名の切支丹彈壓が漸次重加するに伴ひ、信徒の海外に追放せられる者、或は自ら逃避する者も激增して、

移住同胞の實數は一層增加したことであらう。今彼等南洋渡航日本人の身分、職業、雇傭關係の諸相を見るに、

A、日本人自ら渡航したる者。

一、海賊として渡航したる者。
二、船員として渡航したる者。
三、商人として渡航したる者。
（以上）政府の禁壓により次第に變質消滅す。三者相兼ねる場合多し。
（一時的渡航者。半永住的渡航者。）
四、失業者として渡航したる者。
五、追放切支丹として渡航したる者。
六、其の他の渡航者。
（以上）外人の雇傭人又は商人に轉ずる者多し。

B、外人の雇傭人として渡航したる者。

一、傳道者となれる者。
二、官吏となれる者。
三、商館員となれる者。
四、船員となれる者。
五、傭兵となれる者。

六、勞働者となれる者。
七、捕虜となれる者。
八、奴隷となれる者。
九、其の他の傭人となれる者。
C、外國人との婚姻によりて渡航したる者。
次に日本人の雇傭主なる諸國民は、元來南洋に土着して國を爲せる民族と、外部より南洋に渡來せし人種とに大別し得べく、其の各〻は凡そ次の如き諸國人である。即ち
A、南洋土着人
(イ) 東京人 (ロ) 交趾人 (ハ) 柬埔寨人 (ニ) 暹羅人
B、南洋外來人
(イ) オランダ人 (ロ) ポルトガル人 (ハ) イスパニヤ人 (ニ) イギリス人 (ホ) イタリヤ人 (ヘ) 支那人
を列擧することが出來るが、是は當時南洋に於いて活躍せし開化民族全部を包含してゐたと言つて宜い。

さて此等我が同胞の南洋に於ける居住の形態は、日本人のみ特定の地域に集團して一部落を形成する場合と、諸外國人間に雜居して分散生活を營める場合とがあるが、前者を俗に日本町と呼び、フィリッピンのマニラ市郊外のディラオ(Dilao)とサン・ミゲル(San Migel)、交趾のフェフォ(Faifo)とツーラン(Tourane)、東埔寨のピニャルー(Pinhalu)とプノン・ペン(Phnom-Penh)、及び暹羅のアユチヤ(Ayuthia)に在つた。外人間に分散雜居してゐる所は、殆ど南洋の全要地に亙つてゐて、臺灣、澳門(Macao)、東京、モルッカ諸島中のアンボイナ島(Amboina)、バンダ島(Banda)、テルナテ島(Ternate)、マキヤン島(Makian)、チドール島(Tidore)、ジャバ島内のバタビヤ(Batavia)とバンタン(Bantam)、マレイ半島内のマラッカ、太泥(Patani)、リゴール(六崑 Ligor)等諸地にして、更に印度にまで擴大してゐて、當時日本人の分布地域は、今日全く我等の注意にも上つて來ない僻陬の地にまで及んでゐたと言はねばならぬ。今先づ個々の日本町に就いて、(甲)發生、(乙)位置、戸口、居住形態、(丙)行政樣式、(丁)移住民活動の盛衰などの諸點を觀察し、他日機會を得て各地分散日本人の活動に及ばう。

註一　Blair, H. E. and Robertson, J. A. The Philippine Islands. 1493—1898. Cleveland. 1841—1898. Vol. IX. p. 40.

註二　*ibid*. p. 50.
註三　Purchas, Samuel. Hakluytus Postums or Purchas His Pilgrimes. Glasgow. 1905—7. Vol. II. p. 361.
註四　Cocks, Richard. Diary of Richard Cocks. Tokyo. 1899. Vol. I. p. 249.
註五　茶屋新六郎交趾貿易圖。
註六　天竺徳兵衛物語。（海表叢書。卷五、四八頁）
註七　Verzenlene Brieven uyt Japan. fol. 340. Aen Pieter Muijser. Firando. Sept. 27, 1628.

# 第一章　交趾(Cochin-China)日本町の盛衰

## 一　交趾日本町の發生

### （イ）　交趾に於ける御朱印船渡航地

御朱印船が盛に出入貿易した地方の一は交趾であつた。兩御朱印帳では、交趾國とも、又は跤趾國とも記してゐるが、當時ヨーロッパ人は、此の交趾のことを交趾支那(Cochin-China)と呼んだ。しかし、此の同一内容を有する二種の稱呼は、共に土着人が自ら稱する所に非して、專ら外國人が略〻現今のフランスの保護王國安南の南半に該當する地方を斯く呼んだのである。其の後此の稱呼は南に移動して、現今では佛領印度支那の南端が交趾支那であるが、此の地名と其の意味する地域の變遷に就いては、先年既に河内のフランス遠東學院(l'Ecole française d'Extreme Orient, Hanoi)のレオナル・オウルッソウ氏(Leonard Aurrousseau)の詳細なる研究も發表されてゐるから(註一)、之を再説することは省くが、當時我が國では專ら之を訛つて『かうち』と呼び、『川内』又は『河内』と充てて書いたこともあつた(註二)。

兩御朱印帳にて廣南及び順化と記し、夫々『くわうなん』『クイナム』及び『ソンハ』『スノハイ』と讀ませたのは、交趾國の中心都市であつた。西川如見の華夷通商考にも、

交趾(カウチ)　カウチイ 漳州口　キヤウツウ 南京口

一國ノ總名ヲ交趾ト云。日本ニ來ル船ハ此國ノ内廣南(クカウナン)　クイナム 南京　カンナム 漳州　ト云處ヨリ來ルヲ交趾舟ト云也。廣南ハ今ノ城下ト見ヘタリ。安南國ト云モ、此邊ノ總號ト見ヘタリ。國主有テ仕置ス。(註三)

と記してゐる。順化とは固より現今安南の首府であるウエ(Huê)のことにして、ソンハ又はスノハイと讀ませたのは、順化の土音タノア(Thuân-Hóa)を訛つたに相違なく、當時ヨーロッパ人も之をセノア、シノア、シンホア(Sennoa, Sinoa, Sin-hoa, etc.）と訛稱してゐた。(註四)　一六一七年(元和三年)イギリス人ウヰリアム・アダムス(William Adams)とエドモンド・セリス(Edmond Saris)が、平戸より交趾に渡航した時の航海記にも、シノファ(Shinofa)、セナフアイ(Shenafaye)と記してゐる。(註五)　しかし順化なる名稱は、此の外廣義には、同市を中心とする一省を指したこともある。此より先十五世紀の始め、黎氏建國後、版圖を十三行省に分つたが、其の時順化も亦其の一省として、略〻今日の廣平、廣治、承天、及び廣南の北部などの諸省を包含してゐた。(註六)

又兩御朱印帳に迦知安なる地名を掲げ、『カチアン』と讀ませ、唯〻一回慶長九年に松浦氏に御朱印狀が下附されてゐるが、此も亦交趾國內の地名である。ミラノ生れのゼスス會のパードレ・クリストフォロ・ボルリ(Christoforo Borri)は、一六一八年(元和四年)交趾に渡つて傳道を開始したが、彼の親しく見聞せし所によれば、

> 交趾支那は五地方(Provincia)に分れてゐる。第一は東京に境を接し、此處に國王が居を構へてゐるが、シヌワ(Sinuva順化)と呼ぶ。第二はカチアン(Cacciam)と呼び、此處には太守として王太子が在住し、第三はクヮンギヤ(Quangya 廣

義)と云ふ。第四はクィニン(Quignin歸仁)と云ひ、ポルトガル人はプルカンビ(Pullucambi)と呼んだ。第五は占城に接壌してレンラン(Renran)と呼ばる。……カチアンは王の住せる都市にして、ツロン(Tron)より河を溯ること、六、七リーグに在る。(註七)

と記してゐる。又同會のパードレ・アントニオ・フランシスコ・カルディム(Antonio Francisco Cardim)の著はした安南、交趾支那、東埔寨、暹羅地方の傳道誌中にも、『カチャン(Cachão)は交趾支那の主要なる一州の首府にして、總督が駐在し、フェフォ(Faifo)から一リーグ隔たつてゐる。』(註八)と述べてゐる。兩パードレの記す所によれば、カチアンは、ツーラン(Tourane)より河を溯ること六、七リーグにして、フェフォから一リーグの地點に在る都市なれば、疑もなく同地方の中心都會廣南と斷定せざるを得ぬ。而もボルリによれば、國王の住せる北方の順化に對し、王太子の住せる都市なると同時に、之を中心とする同名の地方なる相當に廣い一行政區劃の名稱の様であるが、是は都市廣南が廣南省の首邑なると、全く同一用例に外ならぬ。されば當時ドミニコ派のパードレ・ガブリエル・キロガ・デ・サン・アントニオ(Gabriel Quiroga de San Antonio)の東埔寨記事略には、之を誤解して、『東洋に在つてゐる地方に、柔佛(ジョホール)(Jor)王國、及び彭亨(パハング)(Pan)、太泥(Pathania)、柬埔寨(Camboxa)、占城(Champa)、順化(Sinoa)、カチャン(Cachan)と東京(Tunquin)等の諸王國があり、終の三者を普通一般に交趾支那と云ふ。』(註九)と記し、彼は更に同書の交趾支那王國記なる章の中に、一五九六年マニラより柬埔寨に派遣されたフアン・フアレス・ガリナト(Juan Juárez Gallinato)の交趾到着のことを報じて、『司令官ガリナトは、カチャンと云ふ王國の一港に到着した。』(註一〇)と記してゐる程である。彼によればカチャンは一王國にして、他の東京及び順化二王國と共に交趾支那を形成してゐたことになる。是は同地方に於ける政治的勢力の分裂に基く誤解ではあるが、當時カチャンが廣狹二義に解釋されたことは明瞭である。兩御朱印帳に記した廣南と迦知安とは、廣義の省名としての廣南を指したるなるべく、前述のツーランとフェフォとは、實に廣南省内に於ける外舶輻輳の要津であつた。十七世紀のオランダ人の旅行記や地圖に見えるクィナム(Quinam)は、西川如見の言ふ廣南の南京音の音譯なる可く、其の地域は廣南省よりも擴大して、寧ろ交趾支那全地域を指してゐた樣である。(註一一)

當時交趾は安南國王黎氏の治領の南半を占めてゐたが、既に十六世紀の末頃から王室の威力は衰微して、黎氏は纔に王位の虛名を有するに過ぎず、政治の實權は重臣鄭阮二氏に移り、鄭氏は國王を擁して國都東京に在り、王國の北半東京地方を治し、阮氏は順化に駐して王國の南半を領し、隱然獨立王國の觀があつた。地名の混亂は總て此に基いてゐる。十六、七世紀に成れるヨーロッパ人の旅行記、地誌も多くは之を南北二國と見做し、北を東京國として南を交趾支那國と稱してゐる。我が國でも、寬永の鎖國直前に書かれた異國通寶書には、安南國之內を、東京と跤趾の二項に分つてゐる。(註一二)　斯くて順化の阮氏は外國人から國王と呼ばれた。しかし鄭阮二氏共に、依然として黎氏の國號を襲用し、兩氏の我が國に送つた外交文書には、何れも安南國の國號を冠してゐる。

註一　Aurousseau, Leonard. Sur le nom de Cochinchine (B E. F. E. O. Tom. XXIV.)

註二　島井文書。大迫文書。

註三　西川如見。增補華夷通商考。卷之三。

註四　Cabaton, Antonio. Brève et Véridique Relation des Événements du Cambodge par Gabriel Quiroga de San Antonio. Paris. 1914. p. 93. note (3).

註五　Purnell, C. J, The Log-Book of William Adams, 1614–1619. London. 1915. (T. P. J. S. Vol. XIII. part. II.) pp. 233, 290.

註 六 馬雲鵬、范文樹。安南初學史略。五五頁。
Cadier, M. L. Tableau Chronologique des Dynasties Annamities. (B. E. F. E. O. Tom V.) p. 133. Le Mur de Dong-Hoi (定北長城)(B. E. F. E. O. Tom. VI.) p. 94.

註 七 Borri, Christoforo. Relatione della nvova Missione della PP. della Compognia di Giesv al Regno della Cocincina. Roma. 1631 pp. 8, 110

註 八 Cardim, Antonio Francisco. Batalhas da Companhia de Jesus na sua gloriosa Provincia do Japão. Lisboa. 1894. p. 177. 本書はフェフォのことを全部 Taifo と記すも、後年印刷に附する際、*T* と *F* を誤りたるものならん。

註 九 Cabaton, Relation, *op. cit.* pp. 4—5, 93.

註一〇 *ibid.* pp. 24, 125.

註一一 Buch, W. J. M. De Oost-Indische Compagnie en Quinam, De Betrekkingen der Nederlanders met Annam in de XVII Eeuw. Amsterdam. 1929. pp. 1—8,

註一二 異國通寶書。日本從長崎異國江渡海之湊口迄船路積。

## (ロ) 御朱印船の渡航と交趾日本町の發生

日本船の交趾渡航は、記錄の上では天正五年(一五七七)頃まで溯ることが出來る。萬曆五年三月漳州海澄縣の陳賓松が、その持船に銅鐵磁器等の商貨を積載して交趾順化地方に渡航した時、偶々福建船の來舶するもの十三隻に上り、商貨過剩にして賣捌けず、已むなく五月十九日交趾の小舟を雇ひて廣南に轉賣せんとし、途中にて倭船に捕へられて、乘組の朱均旺等一同薩摩に拉致されたことがある。(註一)恐らく明に於ける對倭警備の完成により、彼等が其の活動舞臺を南方に延長擴大したのであらう。

文祿元年(一五九二)秀吉は海外渡航船に朱印狀を下附したと傳へられてゐるが、渡航先に廣南又は交趾の地名も擧げられてゐた樣である。(註二)其の頃福建の巡撫許孚遠が、日本に潛入してゐた明の密偵から得た情報によれば、薩摩は船隻慣泊の處にして、萬曆二十二年(一五九四)同地を發して、呂宋、柬埔寨、暹羅、媽港に赴く商船八隻以外に、三隻交趾に向つたことを傳へてゐる。(註三)翌々一五九六年司令官ガリナトが柬埔寨よりの歸途ツーランに寄港した際、偶〻數隻の日本船も來泊し、端しなくも兩國船員の間に紛擾を生じて、日本人は同地の官憲に援助を乞ふてガスチリヤ人に對抗したこともあつた。(註四)斯樣にして日本船が近世初期、既に江戶時代以前より、交趾方面に尠なからず進出貿易してゐたことが窺はれる。

德川氏覇權確立以後は、彼我兩國間の親交、御朱印船の渡航貿易は、殆ど加速度的に進展した。先づ弘定二年(一六〇一)安南國瑞國公は贈物を添へて書を家康に寄せ、前年四月白濱顯貴の船が長崎から順化に航して、難破沒收の厄に遭ひ、同年再び來航した日本船にて彼を送還することを報じた。家康は直に返書を送つて之を謝し、更に『本邦之舟、異日到其地、以此書之印、可爲證據、無印之舟者、不可許之』と記してゐるが、(註五)此書之印とは、家康が外國文書に常用した『源家康弘忠恕』の朱印のことなる可く、果して然らば、此の時彼は、交趾渡航船にも御朱印狀を携帶せしめることを、始めて彼の官憲に通告したのに相違ない。爾後交趾渡航船は、前揭二表によつても、總計六三隻に上つてゐる。我が交趾渡航船の船主には、兩御朱印帳のみにても、松浦鎭信、加藤清正の兩大名、船本彌七郞、負田木右衞門、大文字屋半兵衞、平戶助大夫、船頭木工右衞門、壽庵等の商人、三官、四官、五官、六官、華宇等の在留支那人及びマルトロ・メテイナ(Bartolome Medina)ヤヨウス(Jan Joosten van Lodensteyn)マノエル・ゴンサル(Manoel Gonçalo)等の在住ヨーロッパ人もあつた。交趾の官憲は、此の頻繁な船便を利用して、將軍家康を始めとして、加藤清正、本多正純、土井利勝、長谷川藤廣等の大名や幕吏と書翰方物を贈答して、兩國の和親、貿易の促進を謀つてゐる。彼の國書に、大都統瑞國公と記したのは、一五九三年端國公に補せられた阮黄(一五五八—一六一三)のことであらう(註六)。

斯くの如き御朱印船の交趾渡航の頻繁化は、固より交趾人と同地の物產とを取引の對象とする貿易の發展に基くものであるが、他の一面には、支那沿岸各地の峻嚴なる海禁を避けて、日支兩國船が同地に會合して盛に通商取引したのも、見逃す可からざる重大なる原因であつた。明末の海外通何喬遠も、此の間の事情を開洋海議の中に於いて、『日本國法所禁無人敢通、然悉奸闌出物、私往交趾諸處、日本轉乎販鬻、實則與中國貿易矣。』(註七)と記してゐるが、オランダ人の得た情報によれば、『廣南は交趾支那の一部にして、良好なる灣卽ち碇泊地があり、支那人は同地で年々日本人と盛に取引する。』(註八)とあり、廣南に於ける日支兩國貿易の盛況を傳へてゐるが、終にゼスス會のポルトガル人巡察使パードレ・ヴレンチン・カルヴリヨ(Valentin Carvalho)も、一六〇〇年及び一六〇二年には、日本人は餘り海外に渡航しなかつた。唯々數隻マニラに麥粉を輸出したに過ぎなかつた。一六一二年にポルトガル船は僅に一三〇〇クインタル(Quintal)の生絲を輸入したが、他の商品のことは暫く措いて、日本のジャンク船や、マニラ船や、支那人によつて、五〇〇〇クインタル輸入された。是れポルトガル人が從前の樣には、重視されなくなつた主要なる原因である。

殊に交趾支那に於いては、大いに障害となる貿易が開始された。即ち支那人は多量の生絲を同地に齎らし、日本人は來つて之を購入し、彼等のジャンク船に積込んで日本に歸るようになつた。(註九)

と言つてゐる程で、御朱印船制度創設の頃を轉機として、交趾に於ける日支兩國船の生絲貿易は躍進し、ポルトガル船の日本貿易に一大打擊を與へ、其の日本貿易上に於ける地位を著しく低下せしめたのである。

當時交趾地方を統治せる阮氏は、對外貿易の發展によつて、其の財政を豐にせんとして、領內の港灣を開放して頻に外舶を招致した。そうして此の交趾に於いて貿易上壓倒的勢力を有してゐたのは、實に我が御朱印船と支那船とであつた樣である。ボルリは、

交趾支那の主要なる貿易を、支那人と日本人とが、同地の一港に年々開かれて約四ヶ月間繼續する互市に於いて遂行した。支那人は彼等のジャンクで、總額銀貨四、五萬を齎し、日本人はソマ(Somme)と云ふ彼等の船で、極めて純

良な生絲？と彼等の國の他の商品とを多量に舶載して來る。國王は此の互市からの關税で、多額の年收を擧げ、其の國は多大なる利益を得る。……………すべての外船が出入する所の最も重要な港にして、前述の互市が開かれるのはカチャン地方の港であるが、其の港は海から二つの入口があつて、一をプルチャンペロ (Pulluciampello) と呼び、他をツロン (Turon) と云ふ。兩口は初めは大分離れ、互に三、四リーグ隔たつてゐて、深く陸地に入りて七、八リーグの間は、二つの河筋の如くなつてゐるが、結局一筋の河になつて、其處に双方から入つた船が一緒になる。(註一〇)と記してゐる。プルチャンペロと云ふのは、フェフォの河口沖合にある劬勞社島 (Culao Cham) のことである。そしてツーランとフェフォの町を過つて夫々海に注ぐ二河は、昔はフェフォ附近で合流してゐた。

ボルリの記述の外に交趾に於ける諸外國船舶の入港及び徴税の狀態は、當時の同地の社會經濟事情を克明に記した黎貴惇の著はす撫邊雜錄にも詳細に描かれてゐる。

海港には市舶提擧司が設置され、其の下に次の如き備員が配屬してゐた。即

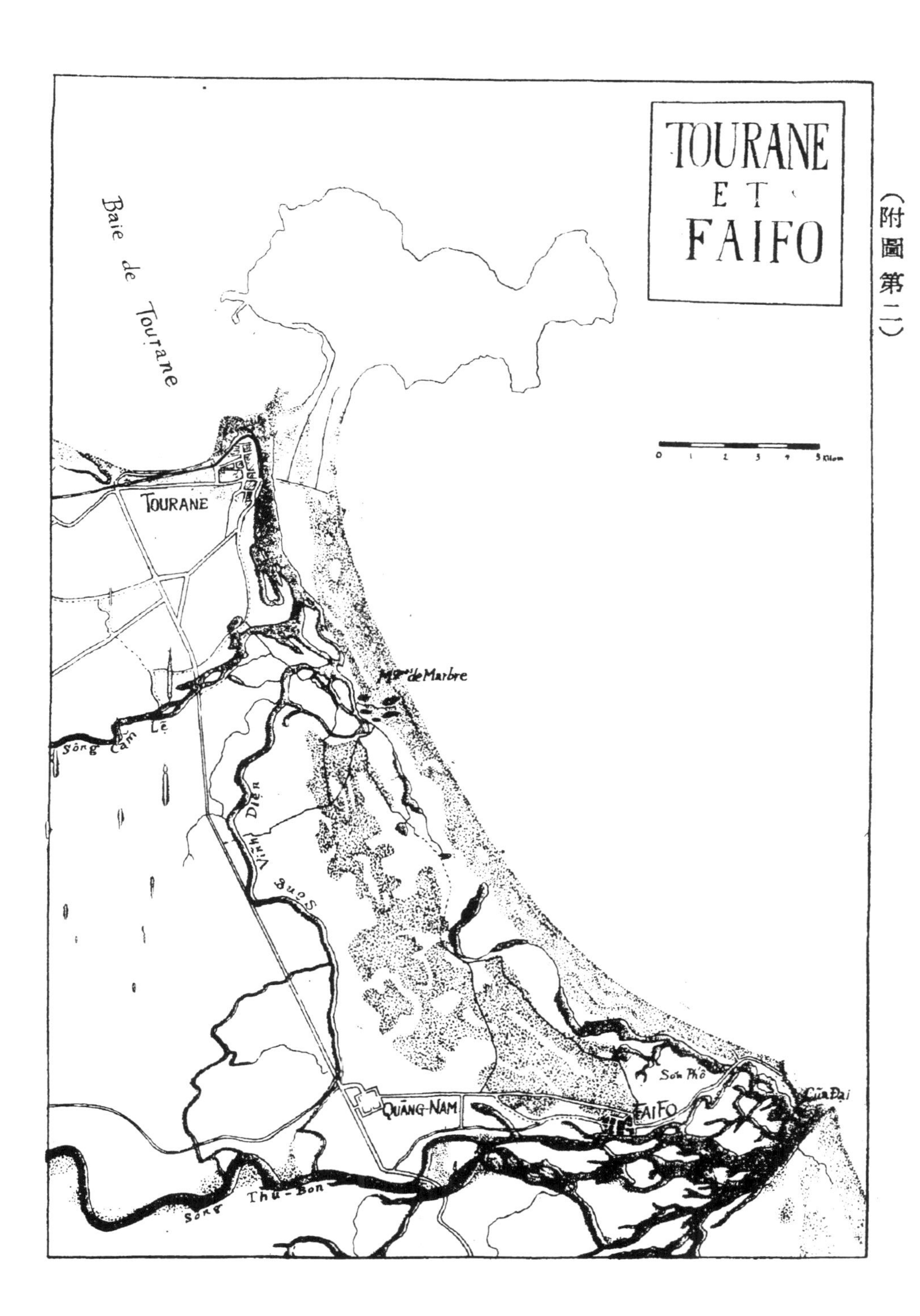
TOURANE
ET
FAIFO
Baie de Tourane
0 1 2 3 4 5 Kilom
TOURANE
Mts de Marbre
Sông Cẩm Lệ
Sông Vĩnh Điện
QUẢNG-NAM
FAIFO
Sơn Phô
Cửa Đại
Sông Thu-Bồn

（附圖第二）

該艚　一人。知艚　一人。該簿艚　二人。該府艚　二人。記錄艚　二人。守艚　二人。該房　六人。令史　三十人。全鋭兵　五十名。艚另四隊　七十名。通事　七名。

であつた。フェフォ又はツーランに入港した船舶は、此等の吏員の檢閱が濟んで後、始めて艚長卽ち船長が到税と稱する入港税を納め、其の國の地方長官や提擧司に贈物を獻上し、次いで貿易を終つて出港する際にも、亦回税を納入する慣習であつた。今諸國船に課せられた到税及び回税を列擧すれば、

| | （到　税） | （回　税） |
| --- | --- | --- |
| 上海　艚 | 錢三千貫 | 錢三百貫 |
| 廣東　艚 | 〃三千貫 | 〃三百貫 |
| 福建　艚 | 〃二千貫 | 〃二百貫 |
| 海南　艚 | 〃五百貫 | 〃五十貫 |
| 西洋　艚 | 〃八千貫 | 〃八百貫 |
| 瑪羔　艚(Macao) | 〃四千貫 | 〃四百貫 |

| | | |
|---|---|---|
| 日本國艚 | 〃四千貫 | 〃四百貫 |
| 暹羅艚 | 〃二千貫 | 〃二百貫 |
| 呂宋艚(Luzon) | 〃二千貫 | 〃二百貫 |
| 舊港處艚(Palembang) | 〃五百貫 | 〃五十貫 |
| 河仙艚(Hatien) | 〃三百貫 | 〃三十貫 |
| 山都客艚(Saoton) | 〃三百貫 | 〃三十貫（註一一） |

にして、出港税は入港税の一割であるが、我が御朱印船も一隻の港税出入幷せて錢四千四百貫を納付してゐたのであつた。

さて御朱印船の交趾渡航後の行動に關しては、幸にオランダ人等の詳細なる報告も殘存してゐるが、之によると、彼等も亦先づツーラン灣に投錨し、乘組の商人數名を交易地フェフォに派遣して、同地在住日本人の頭領と土地の官憲に、彼等の來港を報告すると、兩人は直に急使を以て國王に之を轉奏し、斯くて提擧司や王の直臣が來船し、船荷を檢閲するまで、彼等は商品の積降しを差控へて待たねばならなかつた。提擧司が來船して、積荷、其の品目、其の數量等を檢閲し、先づ積荷中より國王及び大官の爲めに、銅、銅錢等の商品を先取的に買上げて後、始めて積荷揚陸の許可が出ると、商人等は漸次商品をフェフォに運搬して、同地在住の女人等と聯絡して、之を賣捌いたのであつた。(註一二)支那船も粗ゝ同様なる方法の下に、彼等の交易を營んだらしく、東西洋考の交阯交易の條にも、其の狀況を推察するに足る一節がある(註一三)。卽ち外人に取つて、ツーランは、云はゞ船着きの一時的假泊の舟宿港町なるに對して、フェフォは特に常設的に交易を主とする商業都市にして、夫々其の目的の爲めに、日本人等の移住定着する者も出來た樣である。一六一五年(元和元年)の初頃、ゼスス會のバレンチン・カルバリョ(Valentim Carvalho)ディオゴ・カルバリョ(Diogo Carvalho)及びフランシスコ・ブゾミ(Francisco Busomi)の三人が、傳道の爲めマカオから交趾に向つたが、『此の三人の宣敎師は一月二十八日交趾支那の港ツーラン(Turam)に入り、パードレ・ディオゴ・カルバリョは、日本人等の居住地フェフォ(Faifo)に到り、フランシスコ・ブゾミはツーランに着いたが、軈て同地に敎會堂も出來た。』(註一四)其の後一六一七年四月(元和三年)ウヰリアム・アダムス等がギフト・オブ・ゴッド號(Gift of God)に乘つて、平戶から交趾に渡航し、一時劬勞社島に假泊し、次いでフェフォに達した時、既に同地に成立せる日本人居留地を目擊してゐた。

今彼の航海記中から在留日本人關係記事を摘記すれば、

〔一六一七年四月〕二十日。安息日にして、我等は廣南の河に入り、順風を得て溯航して町(フエフオ)に達した。今日バルナルド(barnard)のジャンク船、トラン(ツーラン)(torran)に到着した報があつたので、其の實否は更に確報を待つこととしたが、軈て確報があつた。

〔五月〕十六日。左兵衛殿(Safe domo)の手代が廣南で殺害され、土人二人も亦殺されて錢三貫目掠奪された。

十九日。月曜日にして、殺人の報があつたので、船長等一同王子の下に赴き、其の事に就いて感謝し、裁判の施行を見んとしたが、船長中には行くことを見合はせた者もあつた。殺害された三人は發見されて、廣南の日本町(Japanes Mach)に運ばれ彼等に鄭重に葬られた。(註一五)

とあり、アダムスと同行したエドモンド・セリスの航海記中にも、

〔四月〕二十二日。本日予は上陸して家を借り、貨物を悉く陸揚したが、ダカ殿(dackadona)の子兩人から大いに歡待されて、其の家に宿つたが、彼等の父親はバルナルドに會ひにトロン(ツーラン)(Torroune)に行つてゐた。(註一六)

とある。日本人バルナルドとは、平戸のイギリス商館長リチャード・コックス(Richard Cocks)の日記にも記されてゐる長崎の船主である。(註一七)アダムスと交渉あるダカ殿とは、フェフォ在住日本人中の有力者にして、彼の家にセリスは宿泊してゐる。同地で殺害された日本人は長崎奉行長谷川左兵衛の手代なるべく、彼は貿易港長官の地位を利用して、私に貿易に手を染め、頻に斡旋して一族に異國渡海御朱印狀を受けさせたが、交趾の官憲も此の有力者に對し、弘定十二年(一六一〇)には來航の舟本彌七郎船に託し(註一八)、同十六年(一六一四)には小川利兵衛船のフェフォ來着を機として書翰と方物とを贈つてゐる。(註一九)左兵衛も亦アダムス等の交趾渡航に當つて、彼地の官憲に紹介狀を認めてゐる。(註二〇)恐らく斯くの如き用務の必要上、手代を彼地に駐在せしめたのではあるまいか。そして此の手代の葬式は、フェフォの日本人居留地で執行されたが、アダムスは特に之を日本町(マチ)と呼んでゐる。西川如見も亦、『昔日本人此ノ國ニ渡海ノ時、留ツテ居住セシ者多シ。日本町(マチ)ト號シテ一町アリテ其子孫有レ之由』(註二一)と言つてゐる。

斯くして同地に於ける御朱印船貿易の發展に伴ひ、移住日本人の數も漸次増加して、終に彼等が集團をなして一定の地域内に居住地を形成して、所謂日本町を建設する様になつたのは、カルバリョや、アダムスの此の記述より以前、恐らく慶長の半頃のことゝ思はれる。パードレ・ボルリはアダムス渡航の翌年一六一八年(元和四年)交趾に入り、滯在三年一六二一年退去したのであるが、此の點に關しても、最も剴切な筆を以て、

交趾支那王は日本人と支那人とに適當な場所を與へて、年々行はれる大なる互市の便を計つて町を營ませた。其の町をフェフォと云ふ。其の町は甚だ大にして、寧ろ二の町があると云つていゝ程である。一は支那人町で、他は日本人町にして、夫々別個に生活してゐる。(註二)

と記してゐる。日本町發生の過程に當つて、當時阮氏の外來人に對する斯くの如き政策も、亦君過出來ない重要性を有する成立條件ではなかつたかと思はれる。

註一　候繼高、全浙兵制考。二、附錄、近報倭警。

註二　視聽草。(堺市史、第四、資料編。第一、六二一―三頁、所收)
長崎志。第一卷、(長崎文庫刊行會本。八―九頁)

註三 張燮。東西洋考。卷之十一、藝文考。請計處倭酋疏。

註四 Cabaton, Relation., *op. cit.* pp. 24—25, 126—127.

註五 通航一覽。卷百七十一、安南國部 一（刊本、第四、四八一—四八三頁）

註六 Cadier, Tableau., *op. cit.* pp. 133—4.

註七 何喬遠。鏡山全集、卷二十四。議、開洋海議、本學史學科學生原徹郎氏の示教によることを記して謝意を表す。

註八 Originele Missive van J. P. Coen uijt Bantam aen de Camer Amsterdam in dato 18 Dec. 1617. [Kol. Arch. 978.]

註九 Pagès, Léon. Histoire de la Religion Chrétienne au Japon. Tom. II. Annexes. Paris. 1870. pp. 164—165. ***Information sur l'entrée des Hollandais au Japon et sur quelques événements qui suivirent a Macao, le 8 fevrier 1615.***

註一〇 Borri *op. cit.* pp. 96, 97—98.

註一一 黎貴惇、撫邊雜錄。卷四。
Maybon, Charles B. Histoire Moderne du Pays d' Annam (1529—1820). Paris. 1920. pp. 53—4. 瀬川龜氏、我が朱印船の安南通商に就て（大阪外國語學校、海外視察錄、第壹號。一六—七頁）。

註一二 Copie missive door den opperCoopman Abraham Duycker aen d Hr Generael gesch. den 7en October 1636. [Kol. Arch. 1032]

註一三 東西洋考。卷之七、交阯、交易。

註一四 Cardim. Batalhas. *op. cit.* p. 177.

註一五 Purnell. Log., *op. cit.* pp. 231, 32, 33.

註一六 *ibid.* p. 290

註一七 Diary of Richard Cocks. 1615—1622. Tokyo. 1899. Vol. II. pp. 24, 92.

註一八　桑名　總社文書。
註一九　半舫齋日鈔。（山本信有、日本外志、所收）
註二〇　Cocks. Diary. *op. cit.* Vol. I. pp. 224 39.
註二一　華夷通商考。卷之三。
註二二　Borri. *op. cit.* p. 98.

## 二　交趾日本町の位置、戸口、及び居住形態

交趾に於ける日本町は、前述の樣な事情の下に、フェフォと、其の北方三十三粁の地點にあるツーランとに建設された。フェフォは坡舖とも會安とも書くが、後者は昔フェフォを構成してゐた五部落の名稱の一に基くものである。（註一）又元和元年交趾に渡航せし小川利兵衛船の投錨した大膽海門とは、フェフォの町の南側を過つて東流し海に注ぐ河口ソン・クワ・ダイ（Song Cúa Đai）のことである（註二）。今日ではフレンチ・メイルの諸船もツーランに寄港し、フェフォは近代的灣港の性質を失つて、僅に地方的都市となつたが、當時は寧ろ其の繁榮は遙に

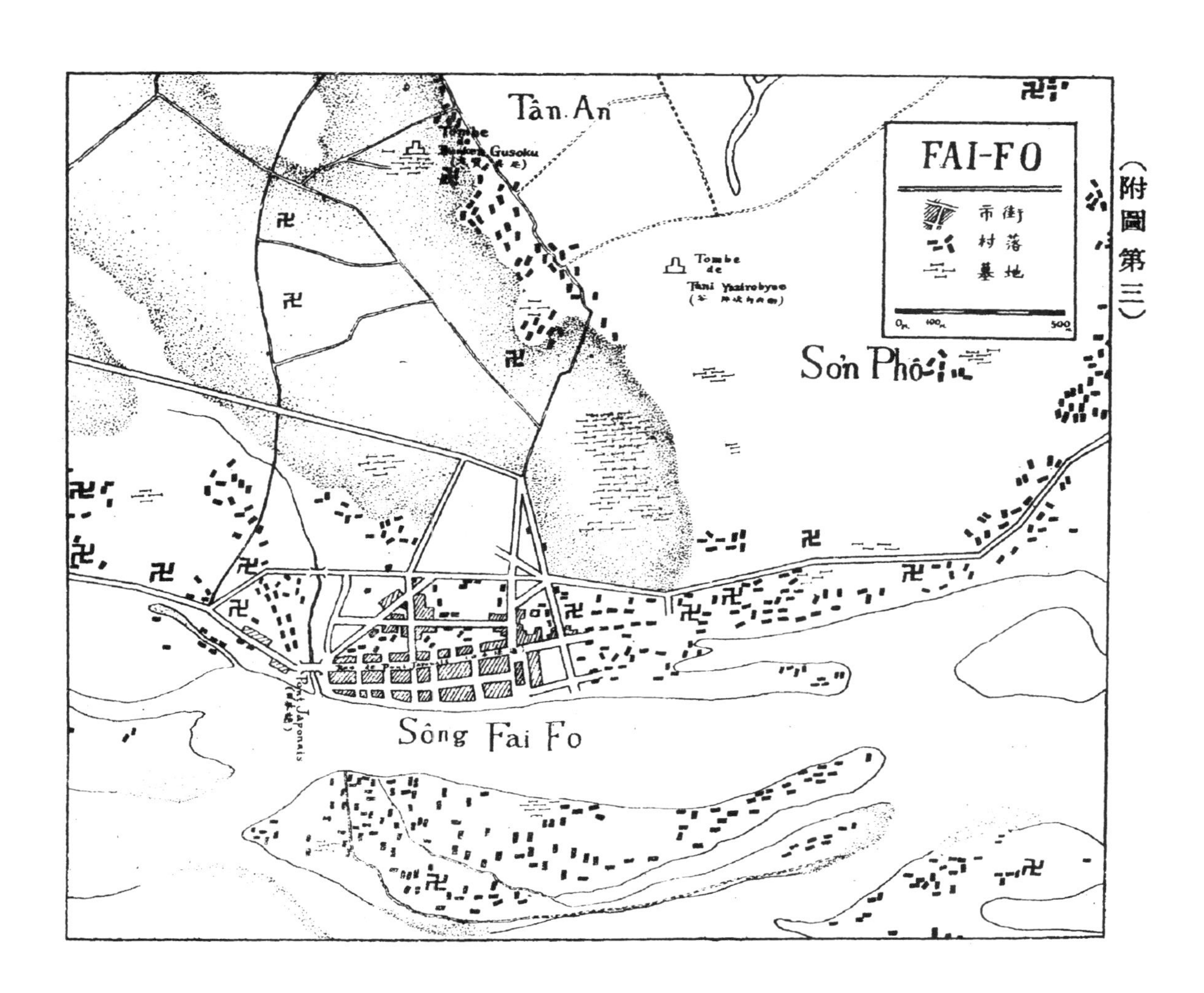
FAI-FO
市街
村落
墓地
0m 100m 500m
Tân An
Tombe de
Gusoku
Tombe de
Tani Yasirobyoe
Sơn Phô
Sông Fai Fo
Pont Japonais

（附圖第三）

ツーランを凌駕してゐた様である。

フェフォは、フェフォ川(Song Fai Fo)の北側に沿ふて東西に亙つた町で、川に並行した目抜の通を、今でも日本橋通(Rue de Pont Japonaise)と呼び、其の通の西端に在る橋を西洋人は日本橋(Pont Japonaise)と呼んでゐる。一に來遠橋と稱し、往時日本人在留の頃、彼等が建設したものと傳へ、橋上東北隅にある重修來遠橋の碑にも此の事を銘記してあるが(註三)、其の後兩三度改築した結果、今では全く往時の俤を留めてゐない。

フェフォの日本町のことは、アダムスやボルリの記述によつて明かであるが、殊にボルリは同市が、寧ろ日本人町と支那人町との二部より成立してゐると言つてよいと述べてゐる。其の後オランダ人の報告によれば、一六三三年六月頃(寛永十年)には、この日本町が火災に遭つてゐるが(註四)、幾許もなくして再建され、從來とは面目を一新したらしく、一六五一年(慶安五年)ウヰルレム・フェルステーヘン(Willem Verstegen)がデルフト・ハーベン號(Delft Haven)にて東京、臺灣及び廣南に渡航した時の航海記の同年十二月十二日フェフォ(Pheijpho)到着の條に、

彼は町を彼方此方と眺めながら通つたが、同町には街路も少く、最も主要な

大通は、川に沿ふて擴がつてゐて、大部分は石造にして耐火家屋である。その中に六十軒餘の日本人の家があり、その他は殆ど支那人の商人と職人の家で、廣南人の住する者は極めて少い。(註五)

と記してゐる所を見ると、假に一家族の單位を四人とすれば、此の頃フェフォ在住日本人は二百四五十人に達したであらうと推せられる。其の後安南の景治捌年(一六七〇)同地在住の角屋七郎兵衛が、彼の家名に因んで松本寺と稱する一寺を町端に建立して、其の寺に獻納すべき寺額や梵鐘の誂を、其の鄕里伊勢松坂の一族に依賴したが、此の寺額の註文狀中に、

川上也

西　唐人町

南　川　寺　但し南向き也 此寺にかゝり中がくに候　　北ハ安南町

東　日本町

川下也

板ノ色ふ紺青にて惣地也。文字ハ金文字也。但しおき字。但し寺ハ南向(ニテ脫カ)御座

候。うしろは北也。寺の前にも川御座候。（註六）

とあつて、フェフォが主として日本人町と支那人町とより成立してゐることが判明するが、註文狀によると、日本町はフェフォの東部川下にして、支那人町は其の西方川上にあつた樣である。當時の日本町が果して今のフェフォの何處に該當するか確には判らぬが、假に今日の日本橋通を中心とする地域に在つたとすれば、松本寺は正に日本橋附近に在つたことになる。

さてフェフォ日本町在住日本人の戸口に就いては、前述フェルステーヘンの航海記に六十家族と記してあるが、同地在住十年に及ぶ長崎の人フランシスコ・五郎右衛門(Francisco Groemon)が、一六四二年五月二十八日(寛永十九年)オランダ人に提出した廣南の現狀報告中に『國王に奉仕してゐる者以外に、約四五十人の日本人がフェフォに在住してゐる。……此國には國王の雇傭せる者以外に、四五千人の支那人が住んでゐるが、少しも納稅せずに自由に暮してゐる』(註七)と述べ、又前記フェルステーヘンの日記一六五二年一月二十日の條には、『同地に尚日本人六七十人あり、其の中には貿易の爲め、マニラ、東埔寨、暹羅に赴いてゐる者もある。』(註八)と記してあつて、同一人の記述に前後若干撞著する樣でもあるが、右の六七十人とは先の六十軒の戸主として活動せる日本人を指したに違ひない。卽ち彼の日記一六五一年十二月十三日の條には『午前中數人の日本人、并に日本婦人若干名來訪して大いに歡迎し』、次いで彼は『幼兒を多數持つてゐる日本人』の新築の持家并に倉庫三棟を銀五貫目で購入したことがあるから(註九)フェフォ在住日本人の家族として、婦人小兒も相當な數に上つてゐたと思はれる。そして此の外同地の官憲に雇傭されてゐた日本人も、他に若干あつたと見ねばなるまい。

ツーランは茶麟とも茶龍とも記し、其の灣口を沱灢海門とも書く。同地に於ける日本町存在の事實は、名古屋情妙寺所藏の茶屋新六郎交趾貿易の圖によつて立證される。同圖は從來旣に屢〻世上に紹介され、辻博士やペリ氏も其の圖と現在の地形とを比較對照して詳細に說明してゐられる。(註一〇)今しも茶屋新六郎の御朱印船は曳舟で『舟入口、とろん岩嶋』に到着してゐるが、現在ではツーラン灣內には斯かる島はない。しかし一七九三年イギリスの遣淸使節マカアトニィ卿(Earl of Macartney)が戰艦ライオン(the Lion)にて同地に寄港して測量作成した海圖には、丁度『とろん岩嶋』の位置に一小島を描いてゐる。(註一一)圖中川の入口上方卽ち西岸、今日のツーラン市街の北部と覺しき所に『日本町、兩輪三丁餘』と註記した町並は、言ふまでもなく當時の日本町の實況である。日本町の附近に『獵師濱、万市町』あり、南方河岸に港務署、其の後方に四本柱草葺の粗末な高い凉臺卽ち監視塔がある狀況は、其の後百五六十年を經て同地を往訪したマカアトニィの時も、茶屋の圖同樣舊態依然たりと言つてよい。(註一二)日本町の對岸に『寄舟唐人町』『寄舟こや、諸色是にて商』とあるは、唐人の舟宿港町の意であらう。繪卷には、更に新六郎が港務署に出頭して、來着の挨拶をなし土產を獻じてゐる樣子も描かれてゐるが、正にオランダ人アブラハム・ダイケル(Abraham Duijcker)が同地で目擊した我が御朱印船交趾入港の狀を圖解した觀がある。(註一三)ボルリは『交趾國王は、常に同地に來航するポルトガル人に好意を示し、屢々ツロン港附近に於いて、あらゆる便宜を計つて三、四リーグの肥沃豐饒なる土地を提供して、既に支那人と日本人とが營んでゐる樣に、同地に彼等の町を建てさせんとした』(註一四)と記してゐる。此の記述は稍曖昧であるが、或は既にツーランに建設された日本町と唐人町の如く、ポルトガル人に勸誘して同地にも彼等の專管居留地を建設せしめんとしたのではあるまいか。

しかしフェフォに比して、ツーランに關する記事は寥々としてゐるが、是は當時兩市の繁榮の差に基くものに違ひない。同地に渡航したオランダ人等も、フェフォを都市(Stadt)と記せるに反し、ツーランを村落(Dorp)と書き分けてゐる程である。(註一五)

註一　Sallet, A. Le vieux Faifo. (Bulletin des Amis du Vieux Hué. Oct-Déc. 1919) p. 509. note b). 會安は古のフェフォを構成してゐる五部落の一にして、他は明鄉、錦鋪、安壽、及び豐年である。

註二　半舫齋日鈔。

東野樵の乾坤一覽に安南各地の細分圖があるが、會安庫の東方河口に大膽海門深大と記してある。

註三　辻善之助博士、增訂海外交通史話。五九〇—九一頁。銘文の全文は昭和二年同地に行つた時、寫取つて來たが、他に機會を得て發表する積りである。

註四　Copie Missive van Joost Schouten aen den Gouvr = Genl, uyt Yudia in Siam. Adij 6en Novembris 1633 [Kol. Arch. 1025] Extract uijt Daghregister van gepasseerende in Siam, order de directie van Joost Schouten, van 10 April tot 6 november 1633. [Kol. Arch. 1021]

註五　Dagelijcxe aenteeckeninge vant voorgevallen opde voyagie van Batavia naer Tonckin, Tayouan ende Quinam gedaen bij de E. Willem Verstegen. [Kol. Arch. 1074.]

註六　松本陀堂。安南記。

註七　Declaratie vande gelegentheijt des Quinamsen rijcx door seeckeren Japander genaempt Fransiscc……den 28 n May anno 1642. [Kol. Arch. 1049].

Buch, *op. cit.* p.122. Bijlage
フランシスコが長崎生れの五郎右衞門なることは、ツーラン灣碇泊中のヤハト船ヒュルスト(Hulst)の決議錄一六五一年十二月十日の條に見えてゐる。〔Kol. Arch. 1074〕

註　八　Rapport van den E. Willem Verstegen wegens sijn besendingh na de Noorder quartieren, besonderlijck van Tonc-quin, Tayouan ende Quinam in dato 20 Jan. 1652. 〔Kol. Arch. 1074〕

註　九　Dagelycxe aenteeckeninge vant voorgevallen op de voyagie van Batavia naer Tonckin, Tayouan ende Quinam ge-daen by de E. Willem Verstegen. 〔Kol. Arch. 1074〕

註一〇　增訂海外交通史話。五八四——五九〇頁。
ノエル・ペリ氏。日本町の新研究。下。(學生。七ノ二。六四——六五頁。)

註一一　Staunton, George. An Authentic Accourt of an Embassy from the King of Great Britain to the Emperor of China. London. 1797. Plate. n°. 3.

註一二　*ibid.* Vol. I. pp. 325—6, 334—5, 336.

註一三　Copie missive van Duycker. Oct. 7, 1636 *op. cit*

註一四　Borri. *op. cit.* p. 101.

註一五　Copie missive van Duycker. *op. cit.*

## 三　交趾日本町の行政

日本人が支那人等と共に、夫々フェフォやツーランに、一定の地域を與へられ居留地を營むに隨ひ、之に對して必然的に何等かの形式に於いて管理取締の必要を生じたことは明かである。ボルリは此の點に關して、

彼等(日本人と支那人)は各自の町に、夫々その長(Suoi Governatori)を置き、支那人は支那の法律に、日本人は日本の法律に隨つて生活してゐる。(註一)

と云つてゐるから、當時の日本町は、既にペリ氏も指摘してゐる樣に(註二)、今日の租界の如き形式で、居留民中より一人の長、即ち頭領を選任して租界長とし、その人の指揮統制の下に自國の法律に從つて生活し、全く治外法權を許容された自治制の町であつたと思はれる。そしてフィリッポ・デ・マリニ(Filippo de Marini)のゼスス會日本傳道誌によれば、ポルトガル人を父とし日本人を母とするバードレ・ピエトロ・マルケス(Pietro Marques)の交趾支那に於ける傳道を述べた一節に、

一六五八年(萬治元年)。…………最後に此の傳道區の布敎の狀態を終るに當つて、同地(フエフオ)で有名なチコ殿(Cicodono)の身内の一日本人の死亡と葬式の時に起つたことを述べやう。彼は病死の際に、バ・マリヤ(Bà Maria)と云ふ敎會堂に埋葬されんことを願出て叶つたのである。埋葬の日にはキリスト敎徒は、多數大びらに十字架を翳して葬式の行列をなして敎會堂に集つた。それは日本人の名の

下に行はれたが、既に述べた様に、日本人は同國の禁教令に束縛されないからである。(註三)

とあるから、日本在住民は、全く交趾の國內法なる禁敎令適用の範圍外に在つて、可也徹底した治外法權を享受してゐたと見ねばならぬ。

斯くて自治制日本町の長卽ち頭領は、既にボルリの滯在期一六一八年——一六二一年頃、日本町成立の初期にも選任されてゐたが、舟本彌七郎顯定も、恰も此の頃渡航日本人の取締に任ぜられてゐる。

**彌七郎**は、**慶長九年以來**御朱印狀を受けて交趾方面に派船すること九回に及んでゐる。(註四) 大都統阮福源は弘定九年五月四日(元和四年)夫々書を本多正純、土井利勝に寄せ『先年貴國嚴令、札示船本彌七郎顯定。來邦諸人無不遵守法度。今也小人無知、不依先令混擾。各商難以拘束。幸念舊恩、仍令七郎、持札親來、以副我望』と記し、又『船本彌七郎顯定自就彼邦已二十餘年、我視之猶子、終始無間。上年回國、近侍貴國、來春仰任親來、仍給舊令嚴札、以副我愛。』なる旨を通じた。幕府は阮氏の乞を容れ、利勝、正純兩人連書を以て、彌七郎の交趾渡航に當り、元和四年十一月十二日(一六一八年)『自日本到交趾國渡海之諸商人、可レ爲二船本彌七郎計付一、於二交趾一非法之輩有レ之者、屋形次第可レ被二成敗一者也。』との制札を授けた。(註五) 卽ち阮氏は外人居留地に自治權と治外法權とを許し、其の國民中より頭領を選んで、彼等の統制に當らしめると同時に、御朱印船などによる一時的渡航日本人に對しても、彌七郎の如く其の國民中から取締職を選んで、之が監督の任に當らせたのであらう。

又カルディムの記す所に依れば、一六三一年(寛永八年)にヴレンチン・カルバリヨ等三人のパードレが同地で復活祭を終つた頃、阮氏の使臣が來てフェフォの教會堂を破壞すべきことを命じたが、『此事は凡て、オランダ人とフェフォに多數居住せる日本人の頭領にして異教徒なる一日本人(Um japão gentio, Cabeça)の揑造する所である』と傳へてゐる。(註六)

さて其の後代々の日本町の頭領の諸記錄に散見する者を拾つて、彼等の在職推定年代を列記すれば、次の如くなる。

| (氏名) | (在職期間) |
| --- | --- |
| ドミンゴ | 一六三三——一六三六(寛永一〇年——同一三年) |
| 平野屋六兵衛 | 一六三六——一六四〇(同一三年——同一七年) |

鹽村宇兵衞　一六四〇――一六四二（同　一七年――同　一九年）
鹽村太兵衞　一六四二――一六六〇（同　一九年――萬治三年）
林　喜右衞門　一六六〇――一六六五（萬治三年――寛文五年）
角屋七郎兵衞　一六六五――一六七二（寛文五年――同　十二年）

**I　ドミンゴ**（Domingo）。　一六三三年五月バタビヤ政廳の命によつて、上席商務員パウルス・ツラデニウス（Paulus Tradenius）と評議員フランソア・カロン（François Caron）とは、ブラウエンスハーベン（Brouwenshaven）スロッテルダイク（Sloterdijk）の兩船にて廣南に向つた。其の目的は、新に同地と貿易關係を開始すること、及び出來るならば、一六一四年、一六三二年の兩度同地にて沒收されたオランダ船と船荷との賠償を要求することであつた。（註七）　六月二十五日兩船は廣南の河口に碇泊したが、土地の官吏に隨從して來船檢閲したフェフォの日本人町の頭領（Overste der Japande; にして國王の通譯官を勤めてゐる日本人ドミンゴの勸告に從つて、ツーラン灣に回航して同地に投錨した。（註八）

オランダ人等は碇泊後、第一王妃以下土地の主要なる人物連に總額六一〇グルデンに上る贈物を獻じたが、其の中には、國王に仕へて、日本語、オランダ語、ポルトガル語の通譯に當つてゐる此のドミンゴに贈つた良銀五〇グルデンも含まれてゐた。(註九) カロンは此より先、永年日本に在住し日本語にも熟達せしを以て、專らドミンゴを相手として諸般の折衝に當り、ドミンゴも亦屢〻ツーランのオランダ船を訪問し、カロンのフェフォの町狀視察の案内をし、(註一〇)彼の斡旋で同地に於いて今後オランダ人假商館に使用すべき家屋を借受けることとした。(註一一) 結局領主阮氏に謁見することは容れられなかつたが、七月九日には東印度總督に對する贈物と書信、及び今後の貿易の許可を得たれば、當時ツーランに碇泊中の末次平藏の船など、二隻の日本船出帆に後れること二日、七月十五日同地を解纜した。(註一二) 出帆に當つてドミンゴの好意を謝して、總額四七グルデン一二ストイフェルに當るモスリン七反を彼に贈つた。(註一三) 不幸にしてドミンゴの日本名を傳へてゐないが、斯くの如き教名を有し、ポルトガル語にも通じてゐた所より推せば、日本を逃れた切支丹の一人に相違ない。

**II　平野屋六兵衞**(Fyrafioa Rockebeoya, Firania Rockbe)。 交趾在住日本人の頭領にして、港務長を兼ねてゐた。(註一四) 一六三六年三月(寬永十三年)三隻のオランダ船が臺灣よりツーランに入港して、フェフォ駐在のオランダ商館上席商務員アブラハム・ダイケル(Abraham Duijcker)は入船挨拶のため使節として順化に赴かんとせしが、途中頭領六兵衛は阮福瀾の命によつて彼を出迎へ、事を以て尙暫くフェフォに留つて後命を待つべき旨を傳へた。(註一五)三月二十九日ダイケルは六兵衛を伴つて順化に至り、彼の通譯斡旋によつて阮氏に謁し、東印度總督と臺灣長官の書翰と贈物を捧げ、幷せて一六三四年廣南の一海島に難破して沒收されたオランダ船フローテンブルック(Grootenbroeck)の賠償を要求したが、阮氏は事先代の時代に屬し、且つ關係官吏は旣にその爲に斬罪に處したことを理由として之を拒絕し、單にオランダ人の今後の居留貿易の自由を再認して、總督と長官とに夫々返禮として贈物を託した。(註一六)依つてダイケルは其の事情を總督に報告し、六兵衛も亦總督に充てゝ折衝の不首尾に終れることを認めた添書を託したので、之を接受した總督アントニオ・ファン・ディーメン(Antonio van Diemen)は直に同年五月三十一日(寛永十三年四月三十日)附の返書を六兵衛に送つて、彼が今後一層オランダ人を援助して、諸般の折衝に當らんことを要請した。(註一七)

當時偶ゝバタビヤに歸還中の平戶のオランダ商館長ニコラース・クーケバッケル(Nicolaes Couckebacker)は、日本に歸任の途、廣南に立寄つて更に折衝を續くべき命を受けて同年六月同地に到着し、直に六兵衞の案內にて順化に赴き阮氏に謁見したが、彼は此の時も種々奔走した。(註一八)翌一六三七年一月コルネリス・セザール(Cornelis Caesaer)がペッテン(Petten)號にて臺灣より來着した時も、六兵衞の斡旋で阮氏に謁し用務を果してゐる。(註一九)其の後ダイケルがフライト船ラロップ(Rarop)にて同地を離れバタビヤに歸還するに當つて、六兵衞は總督に充て書翰を託送し、總督の親書を謝し、彼がオランダ人の宿舍に就いて斡旋し、オランダ船の入港稅を代納せしことを述べ、更に總督に交趾絹布五反を贈つてゐる。(註二〇)　文中オランダ人の氏名をポルトガル語化し、綴字にも往々誤ある點より見て、原文は或は六兵衞の起草したものではあるまいか。

其の後寬永十六年六月十九日に、六兵衞は同じくフェフォに在住せる多賀平左衞門と連名にて一書を認め、オランダ船に託して故國に在る緣者帶屋喜右衞門に充てゝ、前年オランダ船に託して彼に送つた伽羅木の着否を尋ね、更に日本着物の送付を乞ふてゐる。(註二一)六月二十三日更に兩人連名にて別に一書を認め、平野屋新九郞に充て、前年オランダ船にて發送した一箱と一籠の伽羅木が途中オランダ人に差押さへられて、一應バタビヤに送致され、更に同地より日

本に回送された噂の實否を尋ね、尙同封の鮫皮を板倉周防守に獻上せんことを依賴した。(註二二)

卽ち平野屋六兵衞は交趾在住日本人の頭領として、阮氏に仕へては港務長の要職にあり、職掌柄同地に來航するオランダ人の爲めに常に斡旋盡力して、東印度總督と書信を贈答し、更に在鄕時代の緣故によつたのであらうか、京都所司代板倉周防守重宗に鮫皮を獻じてゐる。

六兵衞の經歷活動に關しては、オランダ人が屢々記述せるに反し、日本側には何等の消息をも傳へてゐない。或は永く同地に在住せし平野屋谷村四郎兵衞の一族か、或は暹羅、呂宋、交趾など南洋各地の貿易に手廣く活動した末吉孫左衞門が、平野庄の代官として一に平野孫左衞門とも稱し、所司代板倉氏とも因緣淺からざれば、孫左衞門の一族ではあるまいかとも思はれる。殊に孫左衞門の從弟平野藤次郎正貞は京都に住し、始めは末次平藏と共に臺灣貿易に手を染め、後專ら交趾貿易に活動してゐる。(註二三)

**III——IV　鹽村宇兵衞** (Siommoera Ouffioye) **鹽村太兵衞** (Siommoera Toffioye)。鹽村宇兵衞は交趾在住日本人の頭領にして、寛永一九年(一六四二年)彼の歿後、その養子太兵衛が父の跡を繼いで頭領となつてゐる。(註二四) 一六四一年十一月に蘭船フルデン・バイス(De Gulden Buis)とマリヤ・デ・メディシス(De Maria de Medicis)の兩船が、交趾沖劬勞社島の南海二三十浬の所で難破して、商務員グィレルモ・デ・ウィルト(Gulelmo de Wilt)や、偶〻便乘せし日本婦人連が溺死したことがある。(註二五) 阮氏の命によつて頭領宇兵衛は生存せる乘組員七十二人を救助してフェフォの日本町に分宿せしめ、更に令して一船を艤裝して明年正月過ぎ彼等をバタビヤに送還せしめんとした。(註二六) 當時キービツ(Kievit)とブラック(Brack)兩船にて臺灣から東京に赴いてゐた商務員ヤコブ・ファン・リースフェルト(Jacob van Liesvelt)は、此の報に接して一六四二年二月五日直にツーランに廻航し、土民を質として捕へ種々折衝の後、オランダ人五十人は阮氏の書翰を携へしめてバタビヤに送還し、其の返答を待つて殘留の二十一人をも釋放すべきことを約し、其れまで彼等を二分し、七人は日本町に分宿して、太兵衛が彼等の衣食の面倒を見ることゝなつた。彼は此の事情を詳かに認めて、同年八月二十一日(一六四二年九月十五日)送還オランダ人に託して、バタビヤに在住せるユガ竹右衛門(Juga Stakemon)と村上武左衛門(Moera kamy Bosemon)に報じたが、同書の末に、父宇兵衛が死亡して、彼が其の職を繼いだことを記してゐるから、(註二七)宇兵衛の死は同年八月以前のことであらう。此より先多年交趾地方に於いて傳道に盡瘁したゼスス會のアレクサンドレ・デ・ローデ(Alexandre de Rhodes)が、一六四〇年二月再び同地に歸還して日本人の町なるフェフォに宿を定め、先づ『日本人異教徒にして我が聖教の大迫害者なる長官(Gouverneur)』の許に赴いて彼に進物を呈し、彼の東道によつて順化に入り、其の後阮氏に拜謁、贈物の獻上に當つても彼の斡旋盡力を得てゐる。(註二八)此の長官或は頭領と云ふのは、或は宇兵衛のことではあるまいかと思はれるが、彼が平野六兵衛に繼いで日本人の頭領となり、幾許もなく死亡して、其の在職活動の期間が甚だ短期なりしためであらうか、彼に關する消息は極めて尠い樣である。

前述の如く、宇兵衛の死後、養子太兵衛は直に頭領の職掌を繼承して活躍を始め、海難オランダ人の救助保護に盡力し、之をバタビヤ在住の知人竹右衛門と武左衛門に詳報したが、其の後一六五一年十一月(慶安四年)ウィルレム・フェルステーヘンがヤ、ト船ヒュルスト(Hulst)で臺灣から同地に到着し、阮氏と折衝し、一時中絶した商館を再建せんとして、太兵衛の家に宿泊し、次いで彼の盡力によつて、フェフォに於いて一昨年新築した許りの日本人の持家と三棟の耐火倉庫を銀五貫目にて購入し、曾て東京のオランダ商館長たりしヘンドリック・バロン(Hendrick Baron)等を駐在せしめた。(註二九)フェルステーヘンは用務を果して出發するに臨み、太兵衛の盡力を謝し、幷せて今後の援助を期待して、彼に總額百五十グルデン十九ストイフェル餘に上るペルペトワン布など十四種の贈物を與へて、十二月十九日バタビヤに向け出帆した。(註三〇)

フェルステーヘンの出發後、阮氏は前約に反して駐在オランダ人を捕縛抑留してバタビヤに追放することゝなつた。一六五二年一月十八日館長バロンが愈ゝ立退くに當り、阮氏の命によつて、フェフォのオランダ商館は今後太兵衛が管理し、オランダ人再來の日まで通譯フランシスコ・五郎右衛門が居住することに決定した。(註三一)太兵衛は卽ち壬辰八月十三日附(一六五二年九月十五日)三通の書狀を認め、一通は東印度總督及び參議會に充て、(註三二)一通はフェルステーヘンに充てて其の事情を報じ、(註三三)更に他の一通は村上武左衛門に充てて前記二通の書翰の取次を依賴し、且つオランダ人のフェフォ立退きの事情及び彼の盡力の情況を詳報した。(註三四)オランダ人との交渉によつて、纔に其の活動を窺ひ得

附圖第四

フェフォ日本人頭領太兵衛に與へた寄贈品目録

[illegible] 4783:19:6

[illegible]

[illegible] ... 150:14:1

[illegible]

[illegible] ... 187:10:—

1: [illegible] ... 77:—:—

1: [illegible] ... 51:6:—

[illegible] ... 41:10:5

[illegible] ... 8:1:14

[illegible] ... 22:11:10

[illegible] ... 12:16:10

[illegible] ... 7:19:5

1: [illegible] ... 6:10:—

[illegible] ... 8:10:10

[illegible] ... 9:19:8

3: [illegible] ... 6:6:—

[illegible] ... —:6:5

[illegible] ... 3:—:— 360:0:3

[illegible] ... 5265:6:9

る交趾在住日本人の頭領鹽村親子の素性に關しては、我が國にては傳ふる文獻も全くない樣である。オランダ人と交趾との關係も、其の後十年程杜絕して、以後の太兵衛の運命も明かでない。

**V 林喜右衛門**(Fayasi Kiemon)。交趾在住日本人の頭領にして、オランダ人は『キコ(Kiko)と呼んだが、自らは林喜右衛門と稱した』(註三五)ために、オランダ人の記錄ではキコの名で、頻に彼の活動を傳へてゐる。

既に一六三四年(寛永十一年)の夏オランダ船が交趾沖プラセル(Pracel)の北方で難破した時、官憲の許可を得て日本人商人キコ卽喜右衛門はジャンク船を仕立て、殘留船員と積込貨幣を救出してゐるが、此の時彼は其のジャンク船をバタビヤに派遣せんと欲して、貿易資金三千レアルの貸借を乞ひ、オランダ人も彼との從來の交誼上之を拒みかねて貸與してゐる(註三六)。斯くて彼はフェフォを根據として持船を南洋各地に派遣して貿易を營んだらしく、一六三五年(寛永十二年)の八月には、船を操つて臺灣に渡航し、長官ハンス・プットマンス(Hans Putmans)より歡待されて有利なる貿易を遂げ(註三七)、翌々三七年(寛永十四年)の始には、胡椒購入のため彼がボルネオ島のバンジャルマシン(Banjermassing)に派遣した商船が、暴風雨に遭ひて覆沒したことがある。(註三八)其の後一六五八年(萬治元年)フェフォにて有名なチコ殿(Cico dono)の身内の一日本人死亡して、同地の敎會堂で盛大なる葬式が擧行されたが、(註三九)此のチコとは、喜右衞門即ちオランダ人の所謂キコに相違ない。イタリヤ語やボルトガル語では、子音Cに接續する母音の種類によつては、CはKと同樣に發音することもあるから、音譯の際此の混亂を生じたのであらう。

一六六一年三月(寬文元年)にはハヤト船デルフース(Dergoes)がフェフォ近海で難破し、乘組の商務員ヤコブ・カイゼル(Jacob Keijser)等は上陸して同地在住日本人の頭領喜右衞門の家に宿泊し、(註四〇)次いで再三順化の阮氏に謁して終に喜右衞門の養子の斡旋で出帆の許可書を得、(註四一)更に喜右衞門が、彼等のために四貫目にて購入艤裝したジャンク船に便乘して、同年十月末日バタビヤに向け出帆したが、此の時喜右衞門は舊知の事務總長カーレル・ハルチンクに一書を認めて、彼等の遭難の事情と其の後の救護の經過を報じ、小刀二振を贈つた。(註四二)先に一六五八年家族の死亡の際には、記事が稍曖昧ではあるが、特に目立たしき彼の頭領職管掌の事實を傳へずして、今之を記す所を見れば、或は彼が此の頃鹽村太兵衞の跡を襲ひて日本町の頭領になつたのではあるまいか。

彼は其の後も依然として南洋各地で貿易を營み一六六四年二月(寛文四年)には、五十人乘組の一小ジャンクに小型茶碗八千個などの商品を滿載してバタビヤに渡航し、(註四三)同地から暹羅王に、王の豫て望んでゐる日本の大斧の賣込の仲介をヤコブ・カイゼルに依賴し、更に一書を在暹日本人の頭領に送つて重ねて之を依賴したが、(註四四)彼は同年五月末交趾へ歸航するに當り、オランダ人コルネリス・アブラハムスゾーン・エシッヒ(Cornelis Abrahamsz. Essigh)を航海士として雇傭した。(註四五)翌年四月喜右衞門は同船を柬埔寨に派遣して貿易を遂げ、同地の產物を積込んで更に之をマカオに廻航したが、此の時彼は既に失明してゐた。(註四六)斯くて喜右衞門は早くも寛永の鎖國頃には、交趾に於ける有力なる貿易商として活動を始めてゐたが、當時假に三十歲前後の壯年としても、此の頃には異境に在つて活躍すること既に三十餘年に及び、漸く老境に入つて哀れにも失明したのである。恐らく此の頃彼の人生に於ける活動も停止したのではあるまいか、其の後彼の消息は杳として知る由もない。

## VI 角屋七郎兵衞。

以上交趾日本町の行政と關聯して、代々の頭領の活動を述べたが、一六五三年より六〇年に至る七年間と一六六五年以後は頭領の氏名が明かでない。角屋七郎兵衛は交趾に在つて有力者として活動し、阮氏の一族を娶つてゐる程であるから、或は日本町の頭領であつたらうと思はれるが、在任の實否は明かでない。若し在任したとすれば恐らく一六六五年(寛文五年)頃から其の歿年一六七二年(寛文十二年)まではあるまいか。當時フランス監督の暹羅、交趾支那、東埔寨及び東京に於ける傳道報告によれば、一六六八年(寛文八年)頃に、フェフォには、未だ『其の町を支配してゐる日本人の頭領なる一異教徒』がゐて、王廷卽ち阮氏と親密なる交渉を有してゐるが、(註四七)或は此の頭領は晩年の七郎兵衛ではなからうかと思はれる。しかし彼の素性とその活動に就いては、既に幾多先人の研究もあれば、之を茲に再説することは省略する。

註一　Borri, *op. cit.* p. 98.

註二　日本町の新研究。上。七七頁

註三　Marini, Gio. Filippo de. Della Missioni de Padri della Compagnia di Giesv nella Provincia del Giappone, e particolarmente di quella di Tumkine. Roma. 1663. p. 387.

註四　異國御朱印帳。異國渡海御朱印帳。朱印船貿易史。五七七——五九五頁。

註五　通航一覽。卷百七十二、百七十四。(刊本、第五。四八八——九一、五一〇——一一頁)

註六 Cardim, *op. cit.* p. 182.

註七 Buch, *op. cit.* pp. 21—24.

註八 Daghregister van de Jachten Brouwershaven ende Sloterdijck vant gepasseerde op haere reyse naer Quinam. [Kol. Arch. 1025]

註九 Memorie ende Notitie voor t'geene in Quinam voor generaele Comp. ie te verrecht is [Kol. Arch. 1025]

註一〇 Daghregister vande Jachten Brouwershaven ...... *op. cit.*

註一一 Copoie van Instructie bij Paulus Tradenius aenden Raedt vant Jacht Sloterdijck in Quinam gelaeten, adij 15 ende 16 July. a° 1633. [Kol. Arch. 1025]

註一二 Daghregister vande Jachten Brouwershaven...... *op. cit.*

註一三 Memorie vande naervolgende coopmanschappen aen d'onderstaende personen in Quinam voor chenckagie vereert. [Kol. Arch. 1025] Buch. *op. cit.* p. 27.

註一四 Missive van Anthonio van Diemen, aen Firano Rockbeoya Copp.n van Japanders ende Sabandar in Quinam in dato 31 Mey 1636. [Kol. Arch. 761]

註一五 Dagh-Register gehouden in't Casteel Batavia vant passerende daer ter plaetse als over geheel Nederlandts India. 1624—1682. Batavia & s-Grav. 1887—1931. Anno 1636. 21 April. pp. 79—80.

註一六 *ibid.* Anno 1636. 1 Mei. pp. 91—93.

註一七 Missive van A. v. Diemen aen Firano Rockbeoya in dato 31 Meij 1636. *op. cit.*

註一八 Copie missive door den oppercoopman Abraham Ducker aen d hr=Generael gesch. den 7 October met een apendicx van 15 Dec. 1636. [Kol. Arch. 1032]

Copie missive van de E. H.$^{r}$ President Nicolaes Couckebacker aende Ed. H.$^{r}$ Gouverneur Generael uyt de Piscadores in dato 5$^{en}$=August 1636. [Kol. Arch. 1032]

註一九　Dagh-Register. *op. cit.* Anno 1637. 1 Maart. pp. 61—62.

註二〇　*ibid.* 22 April. pp. 158—160. [Translaet vanden missive vanden Japanschen capitein ofte sabandaer Roccobeije] aenden Ed. Heer Generael.

註二一　Translaet missive door Tanga Phesemon en Firania Rockobe uyt het Coninckrijch van Quinam aen Obia Kijemon geschreven. 6$^{e}$=maen 19$^{en}$=dach. (Japan Dagh-Register door François Caron. Jan. 21, 22 ende 23. 1640)

註二二　Translaet missive door Tanga Phesemon, ende Firania Rockobe uyt Quinam aen Firania Sinciro gheschreven. 6$^{e}$=Maen 23$^{en}$ doch. (Japan Dagh-Register. *op. cit.*)

註二三　拙稿。海外貿易家平野藤次郎（歷史地理。四八ノ四。二二—二三頁）參照。

註二四　Translaet Missive van Sominira taffioyed$^{e}$=Schoon Soon vande Capiteyn vande japanders in Quinam aen Juga Stakemoud$^{o}$=ende Moera kamy Bosemond$^{o}$ Japanders woonachtich binnen Battavia. Den 21$^{en}$ dach vande 8$^{en}$=Maen. [1642]. [Kol Arch. 1050]

註二五　Dagh-Register, *op. cit.* Anno. 1642. 18 Jan. p. 125.

Buch. *op. cit.* pp. 78—79.

註二六　Translaet Missive van Sominira taffioyed.$^{e}$ *op. cit.* Buch. *op. cit.* pp. 79—80.

註二七　Translaet Missive van Sominira taffioyed.$^{e}$ *op. cit.*

註二八　Rhodes, Alexandre de. Voyages et Missions du Pére Alexandre de Rhodes de la Compagnie de Jésus en la Chine et autres Royaums de l'Orient. Paris. 1854. pp. 146—48.

註二九 Dagelycke aenteeckeninge vant voorgevallen op de voyagie van Batavia naer Tonckin, Tayouan ende Quinam gedaen bij den E. Willem Verstegen. [Kol. Arch. 1074.]

Buch. *op. cit.* pp. 110—113.

註三〇 Rapport van den E. Willem Verstegen wegens sijn besendingh na de Noorder Quartieren......in dato 20 Jan. 1652. *op cit.* [Kol. Arch. 1074]

註三一 Copie rapport door den ondercoopman Hendlick Baron aen Haer Ed: overgelevert wegen de Quinamse conditie. 2e february a° = 1652. [Kol. Arch. 1079]

Buch. *op. cit.* p. 114.

註三二 Dagh-Register. *op. cit.* Anno 1653. 22 Martius. pp. 28—9. [Translaet Missive] van den Capitain vande Japanders, Siommoera, uyt Quinam aen d' Ed. Heer Generael ende Raden van India. In't Jaer van slang, de 8e maen, den 13 dach.

註三三 *ibid.* p. 29. [Translaet Missive] van denselven, aen d'Heer Will m Verstegen gechreven. In't jaer vande slang, de 8e maen, den 13en dach.

註三四 *ibid.* pp. 29—32. [Translaet Missive] van denselven, aen Moerakammy Banseyman, mede Japanders en ingeseten van Batavia, geschreven.

註三五 *ibid.* Anno 1661. 2 December. p. 473.

註三六 *ibid.* Anno 1634. Dec. 12. pp. 457—8.

註三七 *ibid.* Anno 1636. April 21. p. 77.

註三八 *ibid.* Anno 1637. Meert 3. p. 63.

註三九 Marini, *op. cit.* p. 387.

註四〇 Dagh-Register. *op. cit.* Anno 1661. 2 Dec. pp. 430—434.

註四一 Notitie ofte Dagh-register gehouden op't jacht der Goes vertreckende uyt Tayouan in comp.e met t Jacht den Dolphin naer Battavia, 26 Feb—2 Dec. a° 1661. 〔Kol. Arch. 1127〕

註四二 Dagh-Register. *op. cit.* Anno 1661. 2 Dec. pp. 434, 437.

註四三 *idid.* Anno. 1664. 21 Feb. pp. 49—50.

註四四 Copie Missive door den Coopman Enoch Poolvoet uyt Siam aen Haer Ed. indato den 22 Dec. 1665. 〔Kol. Arch. 1144〕

註四五 Dagh-Register. *op. cit.* Anno 1664. 27 Mey. Muller, Hendri k P. N. De Oost-Indische Compagnie in Cambodja en Laos. 1636—1670, s-Gravenhage. 1917. p. 417.

註四六 *ibid.* pp. 417, 424, 436.

註四七 Relation des Mission des Evesques François aux Royaumes de Siam, de la Cochinchine, de Camboye, & du Tonkin, etc. Paris. 1674.. p. 120.

## 四　交趾日本町在住民活動の消長

既に交趾日本町の發生、其の位置、戸口、居住形態、及び行政狀態などを述べる際に、日本町の發展と在住日本人の活動にも若干觸れて來たが、今彼等の活動狀態を通觀するに、主として經濟的方面と宗教的方面、及び此れに干與せし諸外人との交渉の三者に關聯する所が多い樣である。此は固より日本町發生の事情と、在住民の性質とからも、容易に推察し得る所である。

**一　宗教的活動。**ゼスス會を始め、東洋に傳道せる諸會派は、日本に布教すると共に、南洋各地の土人の教化にも力を盡した。殊に日本に於ける傳道の自由が、漸次束縛壓迫されて來るや、舊來の教緣を辿つて、轉じて南洋各地移住日本人の間の傳道に力を注いだ。

一六一五年一月二十八日(慶長十九年十二月二十九日)、マカオからパードレのバレンチン・カルバリョ、ディオゴ・カルバリョ及びフランシスコ・ブゾミの三人がツーランに到着して、同地に於ける傳道の口火を切つたが、ディオゴは主としてて日本人等の町フェーフォにて教を說き、ブゾミはツーランに赴いたが、聽て同地に教會堂も出來た。(註一)

しかし同地に於ける教運も、決して順調ではなかつた。ツーランの會堂は設立後幾許もなくして、土民のために燒かれて、ブゾミは僅に身を以てフェフォの日本人信徒の家に逃込んだ。其の後一兩年の間に來着したフランセスコ・ディ・

ピナ(Francesco di Pina)ピエトロ・マルケス(Pietro Marques)ボルリ等の諸パードレは何れも日本町に寄寓して、信徒の奬勵說敎に力めたが、殊にマルケスは日葡人の混血兒にして、日本語に巧なりしかば、傳道に貢獻する所が多かつた。(註二)彼等に隨伴して來た日本人イルマン二人も、パードレ等と共に附近の傳道に從事したが、(註三)土民は尙も新來敎師の布敎を喜ばず、一六一九年頃には、官憲に迫つて敎師を國外に追放せんとしたが、彼等は頑强に踏留まつて、目標を日本町全住民の改宗に置いて、益〻努力した。(註四)其の後も依然として官憲の壓迫は繰返へされ、フェフォの敎會堂は、一六三一年(寬永八年)官命によつて破壞されんとし、次いで一六四八年(慶安元年)阮福瀾の死歿の頃にも其の厄に遭はんとしてゐる。(註五)此の間日本に於ける彈壓は日を逐ふて益〻嚴しく、終に鎖國の厲行となつたが、此の迫害を逃れて交趾に渡る信徒も尠なからずして、(註六)フェフォ日本町の敎勢は一時盛返へしたようである。

此より先アレクサンドレ・デ・ローデが一六四〇年再びマカオよりフェフォに歸來した時、日本町に宿り、異敎徒なる日本人頭領の斡旋を得て、順化に到り阮氏に謁して、官憲の禁令方針の緩和を運動したが、結局奏功せず、其の後彼は他の信徒數人と共に投獄されたこともある。しかし日本町は前述の如く、自治制にして或種の治外法權をさえ許されてゐたから、官憲迫害の風は強く當らなかつた樣である。一六四五年ローデが、多年傳道せし同地を愈〻去らんとする頃、彼は篤信なる一日本人の庇護を得、彼の家に寄寓し、河岸にある彼の持家を會堂に當てゝ多數の信徒を集めて敎を說いた。(註七) 一六五八年(萬治二年)フェフォ日本町の有力者林喜右衞門の一族が死亡した際に、同地の敎會堂で葬式が擧行され、在住日本人は手に手に十字架を揭げて行列をなした。(註八) 其の後一六六四年七月(寛文四年)フランスの外國傳道會のシェブルウィール(Chévreüil)が同地に赴いた際にも、未だ會堂があり、彼は一日本人信徒の保護を受けた。(註九) しかし翌年三月十三日交趾から東埔寨に渡航した同地在住日本人の商船の齎らした報道によれば、交趾の官憲は切支丹禁令を出して、外人敎師を國外に追放せんとしてゐるとあるから、(註一〇) 交趾に於ける日本人切支丹は絕えず不安に脅かされたのであつた。一六一五年一月開敎以來屢〻多少の迫害に遭ひつゝも、日本町切支丹は堅く其の信仰を持續して行つた。此の數十年間に傳道のため同地に渡航した西洋人敎師も、二十數名あつたが、其の他に日本人のパードレやイルマンの活動した者も尚數人あつた。左に其の氏名と活動期間を列擧しやう。

| 氏名 | 到着年次 | 出發年次 | 死亡年次 |
| --- | --- | --- | --- |
| シヨセフ(Joseph) | 一六一五年 | 一六三九年 | |
| パウロ(Paulo) | 一六一五年 | 一六三九年 | |
| ピエテロ・マルケス(Pietro Marques) | 一六一八年<br>一六五五年 | 一六二七年<br>一六六三年 | |
| ロマン西(Romão Nixi) | 一六二二年 | —— | 一六四〇年頃生存 |
| マチヤス・町田(Mathias Mathida) | 一六二五年 | | |
| ミゲル・マキ(Miguel Machi) | 一六二六年 | 一六二八年 | 一六二八年マカオにて死 |
| バルテルミイ・ダコスタ(Barthelemy d'Acosta) | 一六六八年 | | 一六九〇年生存(註一一) |

交趾日本町住民の主要なる構成員は、斯くの如く故國に容れられない切支丹であつたが、中には彼等から異教徒と呼ばれた未信徒も混じてゐたことは言ふまでもない。ツーラン南方十粁の砂洲中に岩山がある。茶屋船交趾貿易圖中の『達磨座禪岩』にして、西洋人は蠟石山(Montagnes de Marbre)と云ひ、五峰より成つてゐるので、土人は一に五行山とも云ふ。其の一峰水山中の華嚴洞内には、庚辰年仲冬節吉日に刻された普陀山靈中佛重修の碑がある。(註一二)佛像重修費用

寄附者の氏名が數十人刻してある中に、日本營平三郎、日本營儀門、日本營阿知子、日本營阮氏富號慈顏、日本營七郎兵衛阮氏慈號妙泰、日本營平左衛門妻、日本營宋五郎、日本營范氏、日本營何奇奇字既姑、日本國茶屋竹島、川上加兵衛、淺見八助等の佛敎徒の名も見える。該銘の年次庚辰とは寛永十八年なるべく、日本營とは日本町のことにして、日本國茶屋以下三名は、鎖國後遥に獻金したのであらう。今寄附者一々の經歴に就いて知る由もないが、阿知子とあるのは、家康が始めて絲割符を許可した大阪堺の豪商等の一人阿知子宗壽の一族でもあらう。(註一三)七郎兵衛阮氏慈號妙泰とあるのは、角屋七郎兵衛夫妻なるべく、寛文十年彼が故國に送つた書翰の末に、『信主號福榮　角屋七郎兵衛、信主法號妙太戶工如院阮氏』とあるのと對照すれば明かである。(註一四)又既姑を若し『キコ』と讀むことが出來るならば、日本町の頭領キコ林喜右衛門ではあるまいか。其の後明暦三年二月に、日本町に滯在せし朱舜水は、同地を去つて日本に赴かんとするに當り、所持品を賣却して、彌三衛門に銀四十兩八錢を還し、宿主權兵衛に宿泊料三十兩を渡し、更に衣服行李を蘇五呂に與へてゐるが、此の蘇五呂は、先に記した日本營宋五郎の充字ではあるまいか。(註一五)

## 二　經濟的活動。

慶長十九年正月十一日(一六一四年)、唐人五官と六官の兩人は各〻交趾國渡航船の御朱印狀を受けたが、(註一六)唐人五官船には、オランダ商館の寄託した銅二九三一斤など總額九千グルデンの託送商品と、其の取引用務のため、館員コルネリス・クラースゾーン・ファン・トールネンブルフ(Cornelis Claesz. van Toornenburch)と、曾てオランダに行つたことがあるバスチャーン・宗右衞門(Bastiaan Soyemon)と云ふ一日本人とが便乘してゐたが、兩人共船が廣南の河を溯航する際に殺害されて、積荷は阮氏のために瞞着された。(註一七)六官船には、イギリス商館の寄託貨物總額銀二十九貫八百三十九匁丈けを積み、イギリス人テンペスト・ピーコック(Tempest Peacocke)とウォルター・カワーデン(Walter Cawarden)とが便乘して、五官船と相前後して長崎を出帆し(註一八)交趾に着いて貿易を果し賣上代金を携へて歸路につかんとして、ピーコックは殺害されカワーデンは僅に身を以て逃れたことがある。(註一九)平戶在住支那人甲必丹アンドレャ・李旦(The China Capt. Andrea Dittis)が、イギリス商館長コックスに來報する所によれば、兩事件の下手人は阮氏に非ずして、共に同地在住日本人であつて、オランダ商館長ヤックス・スペックス(Jacques Specx)が、其の後賠償要求の交渉に一日本人を派遣するや、彼は却つて下手人の家に泊し、其の男は阮氏が賠償に應ぜんとするを知り、終に說いて之を拒絕させたことがある。(註二〇) 彼の名は孫左(Mangosa)と云ひ、實はピーコックの宿主であつたと云ふことである。(註二一)

其の後一六一七年(元和三年)アダムスとセーリス等が同地に貿易に赴いた時も、日本町在住民の有力者三藏(sansso)、ダカ殿(dacka dono)父子、孫左等の斡旋を得て、官憲との折衝、貿易事務遂行、今後の渡航許可を得てゐる。(註二二) 此時限りイギリス人の交趾貿易は絕えたが、しかし幸にしてオランダ人との交涉によつて在住民活動の詳細を窺ふことが出來る

さて御朱印船が交趾の港に渡航した時、日本町在住民が如何なる役割をなしたであらうかを見るに、固より彼等が、其の通商貿易の圓滑なる遂行に盡力したことは言ふまでもあるまい。しかしオランダ人の報告などに據つて見れば、尙幾分具體的な樣子も判明する。(註二三) 御朱印船來航の報に接するや、日本人の頭領は直に廣南又は順化の政府に之を通じ、政府の派遣せし官吏を案內して來航船を臨檢し、先づ政府及び官吏の購入貨物を決定し、然る後始めて殘品陸揚の許可が出て、彼等は之をフェフォなどに運んで、在住日本人の緣者手代等

の手を經て賣捌き、日本へ積歸る土地の產物、主として生絲と絹織物を購入したのであつた。斯くて日本町在住民は同地の取引に於いて多大なる勢力を持つてゐた。

御朱印船出帆後の取引閑散期に在つても、彼等には亦他に爲すべき仕事があつた。彼等自ら又は雇傭人を國內農村各地に派遣して、各農家に夫々銅錢百匁から二百匁位づゝを手交し、彼等以外の他國人には決して生絲を賣渡さざることを契約して廻つた。其のために、御朱印船の安南貿易には、日本銅錢は非常に重要にして、日本より年々多量の銅錢が輸出されたことは嘗て述べたこともある。(註二四)そして交趾に於ける養蠶期は、年二季あつたが、彼等は常に桑苗や蠶の時期に豫め手附金や資金を融通して廻り、明年四月頃來航すべき御朱印船のために生絲を約束し、此の間農民に、米作や甘蔗の栽培より養蠶に轉業するやうに勸めたと傳へられてゐる。

驪て幕府の鎖國令發布によつて、彼等と故國の商人との聯絡は全く斷たれたことは言ふまでもない。中には禁令を犯し交趾より歸國して發見され、寛永十二年七月二十七日には、長崎に於いて三人斬首、一人磔刑に處せられてゐる。

(註二五) 鎖國令は斯く嚴重に厲行されたので、其の後彼等已むなく、オランダ船や支那船に商品を託送して、故國との取引をなさねばならなかつた。寛永十六年六月、廣南在住の多賀平左衛門 (Tanga Phesemon) から、松(木)半左衛門 (Mats fansemon) 平野屋新九郎 (Firania Sinciro) 及び絲屋藤右衛門 (Itoya Tojemon) に送つた書翰によれば、彼はオランダ船に託して、金屋助右衛門(Cannaya Scheumon)又は茶碗屋道圓(Sauwauja doyen)に充て、各種鮫皮五十枚、サントメ皮八十枚、黒伽羅木九斤を一箱に詰めて送つたことを認め、尚甲必丹ダイケルに託して板倉周防守に鮫皮を獻ずる旨を報じてゐる。(註二六) 又同年六月九日、日本町の松木三右衛門 (Matsoughe Myemon) から金屋助右衛門(Cannaya Scheumon)と力丸次兵衛 (Likimaro Sifioye) に送つた書翰によれば、彼も各種の皮革二五枚を送り、(註二七) 又同年六月十九日に日本町の帶屋市兵衛(Obia Itsibioje)から帶屋喜右衛門(Obia Kyemon)と帶屋作右衛門(Obia Sackyemon) に送つた書翰には、彼が絲屋平左衛門と金屋助右衛門の註文によつて託送した伽羅の着否を問合せてゐる。(註二八) 同月十六日と二十三日に、日本町の平野屋六兵衛と多賀平左衛門連名にて、彼等が故國に送つた商品の着否を問合せたことは既に之を述べた。 斯く纔に殘された日本町住民と故國との聯

絡も、翌々寛永十八年十月二十三日には、又堅く禁止された。(註二九)

しかし日本町の頭領ドミンゴや平野屋六兵衛、鹽村父子は、在留地に於いて盛に活躍した。オランダ船が同地に來航する毎に、彼等は土地の官憲とオランダ人との中間に立つて幹旋し、其の貿易遂行を助け、或は居館の世話など、オランダ人は日本町在住民の助力無しには殆ど爲す能はざる狀態であつた。又林喜右衛門の如きは、同地を根據として、手廣く南洋各地と貿易し、其の商船を、バタビヤ、バンジャルマシン、臺灣、東埔寨、マカオに派遣してゐる。此は故國との聯絡を斷たれた彼等に取つて、主なる生計の手段となつた。一六三七年三月三日(寛永十四年)には、交趾の日本人は、東埔寨在住の同胞數人に書翰を送つて、同地に於いて多量の鹿皮と鮫皮を購入せんと欲するを以て、其のために現金幷に商品を積んだ船を交趾より派遣すべき旨を通じた。(註三〇) 又同年交趾の日本人は金(ゴールド)を携へて太泥に渡航し、鮫皮一六〇〇〇枚買占めて、四月の末同地より交趾に航する支那船に託送し、五月始めには、交趾日本町の住民三名が、支那金(ゴールド)一六〇〇ライアルを携へて暹羅に渡航し、鹿皮と鮫皮とを購入して交趾に歸航してゐる。(註三一) 一六四四年二月二十三日(正保元年)にも、商船が交趾から暹羅に到着し、日本人商人二名と支那人等が、同地の鹿皮と鮫皮を買込むために金を携へて來たが、同船は前年交趾より日本に渡航して歸還したと云ふことであるから、(註三二)恐らく支那船にして、日支人合辨にて商品を仕入れ、日本貿易に從事してゐたのではあるまいか。

此の頃になると、鎖國の嚴令も幾分緩和されて、海外在住民の音信、商品の託送も默認されて來たようである。正保四年には、安南國居住西村太郞右衞門が、近江八幡町の日牟禮八幡神社に、安南渡航船の繪馬を獻納した。(註三三)又角屋七郞兵衞は、寛文五年(一六六五年)交趾より故郷に書を送つて商品を誂へ、翌六年六月にも、伊勢松坂の角屋七郞次郞と和泉堺の同九郞兵衞に書翰を送つて、支那船長の揚贊溪、黄二官、五娘、魏九使、吳二哥、吳巧哥、十二官、商客の王主老、舟舵工の長二哥に融通した銀七口合計七拾貳匁六分、及び託送せし白砂糖合計四百九十八斤、白綾子二疋半、川內なべの風呂二個を、長崎にて七郞兵衞の手代と思はれる荒木久右衞門に請取らせるやう依賴してゐるが、(註三四)彼は寛文十二年正月九日病歿するまで、年々支那船に資金を融通し、商品を託送して故國との取引を繼續した。七郞兵衞の死後は、妻阮氏妙太との間に儲けた

遺兒呉順官が父の業を繼いで、日本との商取引に當つてゐる。(註三五)

日本町の移住民も、此の頃になると次第に減少したらしく、延寶長崎記によれば、内城加兵衛、喜多次郎吉、角屋七郎兵衛、平野屋四郎兵衛、具足屋次兵衛、むかでや勘左衛門、泉屋小左衛門、金崎小左衛門等僅に八人の故郷と親戚關係が列擧してある。(註三六)しかし七郎兵衛は既に寛文十二年に死し、東京在住民として唯一人記された和田理左衛門は、其の五年以前一六六七年九月七日(寛文七年七月十九日)東京に病歿してゐるから、(註三七)延寶長崎記と云ふも、彼等の存命中の調査である。延寶四年(一六七六年)になると、鎖國を去ること既に四十年を經過し、移住日本人は僅に二人となつたらしく、同地の平野屋四郎兵衛が、辰六月十一日伊勢松坂の角屋七郎次郎に送つた書翰の中には『爰元も日本仁皆々相果、只二人に罷成り無爲方體、御推量可被成候。』(註三八)と記してゐる。今日フェフォの郊外には、往時發展した日本人の名殘を語る墓石が二基ある。一基は町の北東二粁の水田中にあり、日本、平戸、顯考彌次郎兵衛谷公墓と刻してあり、設立の年丁亥は正保四年(一六四七年)であらう。(註三九)他の一基は町から三粁程北の新安(Tân An)の共同墓地にあり、日本、考文賢具足君墓と刻してある。

附圖第五

文賢具足君の墓

谷彌次郎兵衞の墓

（註四〇）設立の年己巳は、寛永六年（一六二九年）か、元祿二年（一六八九年）であらう。若し此の具足君が前述の延寶長崎記の具足屋次兵衛と同一人とすれば、その歿年は稍ゝ長命過ぎるも、元祿二年にして、谷村四郎兵衛の書翰に記した生殘り日本人二人中の一人であつたかも知れない。しかしイギリス人メリイ・バウイーヤ(Mary Bowyear)等が、貿易開始の目的を以て、一六九五年八月（元祿八年）同地に到着して、數ヶ月フェフォに滯在中、貨物に關して土地の官憲と紛議が起つた時、一日本人は中に立つて斡旋してゐる。バウイーヤは滯在中、翌一六九六年四月三十日、書翰をマドラス(Madras)の知事に送つて、

フェフォは洲より約三リーグの所にある。河に沿つた一筋の町で、家が兩側に建並んでゐて、其の數百軒程ある。支那人が在住し、其の外に日本人四五軒あるが、彼等は以前は主なる住民にして、此の港の貿易を支配してゐたが、今は減少して貧窮し、貿易は支那人が行つてゐて、年々少くとも十隻か十二隻のジャンク船が、日本、廣東、暹羅、柬埔寨、マララ及び近頃はバタビヤからも來航する。（註四一）

報告して、目の當り實見した日本町衰滅の狀態を巧みに描寫してゐる。

註一　Cardim, Batalhas. *op. cit.* pp. 176—177.

註二　Borri, *op. cit.* pp. 118, 122—123.

註三　Montezon, F. M. De. Mission de la Cochin Chine et du Tonkin. Paris 1858. p. 386. Borri, *op. cit.* p. 126.

註四　The Philippine Island. *op. cit.* Vol XVII. p. 213.

註五　Cardim, Batalhas. *op. cit.* pp. 182—4, 220—221.

註七　Pagés, *op. cit.* p. 865.

Rhodes., Voyages et Mission. *op. cit.* pp. 146—148. 301—4.

註八　*ibid.* pp. 320—21.

註九　Relation des Missions des Evesques. *op. cit.* p. 91.

註一〇　Muller, *op. cit.* p. 409,

註一一　Montezon, *op. cit.* pp. 386—87. Liste des Missionaires de la Compagnie de Jésus qui ont travaillé a la Cochinchine. 3.° Catalgo Com suplimento do primeiro, e segundo Rol dos P.es e. Irmãos que estão no Collegio de Macao, e missão de Cochinchina sojeita a este mesmo collegio. Feito em Junho de 1618. [Jesuita na Asia. 49—V—6. 167—9]

註一二　黒板勝美博士。安南普陀山靈中佛の碑について（史學雜誌。四〇ノ一號）Sallet, A. Les Montagnes de Marbre. (Bulletin des Amis du Vieux Hué. 11e Année No 1.

註一三　高石某、絲亂記。（國書刊行會本。商業叢書、第一。一〇頁）此の外同書には當時の絲割符と關聯して、京　阿知子彌三衞門、市戎町　阿知子太郎兵衞の名も見える。

註一四　安南記。

註一五　朱舜水全集。先生文集、卷二十八、安南供役紀事。五四七頁。此のことは既に『史學』十三ノ二號一〇四頁に松本信廣氏が述べてゐる。

註一六　異國渡海御朱印帳。十七、交趾。

註一七　Instructie voor Paulus Tradenius, oppercoop, François Caron Comys. & den raet van 't schip Brouwershaven, & 't Jacht Sloterduijck, Zeylende van hier naer Quinamin Cochinchina & van daer voorders nae Iapan. Ultimo Mayo 1633. [Kol. Arch. 1019]

Buch. *op. cit.* pp. 12—13.

註一八　Pratt, Pieter. History of Japan. Kobe 1931. Vol. I. pp. 54—5. 59.

Riess, Ludwig. History of the English Factory at Hirado. (T. A. S. J. Vol. XXVI.) pp. 45—47.

拙稿、慶長イギリス書翰。一六六頁。

註一九　Riess., *op. cit.* p. 47. 慶長イギリス書翰。二六六—七頁。

註二〇　Cocks. Diary. *op. cit.* Vol. I. pp. 28—9.

註二一　Riess, *op. cit.* p. 47.　　Adams, Log-Book. *op. cit.* pp. 105—6.

註二二　*ibid.* pp. 46, 104—5,

註二三　Copie Missive van A. Duycker. 7 Oct. 1636. *op. cit.* Buch. *op. cit.* pp. 28—29.

註二四　拙稿、江戸時代に於ける銅錢の海外輸出に就いて（史學雜誌。二九ノ一一號）

註二五　Japan Daghregister. Anno 1635. Sept. 8. 通航一覽。卷之百七十、（刊本、第四。四七〇頁）

註二六　Japan Daghregister. Anno 1940. Jan. 21—23. Translaet Missive. door Tanga Pheiemon uyt Quinam aen Mats fan-semon, Firania Sinciro, ende Itoya Tojemon gesz.

註二七　*ibid.* Translaet Missive door Matsoughe Myemon aen Cannaya Scheumon donne ende Likimaro Sifioye uijt Quinam

[illegible]

[illegible] Missive door Obia Itsibioije uijt Quinam aen Obia Kyemon, ende Obia Sackyemon geschreven [illegible], Anno 1641. November 20.

註三〇　Journael van Jan Dircxz. Galen, loepende van 18 Juny 1636 tot 23 October 1637 [Kol. Arch. 1035]

註三一　Missive van Jeremias van Vliet uyt Siam aen d'E Coeckebacker. 11 Junij aº 1637. [Kol. Arch. 1035bis]

註三二　Daghregister van't Comptoir Siam sedert 15en. January tot 3 Juny 1644. [Kol. Arch. 1057]

註三三　朱印船貿易史。四三二―三九頁。増訂海外交通史話。五九三―九四頁。

註三四　安南記。安南國交趾ゟ書狀之寫。

註三五　同書。丑六月六日附　角屋七郎兵衛後家ノ書翰。

註三六　通航一覽。卷之百七十（刊本、第四。四七二頁）

註三七　Missive door Cornelis Volckerier en Raet tot Tonckin in dato 30 Oct 1667. [Kol. Arch. 1156]

註三八　安南記。

註三九　我が朱印船の安南通商に就て。二四―二五頁。黒板勝美博士。南洋に於ける日本關係史料遺蹟に就きて（啓明會第二十七回講演集）二三―二四頁

註四〇　前揭我が朱印船。二三―二四頁。日本關係史料。二四―二五頁。

註四一　Abstract of Letter from Mr. Bowyear to the President and Council of Madras, dated Foy Foe 30th April 1696 [Factory Records, China and Japan. Vol. 5.]

# 第二章　柬埔寨(Cambodia)日本町の盛衰

## 一　柬埔寨日本町の發生

日本人南洋發展の大勢に連れ、交趾の隣邦柬埔寨にも我が商船の渡航するものの多く、前揭二表によつても、其の數五十三隻にも上り、同地に商船を派遣せし船主も、兩御朱印帳に記された者は、大名にては島津忠恒、有馬晴信、五島玄雅の三氏、商人にては舟本彌七郎、原彌次右衛門、六條仁兵衛、木屋彌三右衛門、平戸傳介、長井四郎右衛門、豆葉屋四郎左衛門、大黑屋長左衛門、河野喜三右衛門、檜皮屋孫左衛門、西村隼人、江島吉左衛門、木田理右衛門、船頭彌右衛門の十四氏、外人にては唐人五官及びマノエル・ゴンサルヴェス (Manoel Gonçalves) 等であつた。

當時柬埔寨に於いて、我が商船を始め、諸國人の船舶が輻湊して交易を營んだ場所は、メコン河の遙か上流百七十三哩の地點にある現今の首府プノン・ペン (Phnom Pénh) であつた。同地は丁度四流の分岐點に當つてゐるので、別名を四面又は四肢、四道を意味する土語チャド・ムーク(Châdo Muhk)と云ひ、(註一)支那人は之を竹里木と對譯し、又篙木洲とも書き、華人の寄寓する者が頗る多かつたと傳へてゐるが、(註二)一五九六年頃には其の數三千人に達した程で、(註三)ガブリエル・デ・サン・アントニオが十六世紀末の柬埔寨の國情を述べるに當り、古都アンコル(Anchor)、當時の行在地シストル(Sistor)と共に同地を國内三大都市の一に數へてゐる。(註四)オランダ人が一六二二年十月十四日に受取つた當時の柬埔寨國情及び貿易に關する報告によれば、

碇泊港或は國王が其の王宮を營んでゐる處をチェルレムック(Tjurremock)及びレウェク(Leweeck)と云ひ、河口から六十蘭哩の處にあり、城壁を繞らした堅固な都市ではなく、唯ゞ河岸に村落の樣に建つてゐる。(註五)

とあるが、チェルレムックとは疑もなく竹里木、即ちチャド・ムークの訛音であ る。又長崎の町人伽羅屋・森助次郎の渡航談によれば、柬埔寨の河口から舟着場まで、幅三十七里、長さ五百里の大河を六十日かかつて溯航したが、其の地は炎熱堪え難く扇子を手離さず裸體で過したと云つてゐるのも、正に彼の乘船がメコン河を溯つて同地附近に到達したことを語つたのに相違ない。(註六)

此より先一五九三年に、柬埔寨に侵入した暹羅の大軍の爲め、國都ロウェク(Lovêk)は陷落し、金銀財寶は悉く奪掠されて、暹羅の國都アユチャ(Ayuthia)に運ばれ、王族、市民も捕虜として拉致された者が多かつた。其の後一六〇〇年まで僅か數年間に、國王の代ること五人、行在地も各地に轉々したが、スリイ・サウリヨペアル(Srey-Sauryopear、一六〇〇——一六一八)即位するに及び、一六〇四年都をプノン・ペンの對岸ロウェア・エム(Lovéa-em)に遷し、次王チェイ・チェタ二世(Chey-Choettha II, 一六一八——一六二八)は一六二〇年更にプノン・ペンの北方三十粁餘に在り、且つ舊都ロウェクの南方八粁に當るウドン(Oudong)の地に王宮を造營し、爾來同地は久しく王都となつた。(註七) 此の數次の遷都のため、當時西洋人の手に成る柬埔寨の地圖は、往々にして首府の位置に關して混亂を來し、王都を國名と同じくカンボヂャ(Cambodja)と稱し、之を河の右岸又は左岸に記してゐる。(註八) オランダ人が國都をレウェク又はエーウェック(Eavweck)と記してゐるのは、(註九) ウドンの北方僅々八粁の地點にあり、一五九三年まで王都なりし此のロウェクの訛譯であらう。斯くの如き柬埔寨の政情變動により、王都が屢々移轉したに係らず、プノン・ペン即ちチャド・ムークは貿易場として次第に發達した様である。

既に一五六九年(永祿十二年)には東埔寨から商船が九州の沿岸に來航したが(註一〇)一五九六年一月十六日(文祿四年十二月)マニラを出帆したファン・ファレス・ガリナト(Juan Juárez Gallinato)の統率する三隻の東埔寨遠征隊は、途中暴風雨に遭ひ相失し、曾て東埔寨王に仕へしディエゴ・ベリョゾ(Diego Belloso)等の便乘する二船が、チュルドムコ(Churdumuco)に到達した時、イスパニヤ人船員と支那人との間に紛擾を生じ、日本人二十人の援助を得て支那人三百人を殺傷したことがある。(註一一)其の後二年一五九八年イスパニヤ船がマラッカより同地に溯航し、偶ゝ勃發せし王位簒奪の爭に參加して乘組の日本人が死傷したが、其の時日本船も一隻交趾を經て同地に來航し、乘組日本人も亦其の渦中に投じてゐる。(註一二)其の頃又日本に在住する日葡混血兒ゴヴェア(Govea)の船が、ポルトガル人と日本人操縦の下に交易の爲めに渡航してゐる。(註一三)斯くの如くして日本人は早くより外國船に便乘して同國に渡航すると共に、更に自ら船を操つて同地に渡航貿易を爲す様になつたが、家康が覇權を掌握するに及び、慶長八年一月東埔寨國主に送つた返翰に、『本邦商人、欲レ赴二貴邦一、可レ遣二寡人此書所レ押之信印一。不レ持二此印書」之輩者、不レ可二允容一』(註一四)と認めて、御朱印船制度の創設を通告したことを機會として、彼我の交通は一層發達し、爾後御朱印船の渡航頻にして、兩國官憲の間にも亦屢々書翰方物を贈答してゐる。

御朱印船の渡航貿易が繁くなると共に、便乘日本人中には、同地に居殘つて活動するものも生じて來た。渡航船主助左衛門が、國王の信任を得て同國頭目格に準ぜられたのは、慶長十二年(一六〇七)頃のことであつたが、(註一五)元和三年頃に、東埔寨在住日本人等が、ポルトガル船を援助して、同地より太泥に廻航せんとせし商船の積荷を掠奪した廉を以て、國王から放逐されんとしたことがあるが、彼等は此より先交趾より追放されて同地に渡來したと云ふことであつた。(註一六)此の頃マカオの巡察使の命によりポルトガル人パードレと日本人イルマン數人は、同地居住日本人切支丹の間に傳道する爲めに派遣されたが(註一七)一六一九年一月二十一日附(元和四年十二月六日)フランセスコ・エウゼニオ(Francesco Eugenio)がマカオより發した布敎報告によれば、當時東埔寨國には切支丹に改宗せんと欲する日本人異敎徒が多數ゐたと記してゐる。(註一八)一六二〇年に東埔寨王チェイ・チェタ二世は安南の王女と結婚したが(註一九)、此の兩國王室の婚姻に關する用務の爲めであらうか、其の頃交趾から使節が柬埔寨に來着するや、交易のために同地に居留せる日本人やポルトガル人が、大いに彼を歡待したこともある。(註二〇)斯くして、柬埔寨には慶長末年より元和の初年に亙り、日本人の切支丹や未信者が多數居住する樣になつたが、德川幕府の切支丹彈壓の峻嚴化するに從ひ、信徒中には逃れて同地に投ずる者も尠からず、(註二一)在住日本人の人口は斯くして一層增加したであらう。

註一　Aymonier, Etienne. Le Cambodge, Le Royaume actuel. Paris. 1900. pp. 212—214.
Cabaton, Relation, *op. cit.* p. 95. note (3). Khmèr 語で Chademuk, Chordemuko, Sanscrit で Catur mukha と云ひ、四面、四肢、又は四道を意味し、一八六七年以來カンボヂャの國都にしてクメール王の住地なるプノン・ペンの古名である。ポルトガル人は之を Landano と云ひ、安南人は Nan Vang (南旺カ)と云ふ。恰もトンレ・サプ河(Tonlé Sap)とメコン河の二支流の合流點に位し、柬埔寨の諸物産の集散地にして、人口約五萬人。

註二　藤田豐八博士、島夷誌略校註。眞臘。
東西洋考。卷之三、柬埔寨、形勝名蹟、交易。

註三　Cabaton. Relation, *op. cit.* pp. 18, 116.

註四　*ibid.* pp. 6, 95.

註五　Muller, Dr. Hendrik P. N. De Oost-Indische Compagnie in Cambodja en Laos, 's-Gravenhag, 1917. p. XXXVI.

註六　通航一覽。卷之二百六十四、正事記。(刊本、第六、四九〇頁)

註七　Leclére, Adhémard. Histoire du Cambodge, depuis le Ier siècle de notre ère. Paris. 1914. pp. 284—290. 324—338.

註八　Muller, *op. cit* p. XXXVI.

Fournereau, Lucien. Le Siam Ancien. Vol I. Paris. 1895. (Annales du Musée Guimet. XXVII.) pl. VI, VIII, IX, X, XI,

註九　Muller, *op. cit.*

Valentijn, François. Oud en Nieuw Oost-Indiën. Dordrecht. 1724—26. Deel III. Beschryving van onze Handel in Cambodia. Bl. 36.

註一〇　Cartas que os padres e irmãos da Companhia de Iesus escreuerão dos Reynos de Iapão & China aos da mesma Companhia da India, & Europa, desdo anno de 1549 até o de 1580. Euora. 1598. Tomo I. f. 268. Carta do irmão Miguel Vaz do Xiqui, a tres de Outubro de 1569.（耶蘇會年報。長崎叢書、二。三八四頁）

註一一　Cabaton, *op. cit.* pp. 17—18, 116—117.

註一二　Blair, H. E. & Robertson, J. A. The Philippine Islands. 1493—1898. Cleveland. 1841—1898. Vol. XV. Morga, Dr. Antonio de. History of the Philippine Islands. pp. 146, 150—152.

註一三　Morga, *op. cit.* pp. 186—188.

註一四　通航一覽。卷之二百六十三、柬埔寨國部一（刊本。第六、四七五頁）

註一五　泰長院文書。二。

註一六　Cocks, Diary of *op. cit.* Vol. I. pp. 278—279.

註一七　Cardim, Batalhas. *op. cit.* pp. 252—253.

Lettere annve del Giappone, China, Goa, et Ethiopia. ……negli anni 1615, 1616, 1617, 1618, 1619. Napoli. 1621

Lettera annva del Collegio di Macao, ......li 8 di Gennaio 1618......Antonio di Souza. p. 379.

註一八　Lettere. *op. cit.* Lettera annvale del Collegio di Macao. ......di 21 di gennaio 1619. Francesco Eugenio. p. 402.

註一九　Leclère *op. cit.* p. 339.

註二〇　Borri, *op. cit.* p. 176.

註二一　Pagés, *op. cit.* p. 283.

## 二　東埔寨日本町の位置、戸口、及び居住形態

慶長の末年より元和の初年にかけて、東埔寨に於ける御朱印船貿易の進展に伴ひ、同國に居住する日本人の數も、漸次增加した樣であるが、彼等の居住地に就いては、從來僅にノエル・ペリ氏がウドンの町の南方にあつたやうであると說いたのみである。(註一) 然るにオランダ人は十七世紀に入りて、此の國と交通貿易を開始し、殊に一六三六年頃から七〇年頃まで彼等の商船は殆ど連年渡航し、一時同國に商館を經營したから、幸にして彼等の日記、航海記、報告書中には、略〻日本人居住地の所在を考定するに足る記事も散見してゐるので、先づ其の記事を仔細に吟味して、以て日本町の位置を決定しやう。

一六三七年三月二十六日(寛永十四年)司令官ヘンドリック・ハーヘナール(Hendrick Hagenaer)の指揮する蘭船ハリヤス(de Galeas)はバタビヤを出帆して、五月九日東埔寨のメコン河口に達したが、其の後の同船の溯航日記は、日本町の位置決定の鍵となるを以て、左に數節抄譯すれば、

五月二十三日。續航す。河幅仲々廣く、同河を日本河(Japanse Revier)と云ふ。船の大砲を陸揚して、萬事適當に處理す。多數の小舟に出遭ふが、近寄らうともしない。平坦なる岸に沿ふて航行すれば、夥しき野生の水牛も逃げ去る。

六月四日。東埔寨船からハーレン氏(Sr. Galen)の書翰幷に國王に示すべき草案を受取つた。次いで日本町('t Japanse quartier)の角に達し、其處で日本人二名來船したが、フライト船は尙一哩先で待合はせてゐる由である。

同七日。夕方日本人宗右衞門(Soyemon)からハーレンの書翰を受取つたが、フライト船は、既に昨日商館の處まで溯航した由である。其の間二名のナンプラ(Nampra)が東埔寨船にて來り、國王の命によつて、司令官ハーヘナールに敬意を表する爲め、色々の果物とアラック酒を携へて訪問したのであるが、其の夜は本船は同船の側に碇泊した。

同十日。大いに努力して岸に沿ふて、日本河の角まで航進した。岸を見誤つて斜航して急流に入り、非常時用の大錨を投じて辛うじて取戻し、日暮頃角の上流まで到着した。

同十一日。快晴にして南西の風なれば、角を廻航し始めたが、同所にはラオス河(Revier Lause)が急流をなして注いで三流に分れてゐて、日本河は終つてゐるが、同所よりカルトン(Carton)砲の一射程丈進み、湖に通ずるマチアム河(Revier Matsiam)を通航して、ブオンピン(Buomping)の市場の前を通過してカンボヂャ市に向つた。…………ブオンピンの市場には立派な黃金張の塔がある。……同所で又一名のナンプラが王太子の舟で、贈物を携へ廷臣を連れて來て、夕方ハーレン氏と共に再び立ち去つた。…………月明で、逆流に乘じて夜明頃會社の商館の前面まで進んで、水深五尋の所に碇泊した。

同十二日。會社の商館の直前に碇泊したが、粗惡な竹造家屋で、まるで厩の様な可燃性の家であつた。(其の岸を管理する)日本人シャバンダール(Chabandaer)來船して、我等を歡迎して贈物を差出した。晝過ぎ二名のナンプラが國王の命にて、ポルトガル人通譯を連れて挨拶に來り、不必要なことを色々質問した。
同十六日。ハーレン氏の書翰を受取つたが、本日は上つて國王の許に赴くべきことを認めてあつた。此に對して司令官ハーヘナールは、斯かることは自分には不適當且不可能なることを知つてゐると答へた。日が南東に廻つた頃、國王の許から、小舟二隻來航し、一名のナンプラが國王の書翰と贈物を携へて來た。色々異議を申立てたが、結局前記のハーヘナールが(彼の希望に添はないが)使節として同船に乗移つた。國王の書翰に敬意を表して兩船から禮砲五發發射した。從者として銃手二十名と鼓手兩名從つた。前後一哩半に亙る日本人、ポルトガル人、支那人、交趾支那人と柬埔寨人等の町に沿ひ河流を進んで、狹い小河を約半哩上り上陸すると、其處には無牙の巨象一匹と車三、四臺準備してあつた。(註二)

斯くて一行は出迎の巨象と車に分乘して王宮に到り、王に拜謁して東印度總督の書翰と贈物とを捧呈し、滯在一ヶ月、諸般の用務を果して七月十一日同地を出帆して日本に向つたのである。

試みに柬埔寨の地圖を開いて見るならば、メコン河の上流はラオス(Laos)を通過して東北より來り、大湖(Tonlé Sap)を發したトンレ・サプ河は西北より來り、丁度プノン・ペンの前方で兩河は一度合流し、直に再び二流に分れ、一はチェン・ギャン(Tien-Giang、先河 Fleuve Antérieur)となり、他はハウ・ギャン(Hau-Giang、後河 Fleuve Postérieur 卽ち Kua Bassac)となつて南流してゐる。卽ち同地にチャド・ムークの名ある所以にして、オランダ人はメコン河が斯くラオスを通つて流來る故に、プノン・ペン以北の同河の本流をラオス河と稱へた。(註三)當時オランダ船が溯航したのは、其の河口附近で日本河と云ふ一分流が東に分れてゐるチェン・ギャンであつた。(註四)ハリヤス號も、五月二十三日には日本河に達してチェン・ギャンを溯航し始めたやうであるが、六月十一日の條によれば、ハーヘナールは日本河を溯航し盡し、次いでラオス河が注いで急流をなす所を通過して、湖に通ずるマチアム河を航行し、ブオンピンの前面を經て、カンボヂャ卽ち首府ウドンに向つてゐるから、ハーヘナールの所謂日本河は、チェン・ギャンの一分流のみならず、チェン・ギャン其の物をも指してゐることが明である。そして市場に黃金張の高塔がある河岸のブオン・ピンとは、疑もなくプノン・ペンのことにして、現今でも此の王都を支配する寺院と高塔とが、市中東北部にある丘陵(Phnom)上

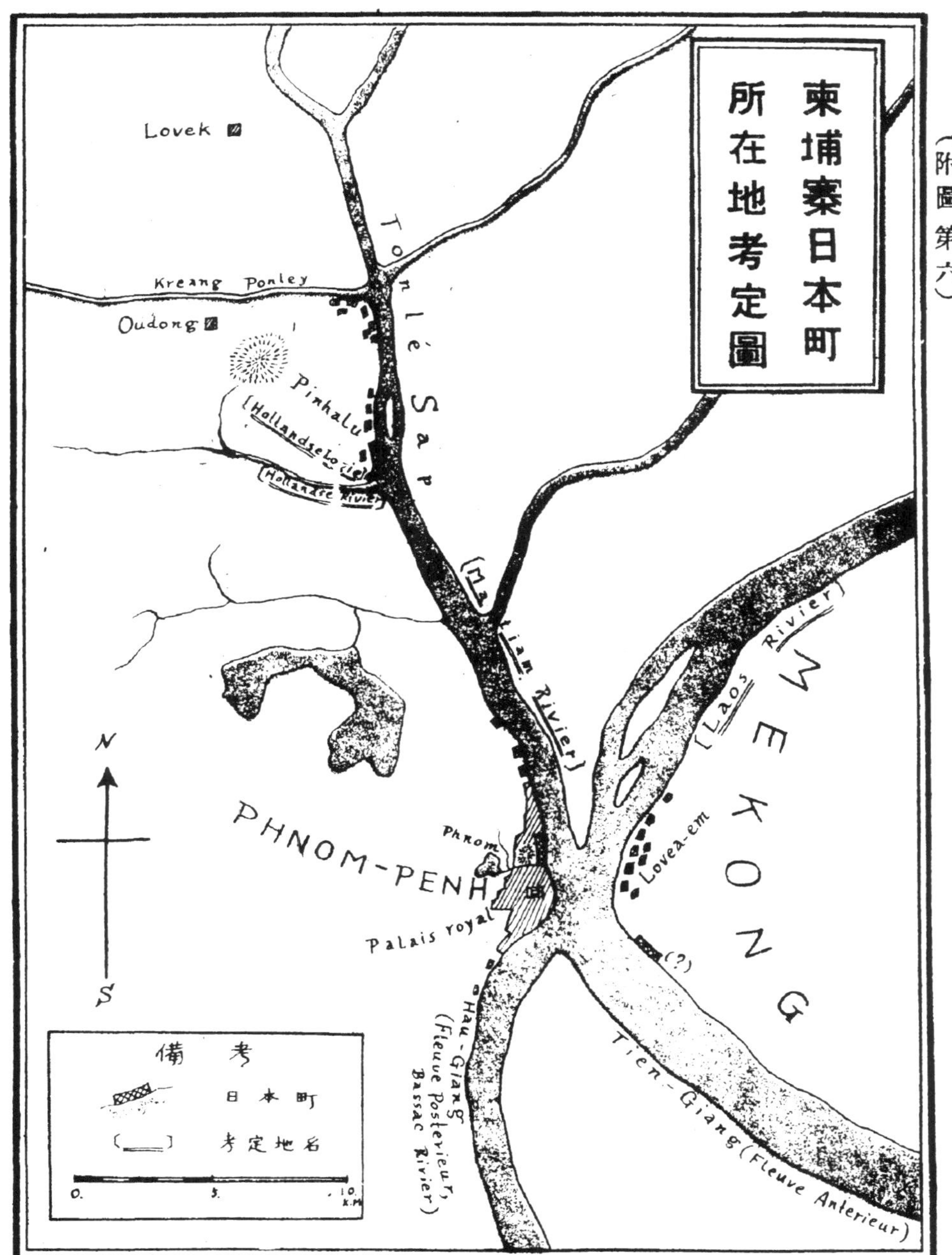
柬埔寨日本町所在地考定圖
Lovek
Kreang Ponley
Oudong
Tonlé Sap
Pinhalu
(Hollandse Lo(?)ie)
(Hollandse Rivier)
Lian Rivier
(Laos Rivier)
MEKONG
Lovea-em
(?)
Phnom
PHNOM-PENH
Palais royal
Hau-Giang
(Fleuve Posterieur,
Bassac Rivier)
Tien-Giang (Fleuve Anterieur)
N
S
備考
日本町
考定地名
0.
5.
10.
K.M.

（附圖第六）

に聳立してゐるが、(註五) 一六四四年副司令官シモン・ヤコブスゾーン・ドムケンス(Simon Jacobsz. Domckens) の東埔寨遠征記によつても、

〔六月〕六日。 旗艦は終日プノンピン(Pnompingh)の大市場の前方に碇泊してゐた。

同七日。 朝好時機に抜錨して首府に向つて出帆し、 プノンピンの前面で一回轉した。 其處にはラウス河と、 下方に向つて流れて其の上流が首府に向つてゐる流、 及び乾上つた河がある。 左舷に當るプノンピンの町(negerie)には高いピラミッドが聳えてゐる。(註六)

とあり、 ヘーグの國立文書館所藏の一六四四年六月十二日に於けるプノンペン前面の戰鬪の鳥瞰圖にも、 市場の前に高塔が聳立してゐる。(註七) ハーヘナールは、 此の市場の前より一夜溯航して竹造の商館に到達してゐるが、 一六四三年ハルメン・ブルックマン(Harmen Broeckman)が東埔寨から東印度總督アントニオ・ファン・ディーメンに提出した報告にも『我等の商館は粗造粗惡にして、 繞らすに輕い竹垣を以てし、 敵意ある人は容易に之を引倒すことが出來る』(註八) と述べてゐる。 商館とプノンペンとの距離に就いては、 一六三五年より一六四四年に亙る東埔寨王國略記に『商館の下流三哩にあるポノンピン(Phonombing)の市場附近』

(註九)と記し、一六四二年ピーテル・ファン・レーヘモルテス(Pieter van Regemortes)が柬埔寨より發した報告にも、『ペノンピン(Penompiug)は商館の下流四大哩の所にある』(註一〇)と書いてゐる。當時オランダ人航海記の一哩は、通常一リーグ(league)卽ち今の三英哩前後なれば、オランダ商館はプノン・ペンより十六七粁の上流に在つて、プノン・ペンと首府ウドンの間に位してゐたことになるが、彼等の地圖には不明瞭ながら、何れもプノン・ペンと首府との中間、トンレ・ザプ河の西岸にオランダ商館を描いてゐる。(註一一)然るに一六六五年二月商務員ピーテル・ケッチング(Pieter Kettingh)が柬埔寨から東印度總督に送つた報告によれば、彼は參議員ヨアン・デ・マイエル(Joan de Meyer)と共に、國王に獻上すべき贈物を携へて、前年九月三十日プノン・ペンに到着して一泊し、『翌日ポニャルー(Ponjalou)に到着したが、大きな町で、同地には國王や國の大官連も私宅を構へてゐる。』『同地に於いて、我等の假寓として、有髯の日本人シンメ殿(Simme donne)の家を借受けた』が、謁見式が終つて後、『更に國王は我等に、父王の時と同樣に再び、全く日本町(たJapans quartier)の南に接していて、オランダ河(Hollandse rivier)と云ふ最初の最南の小川に臨んでゐる敷地を取らないかと勸めた。(同所は我等の前任者ピーテル・フアン・レー・ヘモルテスが商館を維持してゐて、曾て先王ナク・チャウ(Nactjau)の命により、館員が殺害された所である。）そして同地は小高くして、非常に爽快な場所で、前述の如く、我等が初めて入國した時、國王が提供した所である。』（註一二）と述べてゐる。

柬埔寨に於けるオランダ商館の位置は、玆に於いて愈ゝ明確なるべく、卽ちプノン・ペンよりトンレ・サプ河を溯ること十六七粁上流の西岸に在り、然も最も南方に於いて初めて同河に注ぐ一小支流に臨み、當時相當に繁榮してゐたポニャルーなる町の中に在つたのである。今柬埔寨の地圖を案じて、同樣な條件の地を索むれば、トンレ・サプ河の西岸に於いて、容易に一村落ピニャールー(Pinhalu, Pignalhu, Ponhéa-lu) を見出すことが出來る。（註一三）日本町は前揭のケッチングの報告にもある如く、實にトンレ・サプ河の西岸に於いて、此のオランダ商館の北に隣接し、町の南側には、當時オランダ川と云つた一小支流が流れてゐたのであつた。

以上煩瑣なる考證によつて、オランダ商館の所在地を考定したのは、全く此れに隣接せし日本町の位置を確定せんがために他ならなかつた。仍て再びハーヘナールの航海記六月十六日の條を讀返へせば、彼は此の商館前から、出迎への小舟に便乘して、トンレ・サプの河岸に沿ふた日本人町、ポルトガル人町、支那人町、交趾支那人町及び柬埔寨人町の前を一哩半許り航行して、一小支流即ちクレアン・ポンレン(Kréang Ponley)に入り、更に之を半哩程上つて上陸し、豫て準備してあつた象と車に分乘して王宮に向つたのである。さて此の日本町に就いては、ハーヘナールの航海日記に引用せる柬埔寨王國の現狀報告に、

柬埔寨市は河の上流六十蘭哩の所に在り、日本人、ポルトガル人、交趾支那人及びマレイ人等が居住してゐて、彼等の家屋は夫々堤に沿ふて立並んでゐる。……………前記の駐在員（オランダ商館）は、日本人等のシャバンダル(Chabander)の支配に屬してゐるが、日本人等は同地に七八十家族あつて、追放人であるから、再び故國に歸還する能はざる者である。曾て王長子が國王の廢立を謀らんとして反逆した時、同地の日本人は勇敢にも武器を執つて老王を助けたので、彼等は國王から尊敬されてゐる。彼等は當地に於いて、唯貿易によつてのみ利益を享受してゐるが、彼等の商品を先づ廣南に送り、同地より支那船に託して之を日本に送り屆けてゐる。(註一四)

と記してある。即ち日本人は首府ウドンの南東ピニャールーに於いて、河岸に沿ふて日本町を建設し、貿易に從事して其の生計を維持し、其の數七八十軒に上つてゐるから、假に一家族の單位を四人と見ても、同地の日本町には、三百人內外の日本人が居留してゐたのであらう。

以上ウドンの東南ピニャールーの日本町の位置と其の狀態とを考察したが、ハーヘナールの航海記によれば、彼がチェン・ギャンを溯航し盡してプノン・ペンに差懸る以前に、六月四日に他の日本町を通過してゐる。しかし彼が所用を果して、七月十一日オランダ商館より出帆し、河を下つて同十四日ブオンピンを通過し、ラオス河とマチアム河の合流點に達し、『神助によつて遂に此の危險區域を乘越し、帆を下ろして、急いで前檣小帆を揚げて舊日本町（het oude Japanse quartier）の前面に航進し、指令によつて同處に碇泊して、書翰と傳令使とを待ち合はせた』（註一五）とあるから、此の日本町と云ふのは、曾て日本人の在留せし所にして、當時居住民は既に上流に移轉した跡を示すのではあるまいか。

然るに一六四三年九月、同地の商館員レーヘモルテスが、東印度政廳の指令を帶びて再びバタビヤより歸任し、新王に對して、曾て殺害されたオランダ人の賠償と未決濟の債務の辨償を要求するや、王命を帶びた軍兵がレーへモルテス等の商館員を殺害し、商館を掠奪したことがある。其の報に接したバタビヤの政廳は、翌一六四四年三月、司令官ヘンドリック・ハロウズ(Hendricq Harrouse)指揮の下に、ヤハト船キービッツ(Kievith)等五隻の遠征船隊を編成して、柬埔寨の王廷に派遣した。船隊がメコン河を溯り首府の前面に碇泊して、柬埔寨當局と折衝を重ねてゐる間に、柬埔寨に於いては、プノン・ペンの前面と其の上流とより、對岸に亙つて二梁の橋を架設し、兩岸に銃砲を据へ、其の後蘭船隊が下航するや、之を兩橋の間に封鎖して愈〻敵對行動を開始した。(註一六)ヘーグの國立文書館には、此の時の戰鬪を日本紙に描いた『一六四四年六月十二日日曜日、日中より夕方まで五時間繼續したポヌンピン(Ponimpingh)前面の戰鬪』と題する當時の鳥瞰圖がある。(註一七)同圖のプノン・ペンの町には高塔が描かれてゐて、其の註記には『二〇。ポヌンピンの市場に聳ゆる高いピラミッド』とあり、塔の前面河岸は砲煙に蔽はれてゐるが、其の註記に『一〇。砲三十八門を有する大砲兵隊にして、……同地には日本人及び他の諸國人の町がある』と記してある。此の註記によれば、プノン・ペンにも、日本町を始め他の諸國民の町が立並んでゐたことが判

OR PONUMPINGH

uny op Sondach vanden dagraet

ijcen Jare 1644.

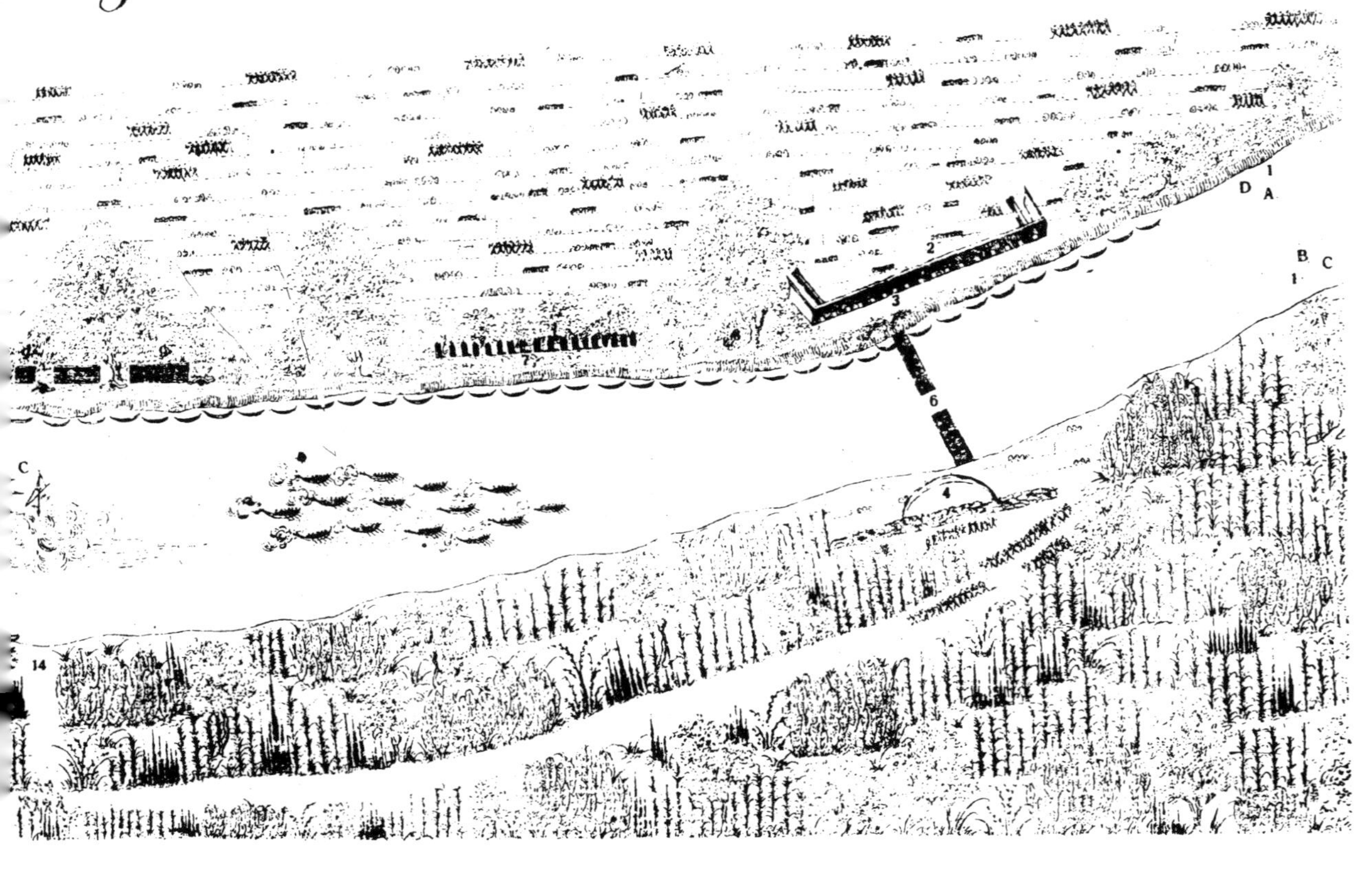


附圖第七圖

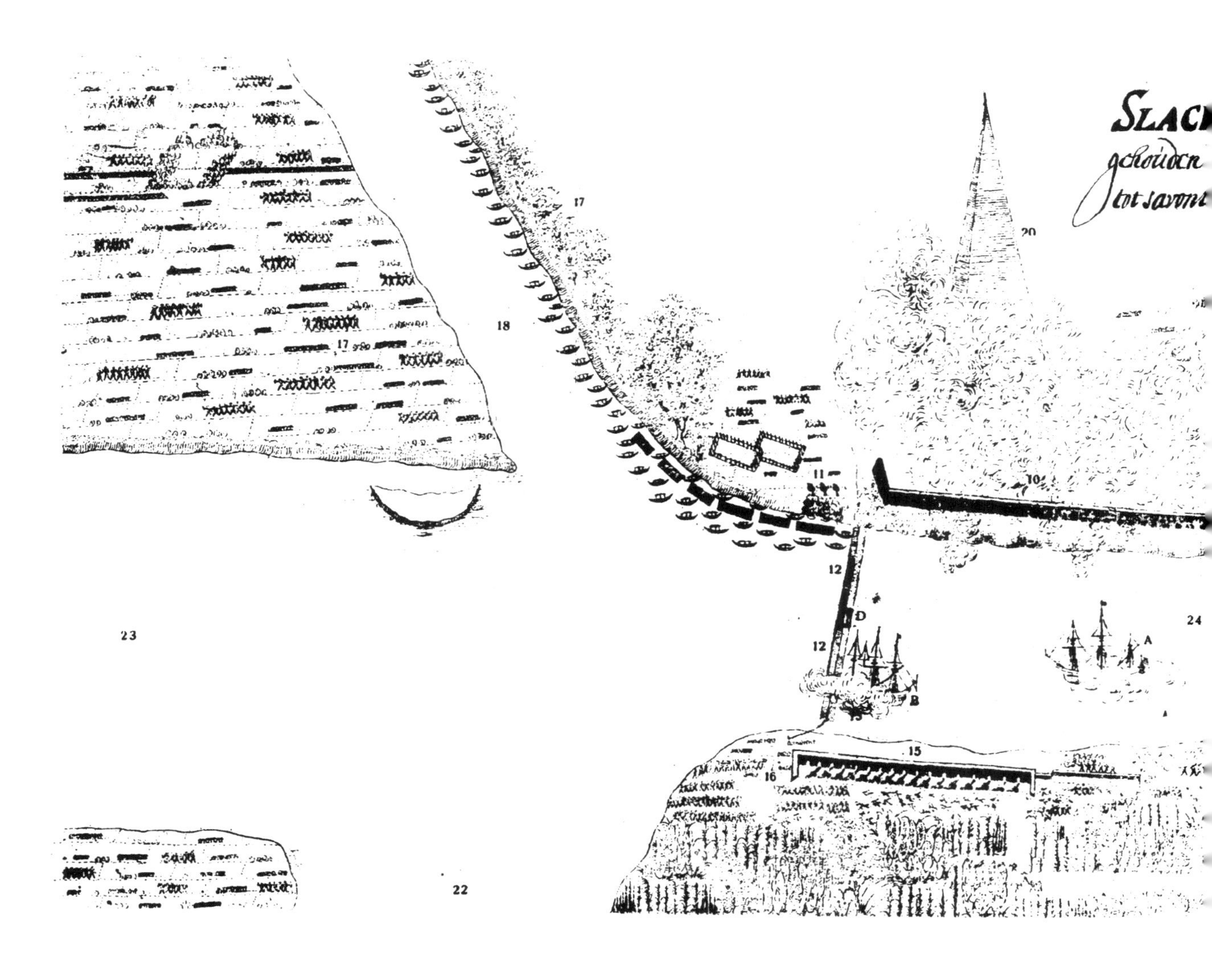
17
18
17
20
10
11
12
D
12
B
A
24
23
15
16
22

明する。そしてプノンペンからトンレ・サプを横切つて對岸に架した橋のことを、『一二。大橋にして幅二(三十メートル)ルーデン(roed)、厚さ二分の一、長さは五六十ルーデンの間にあり、其の中央に重い鐵鎖が隱匿され、一岸より對岸に達して陣營の所で定着してゐる。橋上には尖つた、そして刺を密着せしめて隱蔽した道があつて、其の後方にカンボヂャ人は船に乘つて、最初は隱れてゐて勇敢に弓を射放つた。其の中程には始めて火蓋を切つた砲隊がゐる。』と記してゐるが、(註一八)同じく一六四四年六月十二日の決議錄の一節には、『第一橋より半時間航程にして、枝束や荊棘を以て隱蔽した道のある第二橋がある。其の後方に弓で射撃しては隱れる船があり、橋の中央を通して一本の太い大鐵鎖が、――その鐶は銃身の太さある――一岸より對岸に達してゐて、全長五六十ラインランド・ルーデンある。同處には掩堡で能く防備して半哩に亙り、宗右衛門殿(Soye-Mondonne)其の他の日本人及び諸外國人の居留地がある』(註一九)と記してある。此の決議錄の一節と、前述の圖の註記第一二の橋の説明とを對照すれば、宗右衛門等の居住する日本人居留地が、プノン・ペンの高塔の前方の日本町なることは明である。そして宗右衛門とは、曾て一六三七年六月七日に、舊日本町の角で、ハーヘナール一行を出迎へた宗右衞門に相違ない。即ちプノン・ペンの日本町は、當時市場に聳立する高塔の前方河岸に在つて、他の諸外人町と相並んで約三粁に亙つてゐたのである。そして前述の鳥瞰圖と現今のプノン・ペンの地形とを對照するも、古の日本町の位置は、矢張トンレ・サプ河の西岸に沿ふて、現在も市中東北の丘陵上にある高塔の東方邊より起つて北に延びてゐたのではないかと思はれる。此の外、鳥瞰圖の註記**二一**には『廣南人、交趾支那人、支那人等各國人の植民地(Colonie)』と書いてあるから、(註二〇)或は同地にも日本人の在留民がゐたかも知れないが、圖には註記に該當する番號の記入無く、其の所在を明かにすることが出來ない。

斯くて東埔寨に於いて、ピニャールー及びプノン・ペンの兩地に在つた日本町と、チェン・ギャンの上流に在つた舊日本町の所在を考定することが出來たが、日本人は斯様に集團をなして彼等自身の町を建設すると同時に、中には必しも自國民の町内に居住しない者もあつた様である。同地のオランダ商館員ヤン・ディリクスゾーン・ハーレン(Jan Dircxz. Galen)の日記、一六三六年八月三十一日の條に、『我等は、マレイ人とラオス人の町に住んでゐる日本人等に良質の安息香の買入を命じ、ラオス人には、ポルトガル人と同樣の高値で之を買上げることを申出た。』(註二一)とあるから、ピニャールーに在るマレイ人町とラオス人町には、日本人も雜居してゐたのである。されば二ヶ所の日本町の居留民と他の外人區に雜居せる者とを合算すれば、當時柬埔寨在留日本人は、恐らく四五百名にも上つたであらう。

日本人がメコン河を遙に溯つて、同國の王都附近二ヶ所に日本町を建設せし頃、メコン河の河口の一流に、又日本河(Japanse Revier)なる名稱が付けられた。ハーヘナールは、前述の如く、メコン河の本流チェン・ギャンを日本河と稱し、古地圖中にも之と同樣な命名に依つたものもあるが、(註二二)ピーテル・ケッチングの柬埔寨渡航日記の一六六五年七月二十八日の條によれば『此の國には二河卽ち海より二道の入口があつて、一口と他口とは全然分離してゐるので、熟議の末、本船は次のモンスーンで、日本河、卽ち最北の入口から航入することを、適當と認めて議決した。』(註二三)とあるから、日本河の位置が、若し此の記事通りとすれば、西貢(Saigon)の西南五十粁の河港ミト(Mytho)の南側を過ぎて東流せるメコン河最北の河口大海(Cua Dai)の上流ミト川(Song Mytho)ではあるまいか。然も西貢の鄭懷德の著はす嘉定通志の定祥鎭(Mytho)の條に、『大海門(Cua-Dai)距鎭南八十七里、口廣七里餘。潮深二十七尺、汐深二十二尺。泥濘濡淖。港心挾曲、船艘少出入焉。港西日本洲、洲上守禦割駐。』『日本壇、總社壇、容壇在日本洲、植綿花・蕃薯・水芋。人家隱見于菉篁古樹。』(註二四)と記してゐる。港とは固よりミト港にして、洲は島又はデルタなるべく、壇とは村落のことである。然らばミト河即ち日本河を挾んで、ミト港の西方の一島には、日本洲、洲上に日本村なる名稱が存したのである。果して同地に日本人が在住せしや否やは、當の嘉定通志を始め、未だ他に記載も見當らないが、日本洲も日本村も、日本河と相關聯して、共に同地に於ける日本人の發展を物語つてゐるのであらう。曾て宗右衛門もハーヘナールを送つて、此の附近まで下航してゐる。(註二五)

註一　日本町の新研究。上、一〇〇頁。

註二　Hagenaer, Hendrick. Verhael van de Reyze gedaen inde meeste deelen van de Oost-Indien. (I. Commelin. Begin ende Voortgangh van de Vereenighde Nederlandsche Geoctroyeerde O. I. Compagnie. Boek. II. n°. 20.) Amsterdam. 1646. pp. 110. 111, 112–113.

註三　Valentijn, *op. cit.* Deel III. Beschryvinge van onsen Handel in Cambodia. Bl. 52. Muller, *op. cit.* Slach voor Ponnpingh. n°. 22.

註四　Muller, *op. cit.* pp. 89, 147, 349, 402, 438.

註五　Aymonier, *op. cit.* p. 214. La pyramide.
Leclère, *op. cit.* p. 220.

註六　Copie daghregister van t'gene voorgevallen verricht ende verhandelt is op de tocht naer't Coninghrijch Cambodia, .....door den vice-commandeur Simon Jocobsz. Donckens, gehouden op Zijn voyogie naer Cambodia ende Tayouan van 22 Maert tot 24 Aug 1644. [Kol. Archief. 1059]

註七　Muller, *op. cit.* pp. 348—9. Caerte van Reviere van Cambodia. Slach voor Ponumpingh.

註八　*ibid.* p. 346.

註九　*ibid.* p. 54.

註一〇　*ibid.* p. 149.

註一一　Kaart van het Zuideljck gedeelte der Chineesche Zee met de kuste van Cochin-china, Cambodija, Siam, het Maleische schiereiland. 1660. [Kaart. Kol. Archief. nº. 121.]
Kaart van Cambodija en Grensenlanden. [Kaart Kol. Archief. No. 265.]

註一二　Copie missive door den Coopman Pieter Kettingh uyt Cambodia in dato 12e Feb. 1665. [Kol. Arch. 1143]

註一三　Leclére, *op. cit.* p. 343. 此の問題に就いては、Cabaton, Antonie. Les Hollandais au Cambodge au XVIIe Siécle. Paris. 1914. には恐らく十分に記述されてゐるかと思ふが、今手許に同書を有せざれば、他日閲讀の上參照しやう。

註一四　Hagenaer, *op. cit.* pp. 120, 121. 此の柬埔寨王國現狀報告は、恐らく一六二二年十月十四日接受のものならん。

註一五　*ibid.* p. 122.

註一六　Leod, N. Mac. De Oost-Indische Compagnie als Zeemogenheid in Azië. Rijswijk. 1927. Vol. II. pp. 315—16.

註一七　Slach voor Ponumpingh gehouden den 12en Juny op Sondach vanden dagraedt tot savonts ten 5 uyren int Jaer

1644. [Kaart. Kol. Archief. n°. 268.]

註一八　*ibid.*

註一九　Van Dijk, L. C. D. Neerland's vroegste Betrekkingén met Borneo, Den Solo-Archipel, Cambodja, Siam en Cochin-China. Amsterdam. 1862. p. 327. note 3)

註二〇　Slachi, *op. cit.*

註二一　Muller, *op. cit.* p. 106.

註二二　Fourrereau, *op. cit.* pl. X. XV.　一般にはメコン河の一支流にして、ミト附近にて本流に注ぐものを、日本河と記せる古圖が多い様である。

註二三　Muller, *op. cit.* p. 438.

註二四　鄭懷德。嘉定通志。卷二、定祥鎭、山川、Aubaret, G. Histoire et Description de la Basse Cochinchine. Paris. 1863. pp. 203, 207.

註二五　Hagenaer, *op. cit.* p. 123.

## 三　東埔寨日本町の行政

以上述べた様に日本人は東埔寨に渡航して、王都ウドンの南方ピニャールー及びプノン・ペンに集團をなして、外來諸國民と共に、夫々各自の居留地を經營したが、其の居留地の行政の様式も、交趾日本町の場合の如く、自治又は半自治的な統治ではなかつたかと思はれる。

此より先既に慶長の中年我が御朱印船の柬埔寨渡航漸く頻繁となるや、同國官憲は來航日本人を統制せしめんとして、十二年四月一日(一六〇二年)王命によつて、日本人船主中の有力者と覺しき助左衛門に『船主助左衛門、爲レ有二忠厚志誠一、作二事有一レ規矩一、……………元準爲二本國頭目一』(註一)なる文引を給したが、本國頭目に準ずる資格とは、日本人の頭領或は取締の地位ではなからうか。

其の後柬埔寨に於ける諸國民の居留地が發達して來ると、各居留地の統制には特別な外人官吏が選任された樣である。例へば一六三九年七月二十日(寬永十六年)に上席商務員ヨアンネス・ファン・デル・ハーヘン(Joannes van der Hagen)が、平戶のフランソア・カロンに發した報告によれば、『柬埔寨に居る諸國民は、各〻其のサバンダール(sabandhaer)を持つてゐるので、同地には總港務長はない。尙國王はオランダ商館長幷に他の諸外國人を統制するために、諸國民每に官吏一名を任命したが、彼はアジヤ人種ではあるけれども、決して常に柬埔寨人ではなく、船舶事務を處理し、主として其のために、一方に於いては貿易商人等と、他方に於いては土地の官吏との仲介の勞を取つた』(註二)と記してゐる。卽ち柬埔寨國王は、同國在住外國人及び其の商人等を統制して、港務、貿易、船舶事務を管掌し、更に土地の官吏と諸外國貿易商等との中間に在つて、諸般の用務を執行せしめるため、柬埔寨人以外のアジャ人種出身のサバンダールを、各居留地毎に一名宛て選任したのである。

元來サバンダールは、ペルシャ語のシャーバンダル(Shāhbandar)より轉訛した語で、原義は港の王又は港務長官の意である。廣く印度洋や南洋に亙る貿易港に於ける土人官吏の稱號で、外商や船長等が交渉を有した所の主なる宮憲にして、又屢〻稅關長なることもあつた。從つて此の方面に渡航したヨーロッパ人の日記や航海記にも頻に出て來るが、ウヰリアム・ダンピール(William Dampier)の航海記によれば、一六八八年彼がスマトラ島北部に航して、『アチン(Achin)に到着して、我等はシャバンダル(Shabander)卽ち町の主なる長官の前に導かれた』(註三)と記してゐるから、此の場合シャバンダルとは港町の首長を意味してゐた樣である。

ファン・デル・パーへンの言ふ柬埔寨のシャバンダルの管掌事務の內容は、餘り明確ではないが、貿易事務の外、彼が其の歸屬せる居留地の統制にも當つてゐた樣であるから、同地の居留地は夫々其のシャバンダルを頭領とする半自治的な町ではなかつたかと思はれる。そしてヤン・ディルクスゾーン・ハーレン(Jan Dirrxz. Gaelen) の東埔寨滯在日記によれば、彼は一六三六年六月十八日(寛永十三年)ピニャルーの日本町に達し、豫て紹介されてゐた日本人の有力者ナンプラ・ピトナンドリ(Nampra Pitnandri) に會して、ジャンク船の航海士なる彼の弟宗右衛門(Sionemon) からバタビヤで手交された書翰を彼に届けた。此の時ハーレンが土人から諸國人居留地の狀態を聞知する所によれば、『日本人町 (het Japanders quartier) は一名のサバンダルの下に在り、他の一名のサバンダルはポルトガル人町を管轄統治し、マレイ人とジャバ人の上には他の一名があり、支那人町の上には二名のサバンダルがゐるので、結局全部で五名のサバンダルがゐる。』(註四) とあつて、同地の日本人町を始めとして、他の諸外國人居留地は、明かに其のシャバンダルの行政的管轄の下にあつたことを窺知し得ると思ふ。然るにイギリス商館員の報告によれば、『當地に貿易に來る諸國民は、何れも彼等のシャバンダル(Shabander)を有してゐる。彼は普通の事件に在つては、常に裁判官の役を勤める。そして何人も彼の紹介なくんば、國王と對談することが出來ない。彼等の來航の用務は、普通彼が國王に通ずるので……………用務が若しも彼の氣に入らぬ時は、彼等が拜謁する前に遮られる。』(註五)とあるから、サバンダルは、其の居留地の行政的な支配、幷に、或る特別な事件以外には、彼等の裁判にも干與してゐたのである。然らば東埔寨の日本町も、交趾の場合と均しく、自治制なると同時に、或る種の治外法權を許されてゐたと見ねばなるまい。

I　さて東埔寨日本町の頭領なるサバンダルに就いて云へば、一六三六年六月(寛永十三年)東印度會社の上席商務員ハーレン、商務員ピーテル・スーリイ(Pieter Soury)等が、新に東埔寨に商館を開設すべき命を受けて、アウデワーテル號(Oudewater)に乘組みバタビヤを出帆してメコン河口に達し、オランダ人十二名、日本人一名、黑奴一名及びマライ人一名等と共に小舟に移乘して河を溯航し、同月十八日日本町に到着した時、豫て紹介されてゐた前記の日本人の有力者オプラ・ナンピツナンドリ(Opra Nampitnandri)及び日本人サバンダルが彼等を迎へたが、(註六)其の後オランダ人は、商館の設置、王室との交渉、貿易事務など、常に日本人サバンダルの援助を得る所が多かつた。

卽ち彼等は到着の翌々二十日、日本人サバンダル等と共に馬車にて王宮に向ひ、其の夜は一日本人の家に宿泊し、翌二十一日彼の斡旋通譯で國王に謁見して贈物を獻上したが、王は此の時、オランダ人は今後日本町に居住すべきことを命じたから、(註七) 彼等は爾後日本町の住民として、日本人サバンダルの統制支配を受けた。

次いで同年七月七日、十月五日には國王は彼を仲介として、オランダ人に大砲購入の交渉を試みてゐる。(註八) 然るに翌一六三七年九月に至り、オランダ人の輸出せんとせし船の積荷中、國王の禁ぜし新米の混在せしことが、土人官吏の發見する所となり、日本人サバンダルは取締不行届の廉を以て、一時牢獄に繋がれ、最早國王の御前に伺候することを禁ぜられ、オランダ人も亦之を拒まれたが、九月三十日の夜宗右衛門がハーレンに來報する所によれば、『老王に奉る贈物は拒絶され、又王が口頭にて語る所によれば、日本人等の兩頭領なるサバンダルとチビニャ(Sabander & Tevinia, beyde hoofden der Japanders)には大いに怒つてゐる。』(註九)とあるから、失名の此の日本人サバンダルは、此の頃任を解かれたのではあるまいか。

**II 森嘉兵衛。**(Morij Kaffioye) 一日本人サバンダルが職務怠慢の廉を以て、國王の怒に觸れ、其の任を解かれたのは、一六三八年(寛永十五年)頃の様であるが、聽て彼に代つて新にサバンダルの職に就いたのは森嘉兵衛であつた。東埔寨オランダ商館日記一六四二年六月二十七日(寛永十九年)の條によれば、『目下タビニヤ・ラムシット(Tavinia Ramchidt)と呼んでゐるナップラ・ネルピト(Naqpra Nelpith)は日本人にして、サバンダルに任命されたが、此の男は國王から多大なる恩寵を得てゐる。』(註一〇)と記してある。タビニャ・ラムシットと云ひ、ナップラ・ネルピットと云ふのは、共に東埔寨の官名にして、後者は王子宮殿奉仕の官吏の稱號の様である。(註一一)然るに同年舊曆十月十一日附の森嘉兵衛の書翰の書出に、『予チピニャ・ラムシット(Tippinya Ramsit)は、國王からオランダ人のサバンダルに任命された。』(註一二)と記してゐるが、タビニャ・ラムシットも、チピニャ・ラムシットも共に東埔寨の官名テビン・ナイ・ラム・シット(Tévin nãi Rãm Cit)(註一三)の訛譯に過ぎないから、前者は疑もなく嘉兵衛が新にシャバンダル職に選任された事情を記したのである。當時オランダ商館は、ピニャールーの日本町の南隅に在り、館員も僅々十數名に過ぎずして、日本町の一員として待遇されたから、オランダ人のサバンダル森嘉兵衛は、卽ち日本町のサバンダルにして、同地外人居留地の長なる五名のサバンダルの一人であつたに相違ない。

其の後一六六五年(寛文五年)頃まで、オランダ人の記錄に、日本人と覺しき通譯ゴンサブロ(權三郎?)(Gonsabro)と共に屢〻并記された『我等のサバンダルなるナクプラ・ラムシット(Nacpra Ramsit, Ramschijt, Ramsijdth)』(註一四)や、一六六五年二月十二日附の商務員ケッチングの報告中に『一日本人ナプラ・ラムシット(Napra Ramsith)は………既に餘程以前から、彼の願により、國王から商館のサバンダルに任命されてゐた。』(註一五)とあるのは、疑もなく嘉兵衛のことなるべく、果して然らば、ナクプラ・ラムシットと云ふのは、彼の官名が變更したのか、或は彼の前官名ナクプラ・ネルピトと、現官名タビニヤ・ラムシットとの兩者を、オランダ人が斯く混淆したのではあるまいか。

嘉兵衛の出身と經歷に就いては、彼我の記錄に傳ふる所がないが、鎖國以前東埔寨貿易に手を染めてゐた長崎の町人森助次郎なる者があるから、或は其の一族ではないかと思はれる。彼が始めてサバンダルに選任された時、次席商務員ヴィールツ・アールツゾーン・ファン・デル・ネス(Wiert Aertsz. van der Nes)は、彼に同伴されて國王に拜謁し、諸般の用務を果したが、(註一六)同年十月十一日(一六四二年十一月二日、寬永十九年)、嘉兵衛はオランダ東印度總督アントニオ・ファン・ディーメンに書翰を送つて、サバンダル職に新任されたことを報じ、曾て土地の大官連がオランダ商館倉庫を掠奪せんとせしが、彼が之を豫知して未前に防止した事情を詳述し、尙從來國王とオランダ人との中間に立つて種々斡旋し、今後も盡力せんことを記し、最後に總督に敬意を表して、米五コヤン(Coijangh)卽ち一萬五千斤を贈る旨を認め、森嘉兵衞と署名してゐる。(註一七)

其の後一六六四年九月に、一旦廢絕したオランダ商館復活等の用務を帶びて、前述の如く、參議員マイエルと商務員ケッチングが溯航して來た時、彼は病みて斡旋する能はず、一日本人ナクマン(Nacman)をして代つて、東印度總督の使節が來着せしことを國王に報告せしめた。十月十六日には、嘉兵衞の東道で、蘭使一行は拜謁のため王宮に向つた。(註一八)愈〻商館が再建されて後は、オランダ人等は、事ある每に嘉兵衞と通譯權三郞の盡力を得たが、殊にオランダ商館の再開に當り、彼等は、國王から爾後二十五年間、日本向き商品の獨占權を獲得したに係らず、支那船が鹿皮を日本に輸出せんとして、紛擾を生じ、翌一六六五年三月より六月に亙り、嘉兵衞等兩人は、オランダ人の爲め頻りに土地の官憲や支那人と折衝してゐる。(註一九)　しかし六船に分乘して同地に侵入した臺鄭氏の餘黨は、一六六七年七月九日(寛文七年)ケッチング等の商館員を虐殺し、商館を奪掠放火したので、(註二〇)オランダ人が多年東埔寨に於いて維持した足場は全く壞滅し、其の後の嘉兵衛の消息も亦明かでない。

註一 奉長院文書、二。

註二 Muller, *op. cit.* p. 142.

註三 Yule, H. & Burnell, A. C. Hobson-Jobson, A Glossary of colloquial Anglo-Indian Words and Phrases. London. 1903. pp. 816—17.

註四 Journael ofte de voornaemste geschiedenisse in Cambodia weder vaeren sedert 18. Juny tot dat wederom van daer scheyden door my Jan Dircz. Gaelen per memorie aengeteekent [Kol. Arch. 1035]
Muller, *op. cit.* p. 63.

註五 A Relation of the Situation and Trade of Cambya: also, of Syam, Tunkin, China, and the Empire of Japan: Extracts of Letter &c. from Bantam and Subordinates. [Factory Records. China and Japan. no. 13. Dundas Papers, Vol. 19.]

註六 Muller, *op. cit.* pp. 61—62.

註七 Journael, *op. cit.* Muller., *op. cit.* pp. 64, 67.

註八 *ibid.*, pp. 79. 118.

註九 Journael, *op. cit.*

註一〇 Muller, *op. cit.* p. 277.

註一一 *ibid.* LXVI.

註一二 *ibid.*, pp. 341—43. Copie Translaet Missive van Morij Kafioye (Haven meester,), Japander in Cambodia, aan den Hr. Gouv. Generaal. 1642.

註一三 *ibid.*, LXIV.

註一四 *ibid.*, pp. 412, 413, 414, 416, 420, 432, 433, 441.

註一五 Copie Missive door den Coopman Pieter Kettingh uyt Cambodia in dato $12^{n}$ Feb. 1665. [Kol. Arch. 1143]

註一六 Muller., *op. cit.* p. 276.

註一七 *ibid.*, pp. 341—43.

註一八 Copie missive door.....Ketting. *op. cit.*

註一九 Muller., *op. cit.* pp. 407—408, 409—415, 416—420, 422—424, 430—433.

註二〇 Dagh-Register gehouden int Casteel Bataiva *op. cit.* Anno. 1667, pp. 313—4, 392.

## 四　柬埔寨日本町在住民活動の消長

柬埔寨日本町在住民の生活狀態を見るに、(一) 軍事、(二) 宗教、(三) 經濟の三方面に關聯する活動が、特に目立つてゐた樣である。以下順次此等の三方面に於ける彼等の活動狀態を逃べて、以て日本町發展の跡を辿つて見やう。

**一　軍事的活動。** 軍事的活動とは、在住日本人が、主として柬埔寨軍隊に、一時的又は長期的に傭聘されて、同國の外征や內亂に參加したことであつた。

既に一六二二年頃(元和八年)、柬埔寨國王が手兵三百人をして、小舟に乘じてラオスに入り、ナムノイ(Namnoi)の金山より多量の金を取らせたが、彼の手兵は支那人、マレイ人、柬埔寨人幷に日本人より成立つてゐた。(註一) 翌一六二三年(元和九年)暹羅の大軍は、一部は暹羅王子に率ゐられ、陸路北方より、一部は將軍ピヤ・タイ・ナム(Phya Thay-nam)指揮の下に南方海路より柬埔寨に侵入した。此は、一六一八年柬埔寨國王浮、哪・詩・士板(Pra Srey-Sauryopéar)に繼いで、曾て暹羅に質たりし王長子七・士他(Chey-Choetha II)卽位して暹羅に忠順ならざるためと云ふ。結局暹羅軍の大敗を以て戰爭は終つたが、(註二) 暹羅國王は、此の戰爭に日本人の柬埔寨軍に援助せしことを指適して、『貴國商販彼處者、値于戈之秋、誤爲彼助、未免混傷。恐非和好本意。望諭停之。』(註三) の旨を幕府に歎願してゐる。柬埔寨側に於いても、廷臣招笨雅・珠歷・蘇(Caupona Seréi Sambat ?)は、翌寬永元年、在住日本人の有力者と覺しき武富長右衛門に書を託して、長崎奉行長谷川權六に『雖敝國與暹羅有兵革之交、然上國主君、與寡君心膂之愛、遞可致之度外。』(註四) とて、兩國の交戰に當り日本の中立を保たんことを望んでゐる。

其の後一六三〇年(寛永七年)山田長政が六崑に於いて毒殺されるや、其の子オコン・セナピモク(Ockon Senapimocq)は自立せんとして果さず、六崑の町を燒いて、一黨の日本人を相率ゐて柬埔寨に走つた。(註五)　柬埔寨王は逃入日本人の援助を得て一六三二年暹羅と對戰することゝなつたが、日本人等は宣戰布告を待たずして、既にジャンク七隻に分乘して、柬埔寨を出帆し、暹羅に出入する船舶を撃破せんとメナム河口に向つたことがある。(註六)

在住日本人は亦同國の内亂にも參加して、重要なる役割を果してゐる。『曾て王長子が國王の廢立を謀らんとして反逆した時、同地の日本人等は勇敢にも武器を執つて老王を助けたので、彼等は國王から尊敬されてゐる』(註七)　が、我が傳説によれば、長政の遺兒は、此の戰中に陣歿した樣である。(註八)　併し日本人の一部は此の王長子にも左祖したのであらう。　一六三六年十一月(寛永十三年)王子が、陰謀發覺して戰に敗れて暹羅に亡命した時、日本人百人程、彼に扈從してゐた。(註九)　其の後も王位は安定せざりしものゝ如く、オランダ人の報ずる所によれば、一六四二年四月十日寛永十九年)には、日本人等は王命によつて、王弟を斬首し、其の死骸を燒却する爲めに箱に詰め、次いで同年五月二十一日に

は、國王に抗する戰が勃發せんとして、全日本人や支那人等迄召集されたことがある。(註一〇)

**二　宗教的活動。** 柬埔寨の奥地にある大湖卽ちトンレ・サプ(Tonlé Sap)の西北端、湖岸より十七粁の所に大伽藍(Angkor Wat)がある。九世紀頃建設された宏大なる石造の佛寺であつて、其の後一時全く荒廢して了つたが、當時尙國王始め上下の尊信を受け、來航のイスパニヤ人やポルトガル人からはローマと呼ばれてゐた。(註一一)日本人の同地に渡航する者は、之を印度の祇園精舍と誤傳して遙々參詣した樣である。水戸の彰考館に所藏する祇園精舍の圖の寫には、長崎の大通事島野兼了が、將軍家光の命によつて、オランダ船に便乘して柬埔寨に渡り、同寺に詣で實測圖を作成して歸つた由が認めてある。(註一二)曾て東大の伊東忠太博士が、之を、明治天皇の天覽に供して御說明申上げたこともある。(註一三)寬永九年正月廿日(一六三二年)には、加藤淸正の舊臣森本儀太夫の子右近太夫一房も遙々同寺に詣でて、父母の菩提後世の爲めに、佛像四體獻納せしことを、同寺中央廊下石柱上に墨書したのが今も殘存してゐる。(註一四)甲子夜話にも肥前の松浦家に仕へた儀太夫の子宇右衞門が、同寺の實測圖を作つて歸朝したことが記してある。（註一五）近頃廣島文理科大學の杉本直治郎教授が同寺に於いて、右の墨書の裏側に、肥後の木原屋嘉右衛門夫妻、肥前の孫左衛門夫妻も參詣せし旨を記した墨書を發見された。丁度一六三一年の暮か二年の正月頃に、肥前の松浦氏の商船が柬埔寨に來着してゐるから、（註一六）彼等は或は同船に便乘渡航したのではあるまいか。

以上は單に柬埔寨渡航日本人の佛寺參詣の狀態に過ぎないが、同地在住日本人の宗敎生活を特徴付けるものは、當時母國日本に於いて漸く嚴禁されて來た切支丹宗の傳道であつた。

既に一六一六年（元和二年）ゼスス會はマカオからパードレのペロ・マルケス（Pero Marques）を派遣して、同地在住日本人切支丹商人等の間に聖敎を說かんとしたことがある。其の後一六二四年日本人パードレのジュスト（Just）が渡航し、次いでパードレのロマン西（Romão Nixi）等も到着して、傳道のために活動した。（註一七）幕府の切支丹に對する彈壓を重加するに從ひ、信徒の逃れて同地日本町に入る者も尠くなかつた樣である。（註一八）斯くて柬埔寨オランダ商館日記一六三六年十二月四日（寛永十三年）の條によれば、ポルトガル人は既にずつと以前より當地に居るが、多くの大官の氣に入つてゐる許りでなく、當地の全切支丹から好意と支持とを得てゐる。蓋し日本人八十人又は百人中には、四十人か五十人位のローマ敎徒があり、尙他の多數が、何れも熱心にポルトガル人を援助する。(註一九)

とあるから、柬埔寨日本町在住民中の五割位は信徒であつた樣である。そしてパードレ等は公然と敎會堂を建てゝ、土人と日本人等の敎化に努めてゐたのである。(註二〇)

## 三　經濟的活動。

日本町在住民の經濟的活動は、言ふまでもなく同地を中心とする彼等の通商貿易と、其のために同地に來航する諸國民との交涉であるが、前節に於いて日本町の行政を述べる際にも、旣に屢々觸れて來た所である。

鎖國以前に於いては、在住民は固より自由に母國との間を往來することが出來たに相違ないが、鎖國令が發布されるや、故國との聯絡は完全に遮斷された。一六三六年五月末日(寛永十三年)將軍の朱印狀を有せる日本船が、柬埔寨を出帆して歸航の途に上つたが、同船の航海士は、日本出帆の時に、既に將軍の鎖國令を受取つてゐたのである。同船は柬埔寨に滯留すること、殆ど十二ヶ月に及び五月末日出帆するまでに、鹿皮七萬枚、胡桃三萬斤等を買占めたので、オランダ人は、同地に於いて此等の品々が拂底して買入不能になつた。(註二一)幕府は寛永十二年十月二十八日に、絕對に日本人の海外渡航と、海外移住日本人の歸朝を禁止したとは雖も、其の直前に出帆する御朱印船には、斯く最後の一回限りの航海を猶豫したのではあるまいか。そして同船は、此の機會を把んで、鎖國に對する見越輸入を企てたに違ひない。

鎖國によつて、在住日本人の故國との聯絡が閉されるや、彼等は從來『唯〻貿易によつてのみ利益を享受してゐた』ので、『彼等の商品を先づ廣南に送り、同地より支那船に託して之を日本に送り屆ける』ことを始めた。(註二二)試みに鎖國の直後一六三七年度に於いて、東埔寨交趾間を聯絡した日本船數を拾へば、僅かながら左の數隻を擧げることが出來る。

六月廿八日　一日本船　交趾へ出帆
七月　九日　一日支人合辨船　同
七月十七日　一東埔寨在住太兵衛船　同
八月　九日　一東埔寨在住宗右衛門船　同

十二月廿九日　一　交趾在住與惣右衛門船　交趾より來航(註二三)

マカオのポルトガル人も、鎖國の痛手を輕減せんために、類似の手段を採用した。一六四一年には、彼等はマカオから生絲や絹織物を柬埔寨に舶載し、同地より支那船や柬埔寨船に託して日本に送つてゐる。(註二四)

斯く日本町の住民は、交趾を經由して支那船の仲繼によつて故國と辛うじて取引を續けたが、中には、自ら船を他の南洋諸地に送つて貿易を營むものもあつた。日本町の宗右衛門は、一六三六年八月九日に一船を交趾に遣したが、此の時彼は他に一船を購入してマカッサルに派遣せんと計畫してゐた。(註二五)然るにバダビヤ城日記一六三七年六月二十二日の條には、彼が東印度總督の航海安全狀及び同年一月十七日附の柬埔寨在住のヤン・ディリクセン・ハーレンの書狀を携へてマカッサルに着いたことが記してある。(註二六)其の後同船は翌一六三八年の春にはアンボイナ島に廻航したが、偶ゝ同地巡視中の東印度總督アントニオ・ファン・ディーメンは、同船が八日後には再びマカッサルに歸航せんとすることをを聞き、(註二七)四月二十七日にマカッサル滯在中の宗右衛門に宛てゝ挨拶の書翰を送つてゐる。(註二八)書翰の宛名はヨサ宗右衛門(Josa Soyemon)となつてゐるが、ヨサに當る氏姓は一寸考へ及ばない。

ヨサ宗右衛門は、其の兄ナンプラ・ピッナンドリイ (Nampra Pitnandry, Nampitnandrij) と共に、日本町の有力者にして、嚮に一六三六年ハーレンが始めて柬埔寨に赴いた時、偶〻バタビヤに渡航中の宗右衛門から兄に宛てた紹介狀を携帶したが、其の後オランダ人は常に兩人の世話になつてゐる。ナンプラ・ピッナンドリイの實名は傳はつてゐないが、此は柬埔寨の官名にして大膳頭又は米穀倉庫長とも云ふべき身分であつた。(註二九) 一六三六年九月十一日(寛永十三年)、彼の養女と宗右衛門とが結婚した時、盛大なる儀式があつて、全日本在住民幷に柬埔寨王女と大官の夫人連も列席してゐるから、(註三〇) 彼等の地位如何が察せられる。オランダ人は、同地に於いて信用すべき人物五名中の一に、宗右衛門を數へてゐる。(註三一)

其の後も彼等は、日本町の有力者とは、特に親密なる關係を保つて行つたが、一六三六年十月七日には、日本人等と、柬埔寨の產物鹿皮と黑漆との取引に關して、品種、數量、市價、格付、取引方法などに亙つて、長文にして詳細なる契約を結び、(註三二) 一六四〇年(寛永十七年)には再び漆の供給に關して協定する所がおつた。(註三三)一六五四年(承應元年)イギリス人が、東埔寨と通商關係を開いて、彼等の商館を設立するまで、日本人の持家を借りて商務を辨じてゐた。(註三四)オランダ人も、一時中絶した東寨埔貿易復活のため、一六五六年(明暦二年)ヘンドリック・インダイク(Hendrick Indijck)ピーテル・ケッチング(Pieter Ketting)を差遣したが、彼等は一時日本人キウキ卽ちアウエヤミン長右衛門(Khiwj ofte Auwejamingh Tsjoemon)の空屋に假寓を定めた。長右衛門は此より先十一ケ月以前に王命により斬首されたが、彼は前商館長レーヘモルテスの殺害の下手人と傳へられてゐる。(註三五)此の時、彼等は東埔寨に於けるオランダ商館の地位を確保するため、王に迫つて、今後二十五年間、日本向き東埔寨産物の獨占を承認させたが、(註三六)此の約定の履行、商品の買入に當つて、彼等が、日本人サバンダル森嘉兵衛、通譯權三郎の盡力を屢々仰いだことは、既に之を述べた。

しかしオランダ商館の運命は、其の後餘り長くは惠まれなかつた。前述の如く東埔寨に侵入した臺灣鄭氏の餘黨は、一六六七年七月九日(寛文七年)オランダ商館を奪掠放火し、館員ケッチング等を殺害したが、ヘリッツ・ファン・デン・ベルヒ(Gerrit van den Berg)等數名は附近の森林中に難を避け、次いで日本町に歸來するや、同十一日に及び國王は日本人等に命じて、彼等を河中に碇泊せるオランダ船に送致させた。(註三七)斯くて其の後オランダ人の柬埔寨に渡航する者もなく、不幸にして日本町の行末も明にすることが出來ないが、當時鎖國を去ること既に三十餘年に及ぶも、日本町は依然として柬埔寨の奧地王都附近に存し、在住日本人は尙も活動を續けてゐたのであつた。

註一　Muller, *op. cit.* pp. 30, 159.

註二　Leclère. *op. cit.* pp. 338—9.
Records of the Relations between Siam and Foreign Countries in the 17 th Century. Bangkok. 1915—1922, Vol I. pp. 133—136,
Wood, W. A. R. A History of Siam. London. 1926. pp. 163—169,

註三　通航一覽。卷之二百六十八（刊本。第七、一—二頁）

註四　同書。卷之二百六十四（刊本。第六、四八四—八五頁）

註五　Vliet, Jeremias van. Historiael Verhael der sieckte ende dood van Pra Intera Tsëa 22en Coninck in Siam…… Item hoe den regherenden Coninck Pra Onghsry……de Croone looslyck geuzurpeert ende zichselve in verscheyden saecken nopende de regeringe des Rycx gedragen heeft. Dec. 31, 1640. fol. 123—125〔Kol. Aanwinst, 1887〕
暹羅國風軍記、卷之六、四三頁。
暹羅國山田氏興亡記。二四—五頁。

註六　Dagh-Register gehouden int Casteel Batavia. *op. cit.* Anno 1631. 5 Dec. p. 53. 30 Dec. pp. 54—5. Anno 1632. 4

Jan. p. 57.

註　七　Hagenaer. *op. cit.* pp 120, 121.

註　八　暹羅國風土軍記。卷之六、四三頁。

註　九　Journael……door Jan Dircz. Gaelen. *op. cit.*

註一〇　Muller. op. cit. pp 251, 266.

註一一　*ibid.* p. 360

註一二　祇園精舍の圖の裏書。（水戸彰考館所藏）

Peri, Noël. Essai sur les Relations du Japon et de l'Indochine aux XVIe et XVIIe siecles. Hanoi. 1623. pl. V.

註一三　伊東忠太博士、祇音精舍圖とアンコル・ワット（建築雜誌、三一三號）

註一四　黑板勝美博士、アンコル・ワットの石柱記文について（史學雜誌、四一ノ八號）

註一五　甲子夜話。卷二十一（刊本、第一。二九七頁）

註一六　Dagh-Register gehouden int Casteel Batarvia. *op. cit.* Anno. 1632. 14 April. p. 69.

註一七　Cardim. Batalhas. *op. cit.* pp. 252—3.

註一八　Pagés. *op. cit.* p. 383.

註一九　Journael……dbor Jan Dircz. Gaelen. *op. cit.*

註二〇　Muller *op. cit.* p. 142.

註二一　*ibid.* p. 71.

註二二　Hagenaer, *op. cit.* pp. 120—1,

註二三　Journael……door Jan Dircz. Gaelen. *op. cit.* Muller, *op. cit.* pp. 77, 81, 85, 94. 參照。

註二四　*ibid.* p. 19.

註二五　*ibid.* pp. 94—95.

註二六　Dagh-Register gehouden int Casteel Bataira. *op. cit.* Anno 1637. 22 Juni p. 280,

註二七　Vervolch van 't Journael, acten, ende resolutien gehouden op den tweede tocht van den Gouvr=Genl=van Diemen naer d' eylanden van Amboina, Banda. etc. [Kol. Arch. 1036]

註二八　Copie Missive van G. Gl. van Diemen aen Josa Cheijmon (Soyemon) Japand.r in Macassar. Hittoes Reede. 24en= April anno 1638. [Kol. Arch. 1036]

註二九　Muller., *op. cit.* LXIV.

註三〇　*ibid.*, p. 110.

註三一　*ibid.*, 131—2.

註三二　*ibid.* pp. 118—9.

註三三　Relations between the Dutch and various States in the Eastern Seas. &. Formosa and the Coast of China & Siam. Camboja. [Factory Records. Java. Vol. I.]

註三四　Letter from the Factors at Camboja to Bantam, dated 16 th October 1654. [Factory Records. Original Correspondence. no. 2423]

註三五　Copie Missive van Hendrick Indijck, Pieter Kettingh en Adrijaen Stouthart, Cambodia. 17 October 1656, aen d'E Hr. Gouverneur-Generael Joan Maetsuycker ende Raaden van India. [Kol. Arch. 1109.]

註三六　*ibid.*　Muller. *op. cit.* p. 393.

註三七　Rapport van den ondercoopman Jacob van Wijckersloot, gedaen aan den Ed. Daniel Sicx, coopman opperhooft in

Japan. 9 Augustus 1667. [Kol. Arch. 1156]

昭和十年二月七日稿(未完)

# 歷代行臺考

青山公亮

# 歴代行臺考

青山公亮

目次





## 緒言

後漢に入つて後、尙書の任は漸く重く、その官署を中臺と稱した。行臺とは、臨時に地方に特設されて中臺の事を執行する官府の謂である。此の名は、魏晉の間に起り、その傳統を引いた官府乃至官職は、北朝及び隋を經て唐の初世に及んで居る。此の間に於ける沿革の大要を考察して、職制の源流と特質とを窺はんとしたものが、この小草である。

## 第一節　曹魏の行臺

曹魏の甘露二年(西紀二五七年)六月、權臣司馬昭は、帝及び太后を奉じて諸葛誕の討伐に赴いた。「三國志」の魏書・高貴鄉公紀に、

甘露二年六月甲子(○二五日)、詔曰、今車駕駐項、大將軍(○司馬昭)恭行天罰、前臨淮浦、昔相國・大司馬征討、皆與尚書俱行、今宜如舊。乃令散騎常侍裴秀・給事黃門侍郎鍾會、咸與大將軍俱行。

といひ、陳泰傳に

轉爲(尚書)左僕射、諸葛誕作亂壽春(○安徽省壽縣)、司馬文王(○司馬昭)率六軍、軍丘頭(○河南省沈邱縣)、(陳)泰總署行臺。

とあるのは、此時の事であり、行臺の字面の正史に見えるのは、前揭陳泰傳の

記事を以て嚆矢となすものの如くである。

問題の行臺の職分に就いては、「晉書」の裴秀傳に

司馬(氏)軍國之政、多見信納、遷散騎常侍、帝(司馬昭)之討諸葛誕也、(裴)秀與尙書僕射陳泰・黄門侍郎鍾會、以行臺從、豫參謀略。

といひ、「三國志(魏書)」の鍾會傳には

壽春之破、(鍾)會謀居多、親待日隆、時人謂之子房、……以討諸葛誕功、進爵陳侯、屢讓不受、詔曰、會典綜軍事、參同計策、料敵制勝、有謀謨之勳。

といふ記事がある。此等の記載と、政界に於ける司馬昭の位置などより推せば、主題の官署の重要な任務は、當面の軍事を典綜し、兼ねて軍國の重事を理めるに在つたと考へられる。

行臺の特設された由來、並びに其の職掌にして凡そ叙上の如しとすれば、翌三年諸葛誕の亂の平ぐに及び、この官府の廢罷されたことは、多言を俟つまい。たゞ注目すべきは、重大な征戰を興すに際し、所謂行臺を設置して當面の軍務乃至軍事を總理せしめる例の啓かれた事である。

## 第二節　西晉の行臺

西晉の行臺には、一面よりいへば、軍國の危機に當つて開設された最高級の地方的軍衙であるが、他面よりいへば、地方に置かれた事實上の中央政府と目されるものと、同じく地方に設けられた假政府と見られるものとの二種がある。前者卽ち軍事上の危機に際して外州に開設された事實上の中央政府とも目すべき行臺の唯一の實例は、「晉書」懷帝紀・永嘉四年（西紀三一〇年）の條に

十一月甲戌（〇一五日）東海王（司馬）越、帥衆出許昌（〇河南省許昌縣）以行臺自隨。

といひ、東海王越傳に

表以行臺隨軍、率甲士四萬、東屯于項（〇河南省項城縣東北）、王公卿士隨從者甚衆、詔加九錫。

とあるものである。

西晉の事實上の主宰者ともいふべき東海王越が、精銳を率ゐて許昌に出陣したのには、對外的理由と對內的理由との二つがある。前者は、戎狄の侵擾、特に漢の猛將石勒の銳鋒を防いで郊畿を靖んずる必要の痛感されたこと❶であり、

後者は、王の擅權に對する有力者の反感が漸く昂められたため❷、豫め之に備へる必要が生じた事である。「資治通鑑」に❸

(東海王)越、帥甲士四萬、向許昌、留妃裴氏・世子毗及龍驤將軍李惲・右衞將軍何倫、守衞京師、防察宮省、以潘滔爲河南尹、總留事、越表以行臺自隨、用太尉(王)衍、爲軍司、朝賢素望、悉爲佐吏、名將勁卒、咸入其府、於是宮省、無復守衞、荒饉日甚、殿內、死人交横、盜賊公行、府寺營署、並掘塹自守。

とあるものの如きは、王の出征が、晉室のためといふよりは、寧ろ王自身の權力を保持せんがためであつた事を明示するものゝ一つである。

出征の裏面に存する事情と、王の實力とより察すると、問題の行臺の職分は、獨り當面の軍務を典綜するに止まらず、事實上の中央政府として、內外の重事をも總理するに在つたと考へられる。

東海王は、外敵に對する捗々しい活動に出でぬ中に、永嘉五年三月十九日、項に於いて卒し❹、王に代るべき者がなかつたため、右の行臺の名實は、忽ち失はれることになつた。戎狄の壓迫は、此頃より益々強く、その六月に劉曜・王彌二將の帥ゐる漢軍は遂に洛陽を陷れ、懷帝を執へて平陽に送るに至つた。之を永嘉の亂といふ。

一種の軍政府であるとともに、假政府の性質を帶びた行臺は、悉くこの事變の善後措置として、各地に設けられた權の官署であり、その實例には、「晉書」の傳祗傳に

荀晞、表請遷都、使(傳)祗出詣河陰〇河南省孟津縣東一里、修理舟揖、爲水行之備、及洛陽陷沒、遂共建行臺、推祗爲盟主、以司徒持節大都督諸軍事、傳檄四方。

といひ、荀晞傳に

(荀)晞、以京邑荒饉日甚、寇難交至、表請遷都、……俄而京師陷、晞與王讚屯倉垣〇河南省陳留縣西、豫章王端及和郁等、東奔晞、晞率群官、尊端爲皇太子、置行臺、端承制、以晞領太子太傅都督中外諸軍錄尙書、自倉垣徒屯蒙城〇河南省商邱縣東北四十里

と記し、閻鼎傳に

値京師失守、秦王〇名は鄴後の愍帝出奔密中、司空荀藩・藩弟司隸行尉組及中領軍華恆河南尹華薈、在密縣〇河南省密縣、建立行臺。

と見えるもの等がある。

## 第三節　後燕の行臺

永嘉の亂後、晉室の勢威は愈ゝ蹙まり、遂に故都の地を逐はれて難を江南に避けるの止むなきに至つた。世にこれを晉の南渡といひ、南渡後を東晉といふ。これよりして、黄河流域方面は、五胡の酋豪が爭覇の巷と化し、その地の漢民族は、遂に戎狄の支配を受けるに至つた。

ここに注目すべきは、武力に於いて漢民族を征服した戎狄が、文化に於いて逆に漢民族に支配され同化されたことである。戎狄の諸國が、百官の官稱乃至職制を支那のそれに學んでゐるが如きは、その適例の一つである。

之を行臺に就いて見るに、東晉には、この官府の設けられた徴證がなく、却つて後燕の如き戎狄の王朝に於いて、この種の官署の置かれた事例がある。資治通鑑に❺

太元十六年（西紀三九一年）春正月、（後）燕置行臺於薊（○北平市）、加長樂公（慕容）盛錄行臺尚書省事。

と見えるものが、卽それである。之を長樂公慕容盛の門地よりいふも、薊の地理的位置より見るも、問題の行臺は、恐らく地方に於ける最高級の軍衙であるとともに、或程度の民政をも理した官署であつたと考へられる。

## 第四節　後魏の行臺

後魏一代を通じて行臺の名の史上に散見するものは、尠くない。然しながら、之を年時の上より觀ると、秩序の未だ整はぬ創業の際と、治安の既に破れた衰亡の世との二つに限られてゐる。如何なる時世が、この官府を必要としたかは、之によつても知られる。

創業時代に設けられたものには、鄴・中山の二行臺がある。「魏書」太祖紀、天興元年（西紀三九八年 東晉隆安二年）春正月の條に

帝（○太祖道武帝）至鄴（○河南省臨漳縣西二十里）、巡登臺榭、遍覽宮城、將有定都之意、乃置行臺、以龍驤將軍日南公和跋爲尙書、與左丞賈彝、率郞吏及兵五千人鎭鄴、車駕自鄴還中山（○河北省定縣）

といひ、その少し後に

帝慮還後山東有變、乃置行臺於中山、詔左丞相衞王儀、鎭中山。

と見えるもの即ちそれである。

其の官府としての性質を示唆するものには、外に猶ほ次の如き記載がある。

太祖將還代都〇山西省大同縣、置中山行臺、詔(衞王)儀守尚書令、以鎭之、遠近懷附(魏書衞王儀傳)

太祖卽位、拜尚書左丞、參預國政、加給事中、於鄴置行臺、與尚書和跋鎭鄴、招攜初附(同賈彝傳)

天興二年(西紀三九九年東晉隆安三年)三月、慕容德〇南燕主求援於鄴行臺尚書和跋、跋輕騎往應之、克滑臺〇河南省滑縣、收德宮人府藏(同太祖紀)

天興四年(西紀四〇一年東晉隆安五年)夏四月辛卯〇一七日罷鄴行臺(同太祖紀)

此等の記事は、互に相俟つて、問題の官署が、一時の便法として特設された最高級の軍政府に外ならぬことを示してゐる。之を當時の大勢より觀るに、道武帝の勢威は、次第に後燕の餘黨を壓して河北方面を風靡するに至つたとはいへ、なほ新占領地の確保に苦慮せねばならぬものがあつた。行臺を特設して新附の民を招懷せしめるとともに臨機討防の重責を負はしめた政治的主因が、此の邊に存したことは殆んど疑がない。

魏初の制を踵いだのが、衰亡時代の史料に散見する行臺であり、「魏書」肅宗（〇孝明帝）紀、熙平元年（西紀五一六年梁天監一五年）春正月の條に

以吏部尚書李平、爲鎮軍大將軍兼尚書右僕射、爲行臺、節度討硤石（〇安徽省壽縣西北二十五里）諸軍。

といひ、李平傳に

蕭衍（〇梁武帝）遣其左游擊將軍趙祖悅、偸據西硤石、衆至數萬、以逼壽春、鎮南崔亮攻之未剋、又與李崇乖貳、詔(李)平以本官使持節鎮軍大將軍兼尚書右僕射、爲行臺、節度諸軍、東西州將、一以稟之、如有乖異、以軍法從事。

と見えるのは、その最初の記事である。

右の記載を始めとし、この頃の事に關する資料には、行臺の語を轉じて、その長官の義に用ゐたものが極めて多い。仍つてその數例を掲げて、それが最高級の地方的軍政官府の長官を指してゐることを示せば凡そ次の如くである。

河州（〇甘肅省臨夏縣）羌却鐵怱反、殺害長吏、詔(源)子恭持節、爲行臺、率諸將討之、

子恭嚴勒州郡及諸軍、不得犯民一物輕與賊戰、然後示以威恩、兩旬間、悉皆降款、朝廷嘉之（魏書源子恭傳）

正光四年（西紀五二三年梁普通四年）春二月己卯（〇二、二日）、蠕蠕主阿那瓌率衆犯塞。遣尚書左丞元孚、爲北道行臺、持節喩之（北史魏本紀・第四）

二秦反、假（元）脩義兼尚書右僕射西道行臺行秦州（〇秦州の治所は甘肅省天水縣の西六十里）事、爲諸軍節度（魏書元脩義傳）

詔（魏）子建、兼尚書爲（山南）行臺、（東益州陝西省略陽縣）刺史如故、於是威振蜀土、其梁巴二益兩秦之事、皆所節度（北史魏子建傳）

なほ行臺として當面の軍事乃至軍國の重事に當る者が、次第に多きを加へるに及び、その上に位する官を特に大行臺と稱するに至つたものの如くである。長孫稚が、兼尚書僕射西道行臺より兼尚書令西道大行臺に進んだこと⑥の如きは、その一例である。

## 第五節　東魏及び西魏の行臺

後魏衰亡の世に及び、拓跋氏の一族は、或は高歡に賴り、或は宇文泰に憑り、遂に東西兩魏の分立を見るに至つた。兩魏の行臺は、後魏末のそれと全く同じである。行臺乃至大行臺の字面を、軍民の二方面に亙り頗る廣大な權限を有つ一種の軍政府の長官の義に用ゐた資料の甚だ多いことの如きは、その明證の一つである。ここにその數例を擧げると、東魏關係のものには、

天平二年（西紀五三五年 梁大同元年）春正月乙亥〇二八日、兼尚書右僕射東南道行臺元宴、討元慶和、破走之（北史魏本紀・第五）

興和四年（西紀五四二年 梁大同八年）八月庚戌〇一六日、以開府儀同三司吏部尚書侯景、爲兼尚書僕射河南行臺、隨機討防（魏書孝靜紀）

興和中、以司馬子如爲北道行臺、巡檢諸州、守令己下、委其黜陟（北齊書司馬子如傳）

興和末、高祖〇高歡攻玉壁〇山西省稷山縣西南十三里還、以晉州西南重要、留淸河公（高）岳、爲行臺鎭守（北齊書任延敬傳附載任胄傳）

などがあり、西魏のそれには

魏大統元年（西紀五三五年 梁大同元年）春正月己酉〇二日、進太祖〇宇文泰督中外諸軍事錄尚書事大行臺、改封安定郡王、太祖固讓王及錄尚書事、魏帝許之、乃改封安定郡公（周書太祖紀）

大統三年（西紀五三七年梁大同三年）十月、以左僕射馮翊王元季海爲行臺、與開府獨孤信、帥步騎二萬、向洛陽（北史周本紀・上）

太祖（字文泰）表（長孫）儉功績尤美、宜委東南之任、授荊州刺史東南道行臺僕射（周書長孫儉傳）

などがある。

兩魏の對立は、年數より言へば僅々十餘年に過ぎなかつたが、後魏末の衰亂の後を受けて常に戰爭が繰返へされた結果、行臺大行臺等の名は史籍に頻出してゐる。行臺の沿革を論ずるに當り、特に此時代を注視すべき理由は、ここにある。

## 第六節　梁末の行臺

東晉・宋・齊・梁・陳の所謂江左諸朝の史料より、主題の行臺に關する記事を見出し得るのは、獨り梁末があるのみである。且つそれさへ、一時の異例と見るべき理由がある。

此處に、その事由の大略を記せば、此頃、東魏の河南道大行臺に侯景といふ者があり、稍々久しきに亙つて河南方面の軍民を支配してゐた上に、元來が信用し難い性格の持主であつた。果せる哉、梁の太淸元年（西紀五四七年東魏武定五年）正月、東魏の事實上の主權者である丞相高歡が卒し、その世子高澄が代つて權勢を握るに及び、侯景は自立を圖り、同志の諸將を率ゐて梁の武帝に降り、その後援を得て東魏卽ち高澄に當らんとした。梁に於いては、此の叛將の所謂歸順を許すべきや否やが問題となつたが、結局之を容れることになり、武帝は侯景に河南王大將軍使持節督河南北諸軍事大行臺の官稱を授け⑦て河南方面に於ける東魏の舊領の全部を支配せしめることにした。右の官號の中に大行臺の名の見出されるのは、言ふまでもなく東魏時代の舊稱をその儘併せ冒さしめたものである。梁の史書に行臺の名が散見するに至つたのは、全くかゝる特殊の事情に基いた異例である。

其後、比較的短日月の間に幾多の迂餘曲折があり、侯景は遂に梁に叛き、太淸三年（西紀五四九年）三月には、臺城（○江蘇省首都市東北部）を陷れて武帝父子の死命を掌握するとともに、漸く暴虐を極め始めた。「南史」のその傳に

又禁人偶語、不許大酺、有犯則刑及外族、其官人、任兼閫外者、位必行臺、

入附凶徒者、並稱開府。

とあるのは、其際の事である。

彼がその部將を行臺に任じたことの記錄に見える初めは、「資治通鑑」に(8)

太淸三年三月、侯景以前臨江太守董紹先、爲江北行臺。

とあるものであり、行臺の主たる任務が、隨機討防の重責に當るに在つたことは、「梁書」の侯景傳に

太淸三年六月、(侯)景以儀同郭元建、爲尚書僕射北道行臺總江北諸軍事、鎭新秦〇江蘇省。六合縣

といひ、

大寶元年(西紀五五〇年)(十一月)、齊遣其將辛術圍陽平〇江蘇省寶應縣西南、(侯)景行臺郭元建、率兵赴援、術退。

とあるものなどに照らして、容易に推知される。

最後に一言し度いのは、梁が行臺の制を缺いた主因が、かゝる官職を不必要としたが故でなく、同じ性質のものを他の官名を以て呼んだことに在ると考へられる事であり、その一證には、侯景一派の行臺に略ぼ該當する任に在つた梁

の諸將の官稱が、大都督であり、都督であり、また征東大將軍であつたことが⑨擧げられる。

幸にして、この見解が容れられるとすれば、他の江左の諸朝並びに北周が、行臺の制を缺いた理由を重大視する要はないと考へられる。

## 第七節　北齊の行臺

西紀五百五十年五月、高歡の子齊王高洋は遂に東魏の孝靜帝の禪を受けて帝位に卽いた。之が北齊の顯祖文宣皇帝である。北齊の行臺は東魏のそれと同じく、その主たる職掌は、方面の軍事を總理し、兼ねて民政に干與するに在つた。戎事を典綜した例には

天保三年（西紀五五二年）三月戊子（二〇日）、以司州牧淸河王（高）岳、爲使持節南道大都督、司徒潘相樂爲使持節東南道大都督、及行臺辛術、率衆南伐（北齊書文宣紀）

天保五年（西紀五五四年）冬、詔（淸河王）岳、爲西南道大行臺、統司徒潘相樂等、救江陵（○湖北省江陵縣）（同淸河王岳傳）

河淸元年（西紀五六二年）復詔（王）峻、爲南道行臺、與婁叡率軍南討、未至、周師棄城

走（北齊書王峻傳）

などがあり、兼ねて民事を總べた一例には、「通典」[10]に

北齊行臺兼統民事、自辛術始焉、

と云ひ、その細註に

武定八年（西紀五五〇年北齊天保元年）、辛術爲東南道行臺。東徐州（〇治所は江蘇省宿遷縣東南六十里許）刺史郭志殺郡守。文宣聞之、勅術曰、江淮新附、百姓難向京師、留卿爲行臺、亦欲理邊民寃枉、監理牧守、自今以後、所統十餘州地、諸有犯法者、刺史先啓聽報、以下先理後表。齊代行臺兼總民事、自術始也。

と見えるものがあり、「北齊書」及び「北史」の辛術傳の記載も大體これと一致してゐる。行臺の傳統的職分より觀るも民政に關する此の種の權限の附與されたことは、毫も怪しむに足らない。

## 第八節　隋の行臺尙書省

西紀五百八十一年、隋の高祖楊堅は、北周の禪を受けて卽位した。建官分職に關する帝の根本方針は、「隋書」高祖紀に

易周氏官儀、依漢魏之舊。

と見え、同じく百官志には

高祖既受命、改周之六官、其所制名、多依前代之法。

と記されてゐる。此の原則の下に鹽梅されたのが、その官制であり、廣く前代特に漢魏以降の諸制を取捨してゐる所にその特色がある。

行臺の傳統を引いた官府を隋制に求めると行臺尚書省、一名行臺省がある。その名のものに見える初と思はれるのは、高祖紀の

開皇二年（西紀五八二年）春正月辛酉（一七日）、置河北道行臺尚書省於幷州（○山西省太原縣西北）、以晉王廣爲尚書令、置河南道行臺尚書省於洛州、以秦王俊爲尚書令、置西南道行臺尚書省於益州（○四川省成都府）、以蜀王秀爲尚書令。

といふ記載である。

右の如く、同時に三つの行臺尚書省を建置した政治的理由の一半は、以て帝室の外援を强化するに在つたものの如くである。五行志に

開皇二年、京師雨土。是時帝懲周室諸侯微弱、以亡天下。故分封諸子、並爲行臺、専制方面。失土之故、有土氣之祥。

といひ、元巖傳に

時高祖初即位、每懲周代諸侯微弱、以致滅亡。由是分封諸子、權侔王室、以爲盤石之固。遣晉王廣鎭幷州、蜀王秀鎭益州。二王年並幼稚。於是盛選貞良有重望者、爲之寮佐。于時(元)巖與王韶俱以骨鯁知名、物議稱二人才具、侔於高熲。由是拜巖爲益州總管長史、韶爲河北道行臺右僕射。高祖謂之曰、公宰相大器、今屈輔我兒、如曹參相齊之意也。

と見えるもの等は、その一二の例證である。

次に、この官府の管掌事項であるが、幸にして、其の分職の大要が傳へられてゐる。百官志に

行臺省則有尙書令僕射(左右任置) 兵部(兼吏部禮部) 度支(兼都官工部) 尙書及丞(左右任置) 各一人都事四人、有考功(兼吏部爵部司勳) 禮部(兼祠部主客) 膳部 兵部(兼職方) 駕部 庫部 刑部(兼都官司門) 度支(兼倉部) 戶部(兼比部) 金部 工部 屯田(兼水部虞部) 侍郞各一人、每行臺置食貨農圃武器百工監副監各一人、各置丞(食貨四人農圃六人武器二人百工四人) 錄事(食貨農圃百工各二人武器一人) 等員。

とあるもの即それである。

行臺省が創建された政治的事由の一端、並びにその分職の大要等より推せば、

此の官府の主たる職分は、管内に對する廣義の軍務を總理するとともに、行政上の政務乃至事務を總括するに在つたと考へられる。

最後に、その廢罷に就いて一言すると、「隋書」は、開皇九年二月一日(11)を最後として、主題の官署に關する一切の記事を絶つてゐる。行臺省の罷められた時期は、恐らくこの頃の事と思はれる。廢罷の理由は、明示されてゐないが、戰雲の次第に收まるに伴ひ、官制乃至官號の整理を行はんとする氣運が、自から進みつつあつたと推定されることと、多少の關係があるようである。行臺省を改めて總管府となした事例の地理志に散見してゐること(12)の如きは、右の見解を支持する傍證の一つである。

## 第九節　唐初の行臺尚書省

唐初の官制を論ずるに當り、先づ引用すべきは、「舊唐書」職官志の總敍に

> 高祖發迹太原、官名稱位、皆依隋舊。及登極之初、未遑改作、隨時署置、務從省便。

と見える記載であり、武德年間に創置され、また廢罷された行臺尚書省、一名

行臺省の如きは、隋の舊に依つた官府の一つである。

ここにその一二の例を擧げれば、

武德三年（西紀六二〇年）夏四月壬寅（〇九日）、於益州置行臺尚書省。甲寅（〇二一日）、加秦王（〇李世民）益州道行臺尚書令（舊唐書高祖紀）

武德四年（西紀六二一年）秋七月甲戌（〇一九日）、（竇）建德餘黨劉黑闥據漳（南）反、置山東道行臺於洺州（〇河北省永年縣）（同右）

などがある。山東道行臺の建設に關する「資治通鑑」の記事の一節に

是時、諸道有事則置行臺尚書省、無事則罷之。朝廷聞劉黑闥作亂、乃置山東道行臺於洺州（卷第百八十九）

とあるのも、亦た參考すべき資料である。

その職制が、隋の舊に倣つてゐることは、「舊唐書」の職官志に見える分掌規定を前節に掲げた「隋書」・百官志の記事と對照すれば、直ちに了解される。其の職掌に就いては、右の職官志に

武德初、以諸道軍務事繁、分置行臺尚書省。其陝東道大行臺、尚書令一人正第二品、掌管內軍人、總判省事。――（中略）―― 諸道行臺省益州道襄州道東南道河東道河北道、尚書令

一人從第二品、掌同陝東道大行臺（尚書令）

と見えてゐる。行臺省の主たる職分が、管內の軍人卽ち兵民の政を總理するに在つたこと、換言すれば、所管の道に對する軍事及び民政上の指揮乃至支配を行ふに在つたことは、かくして明かである。

最後にこの制度の廢罷された時期と、その理由と考へられるものとを略述すると、時期のことは「舊唐書」の職官志に

其陝東道大行臺尚書令及天策上將、太宗在藩爲之、及升儲並省之。山東道行臺、武德五年省。餘道九年省。

と見えてゐる。右の年次は、大體に於いて本紀及び地理志等のそれと一致してゐる。從つて、事實上この制度の廢罷された時期は、武德九年卽ち西紀六百二十六年に在つたと斷ぜられる。廢罷の理由は詳かでない。然し行臺省に代る官府として開設されたものの殆んど全部が都督府であつた事⑬などより觀れば、その理由の一半は、恐らくは、時世に應じて官制乃至官號を整備せんとしたことにあるものの如くである。

## 結語

曹魏の甘露二年(西紀二五七年)より唐の武德九年(西紀六二六年)に至る行臺の沿革は、大略敍上の如くである。此の間を通じて認められる特徴を擧げて結語とすれば、その第一は、最高級の地方的軍衙の性質を保持し得たことであり、第二は、兼ねて民政にも干與したことであり、第三は、中央の勢威の地方に洽からぬ際に限つて必要視されたことである。

## 〔附註〕

❶「晉書」卷五、孝懷帝紀。同卷一百四、石勒傳。等。
❷「晉書」・卷六十一、苟晞傳。
❸「資治通鑑」・卷第八十七(永嘉四年十一月甲戌の條)。
❹「晉書」・卷五、孝懷帝紀(永嘉五年三月丙子の條)。同卷五十九、東海王越傳。
❺「資治通鑑」・卷第一百七。
❻「魏書」・卷九、肅宗孝明帝紀(武泰二年二月の條)。同卷十。敬宗孝莊帝紀(建義三年十有一月乙亥の條)。同卷二十五。長孫稚傳(長孫道生傳附載)。

❼「南史」・卷八十、侯景傳。
❽「資治通鑑」・卷第一百六十二。
❾「梁書」・卷四十五、王僧辯傳。「陳書」・卷一、高祖本紀。
❿杜佑撰「通典」・卷第二十二、職官（行臺省の條）。
⓫「隋書」・卷二、高祖紀（開皇九年二月乙未の條）
⓬「隋書」・卷二十九、地理志（蜀郡の條）。同卷三十、地理志（太原郡の條）。
⓭「舊唐書」・卷三十八、地理志（河南府の條）。同卷三十九、地理志（襄州の條）。同卷四十一、地理志（成都府の條）。「唐會要」・卷六十八、（河南尹の條）。等。

# 鎌倉時代に於ける博奕の社會的考察

中村喜代三

# 鎌倉時代に於ける博奕の社會的考察

中村喜代三

目次



## 一 緒言

財物を賭して、偶然の輸贏を爭ふ博奕なる射倖的行爲は、いはゞ人間心理の虚に乘じたものであるから、人類の文化が或程度迄進步すれば、其處に必然的に發生するを免れぬものである。從つて博奕の沿革は、我國に於ても隨分古き時代に迄溯り得られる。日本書紀天武天皇十四年九月の條に「天皇御大安殿、喚王卿等於殿前、以令博戲」とあつて、天皇より賭物として、御衣、袴、罷皮、山羊皮等を賜はつたのは、確實なる文獻の徵すべきものとして、最も古きに屬するであらうが、既に神代の傳說にも賭事の神話が傳へられて居る事に依つて、博奕の源流は更に遙かの古に求むべきものと考へられる。そして支那又は朝鮮より雙六や骰子等の博奕用の器具が傳來してからは、娛樂的興味と射倖心とから、其事は一種の流行となり、風俗となつて、國民生活に浸潤して行つたに違ひない。かの天武紀の記事に見える博戲が、如何なる內容のものであつたか、今之を明かにし難いが、これは普通の意味の所謂博奕と解するよりも、寧ろ一種の遊戲として行はしめ給ふたと見做す方が穩當であらう。

然し乍ら當時雙六樗蒲等の博奕が盛んに行はれて、相當弊害を釀して居た事は、同書持統天皇三年十二月に雙六禁止の旨が記され、文武天皇の大寶令にも嚴制を立て給ふた事に依つて、十分窺ひ得るのである。以來博奕に關する禁令は屢々出されて居る。例へば天平勝寶六年にも、將又延曆三年にも、違犯者の罰則を繰返して發布せられ（類聚三代格一二）、現に其の處罰例が類聚國史等に見えるのであるが、平安朝中葉以後藤原氏擅權の極、上下綱紀の弛廢著しくなると共に、かうした取締は自ら等閑にならざるを得なかつた。さればこそ少將ともあらう者が、表道具の裝束類を博奕の爲に取られ、出仕も出來ずに引籠つて居たり（宇津保物語）、徹夜して雙六賭博に耽る公家があつたり（大鏡六）、終には「ばくち」「博治（ハクチ）」「博打（ハクウチ）」等の人稱名詞さへ出來て、生業を拾てゝかゝる戲を事とする放逸無賴の徒をも生むに至つた（宇津保物語、伊呂波字類抄、新猿樂記）。且や諸司諸衞の官人が饗宴をなす場合に於ても、其主たる娛樂は博奕の類であつたらしく（新抄格、勅符抄）、鳥羽天皇の永久年間に及んでは、「京中著二摺衣一者、幷博戲輩滿二道路一」が如き有樣となつた（中右記永久二、二、一四）。當局者は固より禁令を出した。けれども平安末朝の頹廢せる社會に對しては、一片の法令亦空文と何等選ぶ所もなく、此の惡風潮は滔々上下の階級を蠶食する事となつたのである。

斯く平安朝時代既に貴賤一般の娛樂として、或ひは一部分には職業的傾向をすら生じて、其の流行を助長せられ來つた博奕は、新興の武家時代に入つて、其處に始めて一の社會問題を世に提供するに至つた。本編の目的は卽ち之を闡明せんとするにある。

## 二　鎌倉時代の社會に於け博奕の流行狀態

鎌倉時代當初に於ける博奕の流行狀態に就ては、其の詳細を知り難い。而し吾妻鏡建久六年八月二十八日の條に、幕府は陸奥出羽以下東國の國々の庄園に對して、强竊盜博徒等を隱匿の場合は、該地頭職を改易せしむる旨の御敎書を下して居る。又建保二年の東北院職人歌合には、博打（ハクチウチ）として獨立的存在を示して居り、後鳥羽天皇の頃に、伊豫に天竺冠者と云ふ高名な「ふるばくち」があつて、博徒八十餘人を同道して諸國を橫行した話もあるから（古今著聞集一二）、平安朝以來の流風は、勤儉質朴剛健尙武を表榜する武家政治の新時代に入つても、變る事のなかつたばかりか、一層流行に拍車を掛けられた模様を察せられるのである。

けれども鎌倉幕府の博奕取締が、漸く頻繁になり出したのは嘉祿以後であつて、嘉祿以前にあつては、建久六年のそれを除いて、吾妻鏡には博奕に關する所見がない。若し現存吾妻鏡の嘉祿以前に、博奕に關する記事の脫漏がないとするならば、此の現象は次の如くに解釋せられるであらう。卽ち承久の亂が終了する迄は、鎌倉幕府の草創期である。幕府の基礎に鞏固さを欠き、内に顧みるよりも外を計るに忙しい。政局の全面より見て博奕の如き瑣事に力を用ふるには、幕府は餘りに多事である。加之博奕其の物も、性質が猶小規模であつて、勿論多少の弊害はあつたにしても、未だ嚴に之を取締る程の必要をも認められなかつた。然るに承久の亂後は、公家の勢力を全く關東の羽翼の下に包んで終ひ、平家や義經の殘黨一掃に頭を惱ましたのも今は昔の夢、和田畠山等執權北條氏に反感を抱ける輩は、もはや悉く亡滅の淵に投げ込まれ、幕府は漸く搖ぎなきを得た。從來他に拂はれて居た注意は、是に於てか自ら幕府の足下に向けられるやうになつた。折しも承久の戰功に、尠からぬ恩賞を懷中にした人々の所作は、生活の向上と共に、以前に反して萬事に派手やかになり勝であり、彼等の博奕は次第に大袈裟に、從つてそれより生ずる弊害は、社會的影響を持つ事が著しくならざるを得ない。幕府の博奕取締が、嘉祿頃より顯著となるのは、恐らくかうした事情に基くのではなからうか。

嘉祿元年十月二十九日に發せられた將軍宣旨にはかうある。

近年放蕩之輩、博戲之處、不レ限二度數一、暗以二宅財一、勝負之間、喧嘩殊甚、與

宴之思、變及鬪殺、

故に捕縛して罪科に處し、博奕は禁斷すべしと云ふのである（侍所沙汰篇、新編追加）。更に翌三年正月二十六日には、幕府は田地領所を以て雙六賭博の賭物となす事、及び私出擧の利一倍を超過し、並に擧錢の利にして半倍を超ゆるが如きを禁じ、違犯者の姓名を申告すべき旨を命じた（吾妻鏡、新編追加）。人々はもはや僅の端金では滿足しない。乾坤一擲の勝負に、田地宅財を賭するが如き、實に大仕掛のものとなつたのである。其の果てが結局無理算段となつて、それに乘ずる高利貸の拔扈を縱にせしめ、さればこそ博奕の禁に附隨して、私出擧の利一倍を超ゆるもの、並びに擧錢の利半倍を過ぎるものをも併せ禁じたのである。

討伐すべき者は討伐し、壓伏すべきは壓伏し、世の平和が維持せられると、人は消閑の具を求むるに急である。武士も上流になれば、流鏑馬笠懸犬追物等の武技的娯樂、和歌蹴鞠等の貴族的趣味にも參加して、慰安と興味とを求め得られるが、中流以下に位する者に至つては、流鏑馬の如き類の遊戲に參加する事も少く、よしや關係しても雜役に服するか、高々傍觀者の位置に立つのが關の山であつて、颯爽たる勇姿を馬上に現はし、手練（てだれ）の術（わざ）を競ふ者は、主として何の某とも云はるゝ中流以上の武士である。下級の者が直接此等の高級の遊戯を己れの娯樂とするが如きは極めて稀であつて、或ひは殆んど無しと稱してもよからう。況んや知識程度の低い彼等が典雅な公家風の趣味を理解するには、其の文化的教養を餘りに欠けるものと云はなければならぬ。勢ひ彼等は卑近な娯樂、人情の弱點に巧みに食ひ入り、而もそれを行ふには彼等の素養をも學問をも要しない、甚だ手輕な娯樂に赴くのは自然の數である。蓋し博奕の如きは當時にありて、彼等の鬱を散じ、彼等に感興と慰藉とを與ふる恰好の物であつたであらう。且時代の進運と共に、漸次に膨脹して行く生活費用と、泰平の爲に增加の見込なき所領の限られたる收入とは、互に常に反比例をなして、彼等の實生活を脅威するが故に、比較的安易な生活への欲求は、彼等を驅つて益ゝかゝる不健全な娯樂へと走らしめるのである。所謂凡下卽ち庶民にあつても、當時の娯樂の種類と、彼等の文化程度とに於て、最も彼等に滿足を與へ、彼等の興味の中心となつたであらうと思はるゝものは矢張博奕であらう。

明月記嘉祿二年二月十四日の條には「近日前宰相中將信盛卿家之門并築垣邊、京中博奕狂者成レ群、儲レ座施二雙六之藝一」とある。嘉祿以後幕府の禁令が、寛喜三年六月、貞永二年八月、嘉禎四年八月、延應元年四月、同二年三月、仁治四年四月、同年十一月、寛元二年十月、同四年十二月、建長三年十一月、文應二年二月、弘長二年五月、弘安七年五月、同九年三月等、實に再三再四に亙つて居るのは、如何に博奕が其頃の社會に流行を極めて、爲政者の關心事となつたかを明かに證するものではあるまいか吾妻鏡、侍所沙汰篇、新編追加、新御式目。啻に幕府のみならず大社寺等も亦夫々寺社内僧坊庄園等に對し、博奕に關する嚴制を布き、或は庄官等より之が起請文を徴して、取締に努めるやうになつた高野山文書一、七、八、東寺文書二、三、石清水文書一、海龍王寺文書。

博奕流行の範圍は、京都鎌倉は言ふ迄もなく、殆んど諸國に蔓延して居る。加ふるに各地の守護地頭が、博徒を領内に隱匿して、暗に之に保護を加へ、彼等の上前を刎ねて居たやうな形跡が認められる。吾妻鏡建久六年八月二十八日の記事、及び同書寛元四年十二月十七日の條に、諸國の守護地頭に對し、庄園内に惡黨博徒の輩を匿ふ者は、所職を改易すべき旨の御教書を下して居るので略推察せられるのであるが、地方の支配者と博奕打の連中とが、斯く聯絡を保つて居ては、如何程幕府が矢繼早やに禁令を發しても、到底所期の目的を達する事は困難である。殊に中央政府より懸隔の邊鄙の土地に、別して盛大に流行したのは、毫も怪しむに足らぬのである。吾妻鏡建長二年十一月二十八日の條に、放逸浮浪の士にして、四一半賭博に耽る者、就中陸奥常陸下總に盛んなりと記されて居るが、强ち此の三ヶ國のみに限つた譯ではなからう。

博奕の流行は、勿論中流以下の社會ばかりに瀰漫して居たのではない。上流社會にも盛んであつたのは平安朝時代同樣である。鎌倉の柳營に於ては、恐らく源家三代の間はさうした事もなかつたであらうが、軟弱なる紈袴者流を、京地より主人として迎へてからは、將軍が諸士參候の時、當座の興に扇子を賜ふて、博奕の一種なる目勝勝負を行はしめたり（吾妻鏡安貞三、五、二五）、女房局で勝負のあつた時には、執權北條泰時連署時房並びに同夫人等が參會して居り（同寛喜三、三、一）、小御所で女を賭物にして、武將の歷々に同樣の遊をなさしめた事もあり（同嘉禎三、正、六）、或ひは又時房の前で、家臣共の雙六勝負の催のあつた話が傳へられて居る（古今著聞集一二）。賭物に女を以てするが如きに至つては、公家將軍大奥の頽廢も、思ひ半に過ぐるものがある。

斯くの如くにして鎌倉時代の博奕は、一般の娛樂として、成ひは一部の者の職業として、都鄙上下を通じて廣く行はれた。世捨人たる僧侶も弄ぶ（古事談、沙石集六）、深禪避喧淸淨勝絕の地たる高野山に於てさへも、「博奕綿々、有聞院々」の有様である（高野山文書一、文永八、七、金剛峯寺年預置文案）。屋内のみならず山野の中でも行はれる（侍所沙汰篇、延應元、四、一三御教書）。そして此の博奕の風習は、其の流行範圍を一層擴大し、其の賭物を更に大に、其の種類を遙かに豐富にして、次の南北朝足利時代へと傳はつて行つたのである。

## 三　博奕の流行に基く弊害

博奕流行の弊害として見るべきは、第一に所謂喧嘩鬪殺である。貞永二年八月十八日北條泰時が江の島參詣の途中、濱邊に慘死體を發見し、參拜を中止して歸邸、直ちに犯人搜索の結果、右の殺人事件は賭博上の事に原因するものである事が判明したと云ふのは、單に小さな一例を語るものに過ぎぬ（吾妻鏡）。鎌倉方が千早城攻圍の陣中にて、雙六の骰子の目の口論から、叔甥二人差違へて死し、兩者の郎黨亦刀を交へ、片時の間に二百餘の死人の山を築いたやうな殺伐な行爲は（太平記七）、かゝる射倖的娯樂に對して、就中關東人の如き氣風の粗野強剛の人々の間に於ては、所在に得てして起るを免れなかつたであらう。

次には博奕の失敗に基いて、武士ならば掠奪、凡下ならば竊盜と云ふやうな犯罪を構成した事も尠くなかつた様である。延應元年四月十三日の御教書には「近年四一半之徒黨、興盛云々、偏是盗犯之基也」と戒しめ（侍所沙汰篇）、文永八年六月十七日の神野等三ヶ庄々官等連署起請文にも、「博奕者盗犯之濫觴也」とある（高野山文書一）。東寺領の大和平野殿庄の下司職清重なる者は、本務を放棄して博奕を專らとし、賭物を徴發すると稱して、國中に狼藉を働き、本所より所職を公收せらるゝや、惡黨共を語らふて庄家に亂入した（東寺文書三、嘉元、四、五、雜掌幸舜重申狀案）。これが足利時代の末になると、武士等は豫め奪掠を期して、商家の倉庫中の他人の財貨を勝手に賭物に充てるが如き、亂暴至極の振舞に及んでゐるが（塵塚物語五）、事前に於て盗賊を働くと、事後に於て盗賊を豫期すると、行爲の發生に時間的差異こそあれ、其の本質に至つては互ひに五十歩百歩である。

然し乍ら此等よりも遙かに幕府の苦惱を感じた弊害は、御家人所領の喪失である。這般の消息は嘉祿二年、寛喜三年、仁治二年等の禁令に依つて、推知し得られるのであるが、幕府が頻りに田地領所を博奕の賭と爲す事に就いて云爲して居るのは、一歩進んで考へる時、甚だ興味ある問題となつて我等の注意を惹くのである。一體賭博仲間は必ずしも幕府の御家人は御家人、凡下は凡下と限つた事ではない。御家人、非御家人、凡下の三者、或ひは其の内の二者が入交つて行ふ場合もあり得る譯である。然らば田地領所は、御家人同志の間に賭けられると同時に、又御家人所領と、非御家人若しくは凡下の富との、相對的關係に於ても成立つ譯である。若し後者の場合、非御家人又は凡下が其の勝負に勝つた時には、田地領所は茲に當然非御家人凡下の有に歸すべきである。幕府が「以田地領所、雙六賭博戲事」を禁じた裏面は、實に此の弊害を苦慮したが爲に外ならぬ。何となれば幕府の御家人が所領を失ふ事は、是れ即ち御家人が御家人たるの資格を失ふ事である。御家人が御家人たるの資格を失ふ事は、軈て御家人を以て其の政治組織の單位とせる鎌倉幕府の崩壞を意味するものであり、御家人所領が非御家人乃至凡下に移轉する事は、御家人所領を以て、兵役納稅等の標準とし根據とせる幕府の勢力を、それ丈減殺せしめ微弱ならしめ、幕府の據つて以て立つべき基礎に、非常なる動搖を與へるものであるからである。

勿論博奕の結果喧嘩鬪殺を生じ、竊盜其他の犯罪の基となる事を、幕府が痛心事としなかつたのではないが、而も其の殊に大に憂慮したのは、寧ろ彼れにあつて此れにはなかつたであらう。固より御家人の所領喪失は、博奕に由るものゝみとは限らぬ。社會の進歩に伴ふ生活費の膨脹と、種々なる新負擔とが、收入との權衡を失するが爲に、借財が積り積つて、結局所領の質入賣却を餘儀なくせらるゝやうな場合の多く存する事は事實である。けれども我等は博奕の弊に禍されし者の、それに比するも劣らざるべきを思ふのである。故に御家人窮乏の一面の原因を、此の博奕の流行に求めるのも、强ちに臆測として退けられないであらう。假令直接田地を以て賭物となさずとも、世の流行の極は、花山院右大臣の靑侍の如くに、博奕の仲間入をしなければ交際外れとなるが不面目さに、己が女房の衣類を質入して無理な金子を整へたり（古今著聞集一二）、田地を抵當に、借財で一六勝負を爭ふ者は、枚擧に遑がなかつたであらうから、何れにせよ、下層御家人を窮困に導く陷穽たる事に於ては同一である。御家人所領の保護に、百方手段を構じた鎌倉幕府が、之をしも心の惱みとせずして、何をかなさうやである。

## 四　博奕取締に對する幕府の態度と違犯者の處分

田地領所を賭する博奕に就いては、幕府の禁令は特に嚴重である。然し乍ら博奕其の物に對する幕府の態度には、時に曖昧の嫌あるを免れない。先第一には將軍執權の高位にもある者が自ら同じ流れに泳ぎ乍ら、他の同じく然らんとするを禁ずるが如きは、自家撞着の甚しきものと云はなければならぬ。次に延應二年三月十八日「雙六四一半目勝以下博奕事」を堅く禁止し乍ら（侍所沙汰篇、新編追加）寛元二年十月十三日には「一博奕事、侍雙六者、自今以後、可レ被レ許レ之、下﨟者、永可レ被二停止一也、四一半錢（錢字負字共ニ誤カ）目勝負以下品態、不レ論二上下一、一向可レ被二禁制一」とて其の一部を緩和し（侍所沙汰篇、吾妻鏡、新編追加）、更にまもなく建長二年十一月二十八日武士が雙六に名を借って、實は四一半賭博を事とする者多きに驚き、又もや「自今以後者、圍碁之外、至二博奕一者、一向可レ停二止一」と前の禁令を復活して居る（吾妻鏡）。彼れと云ひ此れと云ひ、幕府に一貫せる斷乎たる方針の、果して存在せるか否かを疑はしめるのであるが、我等は賭博犯に對する幕府の處分を檢討する時、益〻此の感を深くする。

賭博犯に對する刑罰は、始め或ひは「且搦二進其身一、且令レ處二其科一」と云ひ（新編追加嘉祿元、一〇、二九宣旨）、或ひは「早可レ被レ處二重科一、可レ令レ沒二收其賭一矣」と云ひ（侍所沙汰篇寛喜三、六、六下知狀）、賭物の沒收は當然免れ得なかつたが、其の重科の内容は、此等には明瞭でない。而し新編追加に掲げる年紀不詳の法令には「於侍者可有斟酌歟、至凡下者、一二箇度者被切指及三箇度者、可被遣伊豆大島也」とあり、嘉祿二年二月十四日に、六波羅が京都の博徒を捕縛した時には、其の鼻を剝ぎ、二指を斬つた事實が見えて居るから（明月記）、庶民には最初に宮刑を課した事は明かである。仁治二年四月御家人大宮盛貞と豐島時光とが、四一半賭博の賭物とした武藏國豐島庄犬食名の地に就いて爭論を惹起し、幕府に裁決を請ふた所が、反つて件の土地を收公せられたのは、賭物としての田地沒收の一例證である（吾妻鏡仁治二、四、二五）。

然らば武士に對する處罰はどうであつたか。寛元二年十二月十三日の御敎書に依ると、

於違犯輩者、任法有其沙汰 可被召所職所帶、至下賤之族者、可被處遠流也

とある（侍所沙汰篇、吾妻鏡、新編追加）。即ち賭物の何たるに關せず、御家人等相當身分ある者は職務罷免財産沒收、沒收すべき財産もないやうな下賤の凡下は遠島と云ふ規定であるが、御家人其他の職務罷免は少し酷に過ぎるとでも考へたのか、弘安七年六月二十七日の評定では、所領のみの沒收に改められた（新御式目、新編追加、侍所沙汰篇）。けれど

も賭博犯者には一様に、頭から直ちに斯くの如き刑罰を課したかと云ふのに、其間に多少の手心のあつた事は、前に記した新編追加の「於侍者可有斟酌歟」云々の法文に見ても知らるゝが如く、庶民は言ふ迄もなく、武士にしても、初犯と累犯、博奕の種類、賭物の多寡等に依つて、刑の裁量に所謂斟酌が加へられたものと思はれる。現に同じ新編追加所収の別の法令には、「竊盗幷博奕人等事、於今日以前者、不謂年紀遠近、可被赦免、且依賭物、且隨事件可被用捨」とあり、幕府の態度は甚だ微温的である。

今鎌倉時代の賭博犯に對する刑罰と、他の時代のそれとを比較して見るのに、奈良平安兩朝を通じて、賭博犯の處刑は、六位以下の者は杖一百、五位以上の者は官職の免黜、位祿位田の褫奪、封戸の沒收の規定がある（類聚三代格一二、法曹至要抄中）。それに比べると鎌倉時代の刑罰は、凡てに於て稍重くなつた感がある。唯令義解には、僧尼の違反者は、百日の苦役に從はしめて居るが、鎌倉時代には僧尼に關する特殊の法規は存しない。尤も仁治二年五月二十九日に鶴岡職掌惡別當家重なる者が、博奕の罪科に依つて、神職を解かれて居るから（吾妻鏡）、僧尼に對しても凡そ之に準じたものと見るべきである。

更に之を後世の法令と對照するに、足利幕府の事は分明を欠いて居るが、長祿四年十二月二十日の東寺役僧の評定文には、「寺中公人等雙六打事(中略)、於其宿所者可被闕所　於其身者寺家可被追放」とあるに依つて、他を類推出來ぬではない(東寺百合文書七四。)　而るに徳川幕府の御定書百箇條の規定に從へば、博奕の筒取は遠島、博奕を行ひし者は家財家藏沒收、家藏等のなき者は三貫文乃至五貫文の過科(寛政六年重敲に改む)、武士は遠島とあつて、近世以前とは凡てに餘程重きを加へて居るのを否む事が出來ない。

鎌倉時代の賭博犯處罰に、特に注目しなければならぬのは、其の連坐制度ならざる事である。賭博犯に對して連坐制を取つたものには、古く文武天皇二年七月博奕宿の主人は同罪たるべきを令して居る(續日本紀。)　徳川時代には、博奕宿、其の家主並に地主、宿の兩隣、五人組、名主及び町内迄も處罰を免れなかつたが如き、峻嚴なる取締法を講じて居る(御定書百箇條。)　而るに鎌倉時代にあつては、「可召進其身、計不及妻子所從等煩、況不可抑留田畠資財雜物矣」とあつて(侍所沙汰篇)、これは恐らく凡下に對するものであらうが、前後時勢及び社會狀態の變化はあるものの、鎌倉幕府の執つた態度は、隔段の相違と云はなければならぬ。

## 五　當時に行はれたる博奕の種類

此の時代に行はれた博奕の主なる種類に就いては、雙六、四一半、目勝等の名が、吾妻鏡、侍所沙汰篇、高野山文書、東寺文書、海龍王寺文書其他に散見し、新編追加には別に意錢の名がある。此等の内で當時最も行はれたのは、雙六と四一半とである。

雙六は今日では紙の繪雙六に限られて居るが、繪雙六は近世の產物であつて、本來の雙六は局戲である。そして此の局戲の雙六は、もとは單なる清遊の道具であつたものが、いつの程にか博奕の具に供せられるに至つたのである。曼珠院所藏の東北院職人歌合には、全裸に萎烏帽子を被れる博打が、雙六盤と骰子筒とを前にせる圖が出て居る。壒嚢抄に記されたる用具の說明に從ふと、盤は幅八寸、長さ一尺二寸、厚さ四寸、其の盤面を縱に三段に分ち、中央を除いて左右の兩區劃は、更に之を橫に十二目に切る。馬(石)は黑白合二十四個、骰子の筒は長さ三寸三分　骰子は二個が法式とある。然るに此の書の出來た文安三年頃には、盤の厚さ六寸となつて居るので、「加樣ノ事マデモ、古體ノ改ルコソ無念ニ侍レ」と慨嘆して居るから、時代に依つて、部分的には多少の變化を免れなかつたのであらう。方法は簡單に云へば、二人對局し、筒に二個の骰子を入れて振出し、現はれた骰子の目に依つて、盤上に敵味方黑白の馬を動かし、早く凡ての馬を敵地に乘入れた方が勝となる。實際に當つては、馬の運行に樣々の工夫を必要とし、骰子の目にも種々の名稱が附せられて居る。

雙六は上下を通じて弄ばれたが、四一半は主として下層階級に行はれた博奕中の低級なものである。低級な丈に中流以下には一層普遍性が大であつたのであらう。博戲犀照に「二々目勝負にては筒をとらんもの德分なし、これによりて四の目と一の目と出たらん時には、半をばわかちあたふる事也、ゆへに四一半といへる也」と說明して居る通り、二個の骰子を振つて、四と一の目とが出た場合には、筒取の役得として賭物の半分を收得し、其他の目が出た時には、勝つた者が賭物全部を利益する事は、古今著聞集一二に記されて居る平安朝時代の七半賭博の例から見ても容易に推測せられる。

目勝は一に目增とも書かれる。上流社會にも行はれて居たから、雙六賭博の類ではないかと考へるのであるが、賭博史には「釆バクチの古名」とあり、果して骰子を投げて、其の上部に出た目の數に依つて勝負を決したものか、今其の方法を詳にし難い。

意錢は和名類聚抄に「セニウチ」と訓じて居る。近世の子供の遊戲に穴市（穴一）とて、二三人の者が地上に小穴を掘り、或線より其の中へ錢を投じ、入れ得た者を勝とし、外に出た錢は、他の者が之に的中せしむれば、其の者の勝とする遊びがある守貞漫稿二五。又地上に横線を引いて錢を撒き、一錢を持つて相手の指定する錢を打ち、的中すれば勝であるが、若し指定外の錢に當れば負となる遊戲がある和漢三才圖繪一七。意錢も「セニウチ」と呼ぶからには、之と類似したものであらう。

以上は此時代の純然たる博奕の主なるもので、これ以外の方法に依つたものも勿論あつたらうと思はれる。又賭博的行爲としては、賭碁などもある譯だし、鎌倉末南北朝頃には、茶寄合連歌會等に托して莫大の賭をなす風を生じて居るが、それらは博奕として、自ら性質を異にする。

## 六　結語

要するに鎌倉時代の博奕は、其の流行の盛大なりしに反し、幕府の取締は、博奕其のものには多くの顧慮を拂つて居ないかの嫌ひがある。それに依りて生ずる弊害の結果に基いて、其の著しきを處罰するに止り、飽迄之を窮追して、取締の徹底惡風の肅正を期する點に於ては、聊か欠ける所の傾向がある。博奕の種類に依り、賭物の性質に依り、階級の差異に依つて、或點迄は娯樂として容認し、又は默認し、若しくは放任の態度を執つたのではないかとも見られる。勿論博奕の爲に騷動を惹き起したやうな場合、「於市中者、中入別當以保官人可被破却其家」と云へるが如き（侍所沙汰篇、延應元、四、一三御教書）時には高壓的處置をも執つては居るが、大局から觀察すれば、幕府の博奕其のものに對するや、近世程の嚴峻さも努力をも認められぬのである。成程博奕に關する法令は頻發せられて居り、幕府の要路が、此の問題を忽諸に附して居たのでは決してないが、度々の法令に見える博戲禁斷の文字は、形式上では社會一般を道德的に戒飭するを目的とし、事實上は田地領所を賭するが如き大賭博か、或ひは喧嘩闘殺等の刑事事件を勃發せしむるが如き惡性質の博奕に、多く適用の效果を有して居たのではあるまいかとさへ考へられるのである。

かの非連坐制の規定は、一面から見れば幕府の人民保護の、進歩的精神の發現なるかの如くにも、解せられるが、他面から思ひを廻らすならば、幕府が博奕に對して、かなり自由な方針を以て臨んだ事を裏書するものである。幕府が常に御家人保護に重きを置き乍ら、假令一時にもせよ、武士に雙六賭博を公認せるが如き取締上の不徹底さは、當時の博奕の流行狀態と社會形勢とから見て、確かに幕府の社會政策上の一欠陥と云はなければならぬ。幕府のかうした態度は、絶えず附き纏ふて居るのであつて、其の祟りは覿面に受けなければならなかつた。疾風枯葉を捲くが如き勢で襲來した大元百萬の猛威を、漸くに撃退した文永弘安役後に於ける鎌倉武士の著しき窮廢は、固より戰役に因る負擔の過重、論功行賞の遷延と不平均、戰後の經濟政策の失敗等、原因の大なるものゝ數々が、俄かに加はつたのにも因るけれども、既に博奕の惡風の、彼等の財政的基礎を蝕ばんで居た事も、是れ亦閑却し得ぬ事實ではなからうか。然らば一歩を進めて、博奕の流行と其の取締の不行屆と云ふ此の社會上の暗流は、かの幕府の末路を暗示する永仁の德政令發布の間接的、或ひは次第に依つては、直接的原因の主なる一部分を構成して居るものとも認め得られるのである。

# 足利時代明錢輸入と國內銅錢流通事情

小葉田淳

# 足利時代明錢輸入と國內銅錢流通事情

小葉田　淳



## 序　言

本論文は前著日本貨幣流通史中足利時代の銅錢流通に就き述べたる部分にて

足らざる所を補正せん事を目的とするものである。猶又本論起草に當つて私にとつては與へられた他の義務を感ずるのである。それは拙著公刊以後史學雜誌上に發表せられた柴謙太郎、奧野高廣兩氏の足利時代の銅錢流通に關する三論文につき私の異つた立場をも釋明する點である。

私が本論にて試みたる三段の要旨は、先づ明代に於ける銅錢流通を究明し、次に日明交通を介して輸入せられた銅錢に關して考察し、最後に輸入銅錢に關聯して國內銅錢流通事情を明白ならしめることとである。明代に於ける銅錢流通事情を究明する事は該流通銅錢が多く輸入せられた事實より見て必要なるのみでなく、我が銅錢流通事情を理解する上に最も參考となることは寔に柴氏の說かれた如くである。柴氏は我が國內にて撰錢行爲の漸く顯著となつた文明年間に相當する成化年間、及次の弘治年間の制錢通用事情を中心として概敍されてゐる。私は本論にては更に多少全面的に考察し、且つ幾何の史料を訪索して些か得る所あつた事を信ずるのである（參照一）。唯我が銅錢流通に對照して簡敍したるため、明代貨幣史研究としては當然併考さるべき寶鈔並に銀通用に就いては本論記述上常に顧慮するに止めて多く筆略しなければならなかつた。私の考究した結果は不幸にして柴氏が明代銅錢流通考究に於いて意圖せられた事實と全く相反する立場に到つた。次に日明交通に於いて從來洪武・永樂・宣德等の銅錢が陸續多量に將來せられ、又弘治・嘉靖等の銅錢も唐宋元等の舊錢、或は雜多の私惡錢と共に尠からず輸入せられて我が貨幣流通を大に促進せしめた事が說かれてゐる。然し是は日明貿易の隆昌なるに對照して、漠然銅錢流入の多量なるを予想したる嫌があつたので(參照二)、明代銅錢の政策、流通等の眞相を一方に明かにし、又日明貿易の內容を精細に查覈して、輸入銅錢の種類量額等が利潤を第一目的とする彼是貿易上に如何に關聯したるかを明白ならしめる要あるを思ふのである。當代輸入の銅錢が國內通貨を膨張せしめ、又渡來の惡錢が國內銅錢流通上種々の問題を惹起したるものとすれば、以上の點に關する考究が先決問題となる。最後に國內銅錢流通に就いては本論では主として西國を中心として展開せしめた。前著に於いては近畿・東國を中心として相當詳細に述べたのであるが、本論で一般に之を論すると重複するものが多い。西國は支那と最も緊密なる交涉を繼續し、彼地の通貨事情を反映する點にて比較的鋭敏であり且つ迅速なることも考へ得るであらう。然し斯くの如き問題に於いては西國のみに特に顯著なる特殊現象を見たのではない。實をいふと本論にては時日と紙數とに制限せられたる向があるのである。唯常に一般國内銅錢流通事情に關聯せしめつつ敍ぶる用意は忘れぬ積りである。

參照一

柴氏が史學雜誌第四十二編九・十一・十二號・第四十三編二號に亙つて掲載された撰錢禁制の解釋再論なる論文にて、同じく第四十二編二・三號に登載せる奥野高廣氏の論文室町時代の撰錢令とグレシヤムの法則に對して反駁せらるると共に、同論文起草の最も主要なる主意として一の新見解を呈出された。卽ち足利時代に輸入流通せる永樂錢は洪武・宣德錢等と共に時人に嫌忌され惡錢と見做されたので、是明代制錢流通事情を又反映したるものであり、幕府等の撰錢の禁制は主として惡錢たる渡唐錢卽ち明朝制錢撰錢の禁止であり、之を精錢に昇格せしめ通貨量を膨張し、通用割合等を規制して流通の圓滑を計りたるものであると說かれた。柴氏の所謂新見解樹立の由據する主要なる論點に對する私の別個の立場は以下順次明白となる筈である。

參照二

此の點に關し柴氏の如き貨幣流通の研究者も洪武・永樂錢以下弘治・嘉靖錢に至るまで、日明貿易の盛大に對應して其多量なる流入を漠然予想さるゝ程度を多く出てゐない。舊錢卽ち明代以前の支那歷代錢並に新錢の輸入に關して二三論及せられた點は私と大に立場を異にする。柴氏の惡錢たる新錢は明代制錢とせらる點は私の反對する所であるが、其の他の私鑄惡錢に就いても亦單に流入多きを予想さるゝに止まり、明代私鑄錢の性質並に輸入狀態につきての充分なる說明を聞き得ぬのは遺憾である。奥野氏は足利時代グレシヤムの法則の完全に實現せることを主張せらるゝのであるが、其重要なる實證の一として初め主要なる通貨にして精錢たりし古錢や永樂錢等が近世初期にては右法則實現の結果殆んど驅逐せられて惡錢の横溢せることを叙べておられる。私は一般に古錢が始終通貨の主體をなせるものなることを信ずるが、之に就ては後段に觸れる所がある。奥野氏は私が前著に於いて徳川幕府が慶長十三年十二月永樂錢の使用を禁止したることを叙し「永樂錢が他の貨幣に比し流通量が多かつたら斯の如き政策は經濟界に惡影響を及す事は必然であるに拘らず、幕府が之を企圖し其實施を可能ならしめた點から見ても永樂錢の流通量を知るべきである」と論じたるを引用せられ「近世初期に於て永樂錢の流通量が多量ならずとすれば室町時代に輸入されたのは如何にして消失したか」と問責された。永樂錢が多量に流入し又流通界に雄飛せりと奥野氏の論ぜらるゝことも、今日其流通量及び減少の程度を確實ならしめることは不可能の事に屬して結局意見の分るゝ所であらうが、大體足利時代の通貨中永樂錢の通用額を重視し過大に見積らるゝに反して私は通貨の一小部分に過ぎざるものと考へてゐる。私も永樂錢通用過程に於いて自然的に磨損するものも尠からず精錢の價値を亡佚したるもの多きを認むるも、グレシヤム法則の完全なる發現の結果近世初期には殆んど驅逐されたるものと見る事は承服し難い。私の考では明代制錢の内輸入されたるものは洪武・永樂錢が主で宣徳錢が之に次ぐが、合せて全流通銅錢に對しては僅かの部分を占むるに過ぎぬと思ふ。是等の事情は明代銅錢通用事情と日明貿易に於ける輸入銅錢の關係を考察する事により推想し得るものがある。

## 第一章　明代に於ける銅錢流通

## 第一節　制錢の鑄造、鑄錢料鑄錢工本及鑄錢額

明の太祖の卽位以前吳國公を稱したる時代、至正二十一年(A. D. 1361)二月寶源局を應天府に置き大中通寶錢を鑄造せしめ、歷代錢と兼行せしめ四百文を以て一貫とし四十文を以て一兩とし四文を以て一錢とした。蓋し當時鑄錢の事は中書省の管轄に屬し後洪武十三年に至り之を廢して造鈔を戶部に鑄錢を工部に移屬せしめたのである。同年の鑄錢額凡そ四、三一〇、〇〇〇[1]、同二十三年に三七、九一〇、〇〇〇文有奇であつた[2]。更に翌二十四年江漢地方を旣に平定したので江西行省に貨泉局を置き大中通寶大小五等錢式を頒つて鑄造せしめた。

太祖卽位の歲洪武元年(A. D. 1368)二月戶部及各行省に命じて洪武通寶錢を鑄造せしめ、其の制は當十錢重一兩以下五等あつて小錢は重一錢であつた。明會典によれば洪武通寶の鑄錢料は次の如くであり、是は洪武二十二年六月の定制によるものである。

當十錢　一、〇〇〇　に付き　鑄錢連火耗用生銅　六六斤、六兩、五錢

| | | |
|---|---|---|
| 當五錢 | 二、〇〇〇 | 同 |
| 當三錢 | 三、三三三 | 六五、九、二 |
| 折二錢 | 五、〇〇〇 | 同 |
| 小　錢 | 一〇、〇〇〇 | 同 |

之によると當十當五兩錢が各前記の箇數にて生銅六二五錢、當三以下は四九二錢が、鑄錢に際して耗用料として當てられた事が計測される。洪武四年二月大中通寶の大錢卽ち折二以上の四錢を小錢に改鑄せしむる等の事があり、二十三年に至つて小錢一文に生銅一錢二分を使用することゝし餘の大錢も之に準じで遞増せしめた(1)。

洪武通寶鑄造の期間は明確でないが、洪武元年七月早くも在京・各省の鑄錢を罷め、間もなく開鑄あつて在京は八年三月に至り各省は九年六月に及び、十年五月各省而して在京も亦恐らく開鑄して二十年に至り、翌々二十二年六月には錢式の規制あれば鑄錢行はれたりと見られ、二十六年七月各省は罷め在京のみ繼續した。八年三月戸部寶源局の鑄錢を停止せしめたに就いては、大明寶鈔の發行があり「時中書省及在外各行省、皆置局以鼓鑄銅錢、有司責民出銅、民間皆毀器物、以輸官、鼓鑄甚勞、而奸民復多盜鑄」とあるを其動機として記す程で、其の後寶鈔流用を計つて銅錢通用額を限定し又は使用を禁じ二十七年以後長く通用を停めたので、鑄錢の如きも果して豫定額の如く鑄出され、又繼續されたかは疑問である。二十六年の定制にかゝる在京以外各處の爐座・錢數は次の如くである。

| | 爐座數 | 鑄錢歳額 |
|---|---|---|
| 北平 | 二一 | 一二、八三〇、四〇〇文 |
| 廣西 | 一五半 | 九、〇三九、六〇〇 |
| 陝西 | 三九半 | 二三、〇三六、四〇〇 |
| 廣東 | 一九半 | 一一、三七二、四〇〇 |
| 四川 | 一〇 | 五、八三二、〇〇〇 |
| 山東 | 二二半 | 一二、一二二、〇〇〇 |
| 山西 | 四〇 | 二三、三二八、〇〇〇 |
| 河南 | 二二半 | 一三、一二二、〇〇〇 |
| 浙江 | 二一 | 一一、六六四、〇〇〇 |

江　西　一一五　一八九、四一四、八〇〇[4]

以上の記載では北平・山東・浙江を除き他は何れも一爐座五、八三二、〇〇〇文宛となつてゐる。洪武通寶錢の通用價は八年大明寶鈔發行に當り鈔一貫錢千文銀一兩と規定し卽ち十文を以て銀一分に當てたのである。

成祖永樂(A.D. 1403)六年永樂通寶錢を鑄造して九年に至り官を浙江・江西・廣東・福建四布政司に差し之を皷鑄せしめた。

宣宗宣德(A.D. 1433)八年十月工部及永樂通寶同樣浙江等四布政司に命じて宣德通寶錢一〇〇、〇〇〇貫を鑄せしめた。弘治(A.D. 1498)二年八月戸部より寶源局并各布政司をして開局皷鑄せしめんことを奏請したるに對し孝宗の詔に「諸司職掌雖開、有各處鑄錢例、然久已不行云々」とある[5]。宣德以後弘治通寶迄新制錢の鑄造なきも、宣德通寶の皷鑄が長く續行せられたのではない。

孝宗弘治(A.D. 1503)十六年二月弘治通寶を鑄造せしめた。同十八年一文重一錢二分と規定し、鑄錢料銅一斤毎に好錫二兩を加ふることとし、卽ち銅八、錫一の割合たらしめた。是は給事中許天錫等の「考鑄法、鑄錢須兼用錫、則其液流速而易成、乞毎銅一觔量加好錫二兩、有將鉛錫抵銅、以盜論」とある鑄錢事宜の意見が參酌されてゐる。

弘治通寶鑄造の初め爐座錢數は洪武二十六年の規制に照して新規のもの等は適宜之を定めた。「北京照初年北平舊數、而南京地方頗廣宜增一倍、山東·山西·河南·浙江·江西·廣西東·四川俱照舊數」とあるは前者であり「湖廣視浙江、福建視廣東、雲貴視四川、每歲陸續鑄造」とあるは後者である。

| | | 爐座數 | 鑄錢歲額 |
|---|---|---|---|
| 北京 | 及山東他八省舊數と同じ | 三二六半 | 一八九、四一四、八〇〇 |
| 南京 | 北京に倍す | 四二 | 二五、六六〇、八〇〇 |
| 湖廣 | 浙江に同じ | 二一 | 一一、六六四、〇〇〇 |
| 福建 | 廣東に同じ | 一九半 | 一一、三七二、四〇〇 |
| 雲貴 | 四川に同じ | 一〇 | 五、八三二、〇〇〇 |
| 計 | | 四一九 | 二四三、九四四、〇〇〇 |

十六年三月給事中張文の鑄錢事宜に「戶部言、舊未行錢地方、務要設法舉行、臣以爲自來錢法不通之處、勢難驟變、且諸司職掌不開雲貴閩廣四處、宣德年亦行浙江等四處、必有深意、宜先將兩京樣錢、發前地、暫一行之勢能漸革、開鑄未

晩、若習俗難變姑聽」とあつて聽順せられてゐる。雲南・貴州・福建・湖廣四省は洪武年間爐座錢數を規制せる九省の外にあつて洪武通寶鑄造に與らず、永樂通寶鑄造に際して浙江等三省の他に福建に開局し、宣德通寶亦同四處にて鼓鑄せるものと解すべきもの丶如くである。而して弘治通寶鼓鑄に臨み湖廣等四處の鑪座錢數を初めて斟酌差定したのである。弘治十七年三月南京吏部侍郎楊守阯は奏して「南京寶源局當鑄弘治通寶二千五百六十六萬、所費不少、見今災傷特甚」とて鑄造の停止を請ひ所定額の三分の一に量減された。翌十八年五月戸部に命じて鑄錢未成の數を査檢せしめた結果は各處の鑄錢額十の一、二に過ぎず、工部をして其工料の過大なる事を査看せしめてゐる。正德二年御史段家の陝西鑄錢停止を奏請する事等あり、工部亦各省に災傷あり鑄錢を停止すべきを議し四月中止の令が發せられた。

世宗嘉靖六年（A. D. 1527）に嘉靖通寶錢を鑄造した。明會典によれば鑄錢料は六、〇〇〇、〇〇〇文に付き

二火黄銅　四七、二七二斤

水　錫　四、七二八斤

計　五二、〇〇〇斤

であり、嘉靖四十二年の規定では同錢數に付き

銅　五〇、〇〇〇斤

錫　五、〇〇〇斤

計　五五、〇〇〇斤

にて内耗用四、〇〇〇斤、扣剩銅錫が三、〇〇〇斤にて錢の重が四、八〇〇〇斤となつてゐる。故に先に會典の規制せる二火黃銅・水錫合計五二、〇〇〇斤の内から、四十二年の規定に倣ひ約八パーセントの耗用・扣剩銅錫ありと見て之を差引きたる約四五、三五〇斤が當初の嘉靖錢六、〇〇〇、〇〇〇文の重となり一文につき一・二錢餘に當り、四十二年の改制では一・二八錢と計出される。續文獻通考に「四十二年題准、每錢一千文舊重七斤八兩、今重八斤」とあるは正に之を說明してゐる。明季の高宏圖撰棗林雜俎に「南京嘉靖間鑄錢、其背或以金塗之、民間曰金背錢、或火熏其背使黑、民間曰火漆錢、其雲南及寶源局、先年純用銅錫、不雜以鉛、每文重一錢二分」とあるは四十二年改制前のものに當る。從つて會典に「六年奏准鑄造嘉靖通寶錢。中略　每文重一錢三分」とあるは、四十二年改制のものを誤記

したるか、乃至は鑄錢の初期に一錢二分に改制されたる事實が見出されぬ限りは、前後相容れぬ譯である。

會典によれば嘉靖六年北京寶源局にて一八、八三〇、四〇〇文、南京寶源局にて二二、六六〇、八〇〇文を鑄造せしめ、又工部に令して永樂宣德間の例に照し、官を直隸・河南・閩廣に差し鑄錢せしめて司鑰庫に解納せしめ、毎錢七百文を銀一兩に准せしめたといふ。[6] 洪武弘治の例では北京の錢數は一二、八三〇、四〇〇文、南京二五、六六〇、八〇〇文であつて、此の數字を對勘するに會典の嘉靖錢數は北京の百萬臺の八が二、南京の二が五の各誤記で先例を倣つたものと思はれる。之等の錢數は勿論規定たるに止つて實際それだけの鑄造を成得たかは自ら別問題である。十八年十月嘉靖制錢未足の數を補鑄せんとして南北工部に分派して監造せしめ、翌十九年八月銅錫料南京に在つて鑄工巧にして物價低しとて併せて南京工部に命じ鑄造せしめ、更に翌二十年五月遂に鑄錢は失を償はずとの工部の奏請により、之を停止せしめた如きは結局定錢數の塡し難き事實を示すものである。

二十三年五月洪武の制に依つて折二以上の四等の大錢各三萬文を鑄造せしめ

たことがあるが、三十二年十一月洪武より正德に至る紀元九號錢（洪武・永樂・宣德・弘治四號の錢制あるも洪熙・正統・天順・成化・正德號の錢制史に見えず）を補鑄せしめた。會典に「每號一百萬錠、嘉靖錢一千萬錠、每一錠五千文、內工部六分南京四分各分鑄」とあるが、此錢數は甚だ尨大極るもので、若し誤傳なしとせば成果なき計畫に歸したであらう。同年十二月早くも戶工二部は鑄錢の工本不足を告げ、嘉靖錢のみを造進せんことを議してゐる。四十三年十一月に至り北京寶源局錢匠役人の不正の罪料を鞫治し該局の鑄造を暫時停止せしめた。

嘉靖以前に於いても錢匠役人の鑄錢料を侵犯して私得し、或は勞役を怠慢に附して工を減ずる等の不正は尠くなかつたであらう。而して史乘に漸く其著しきを加へたのは此際に始まる。范守己の肅皇外史に「嘉靖初從廷議、命寶源局及南京・雲南、鑄造嘉靖制錢、發民間貿易、既而所鑄不一、有金背・火漆・鏇邊等名、民頗通行久之、言官建言、鑄鏇艱難、工匠勞費、請革去鏇車、以鑪錫代、從之、於是鑄工競雜鉛錫、圖便銼治、而輪郭麤糲、色澤慘暗、與前大不侔矣、奸徒倣傚盜鑄、濫惡日滋、貿易不通、閭閻大困、其盜鑄曰報死罪、終不能止、遂停止寶源局鑄造」とあり、又棗林雜俎に前引の文を承けて「後科臣建議、革去車鏇、止用鑄刔二厘而工人復盜銅料、其邊粗澁、曰一條棍、不異私鑄、錢法遂擁」とある。明朝歴代の錢法の一として嚴に私鑄を禁止する方針を執り、之が對策として見るよりも「蓋倣古不愛銅惜工之費、使私鑄者無利不禁而自止」とは自ら踏襲せられた精神と見得る。是は私鑄彌々所在に瀰漫せる萬曆以後頻りに强調せられた事である。かくして當時鑄錢工費の償はざる事情と共に、匠役人の不正が鑄錢停止を餘儀なくせし直接の一因たりしを看過してはならぬ。

是より先、給事中殷正茂の兩京鑄錢銅價高くして費償はず、雲南銅を採り四川より湖廣省岳州府城陵磯に運び開鑄すべしとの獻議あり、戶部は雲南地僻遠にて事簡なれば山に卽して鼓鑄するを便宜とし、三十四年四月雲南に勅して每年鹽課銀二萬兩を扣留して工本とし、嘉靖通寶錢歲に三三、〇一二、〇〇〇文を十月內に鑄完せしめて官を差し太倉庫に解納せしめた。三十七年七月雲南巡撫王昺之を罷めん事を乞ふて許されず、四十四年復雲南巡按王諍の請あつて遂に中止せしめた。其の後萬曆四年に至り開局せしむる等の事があつた。

前述の如く三十二年十二月以來南北寶源局をして嘉靖通寶錢を鑄造せしめたといふのであるが、銅價高く鑄費償はずとして雲南に開鑄せしめたること既に兩京の鑄造多難なりし事を示してゐる。內庫に錢數缺くとして雲南新錢を進用せしめた事は戶部尙書高耀の執奏によつて中止せしめたるも、忽ち四十年四月兩京をして銀二萬兩を發し鑄造進用せしめなければならなかつた。而も前述の如く四十三年十一月北京の鑄錢を停止したるを以て、內庫備用として南京雲南及稅課司解收の好錢一千萬文を司鑰庫に進濟せしめたのである。兩京に於ける鑄錢事態かくの如くでありとすれば、各省に於ける狀況叉想察に難くない。而も隆慶二年五月には鑄錢の所費貲られずとて南京の鑄造も亦停止せしめた。

穆宗隆慶四年（A. D. 1570）三月隆慶通寶錢を鑄せしめ、每文重一錢三分で翌年十一月戶部より二百萬文を進めてゐる。同六年在京文職官の折俸を見るに十分の九は銀にて、殘り一を錢にて支給し、金背錢を六割每八文折銀一分、火漆錢二割（嘉靖・隆慶錢俱に同じ）嘉靖鏇邊錢二割俱に每十文折銀一分としてゐる。

神宗萬曆四年（A. D. 1576）二月戶工二部に諭し萬曆通寶錢金背火漆二錢を鑄造せしめた。初め嘉靖の式に照し、即ち俱に二火黃銅及錫を料用したが、四月改めて金背錢には四火黃銅を使用する事になつた。即ち各一萬文につき

四火黃銅（金背）　二火黃銅（火漆）　八五斤、八兩、六・一三二〇錢

水　錫　　　五、一一、二・四〇八八

即ち合計錢に換へて一四、五九八・五三九八錢となり、錢每文一錢二分五厘と規定されたから此重一二、五〇〇錢を除せる二貫目餘が耗用等となる。

初め萬曆通寶二萬錠內金背七分、火漆三分を鑄せしむる事とし、北京工部八千錠他を南京工部請分とし內一千萬文を內庫に進むる事としたが、十一月に北京工部より新鑄錢金背二百萬文火漆一百萬文を進めてゐる。十三年十五萬錠を鑄し內南京工部は六萬錠を分鑄することゝし、二十年には九萬錠を造りし事が見える。二十七年四月には國用不足の故にて多く鑄造せしめ、更に翌年三月には南北寶源局をして漸次工匠爐座を增加せしむることゝした。

又萬曆四年四月給事中周良寅の「各省直止鑄鏇邊、每十文、準銀一分、其行使舊錢地、俱從民便」との奏議に基き各省に開鑄を命じ、每府に鏇邊樣錢一百文直隸州に五十文を發して、每文重一錢三分とし此錢式に倣はしむることゝした。

五年二月江西巡撫潘季馴の疏通錢法七事の奏では「計工科(料か)鑄錢一千一百文、計工費銀一兩」とあり、同年閏八月福建撫按龐尚鵬の議錢法十四事の奏では「計算工料每錢一千文、費銀九錢八分零」とあり、同じく十一月山西巡撫高文薦の錢法十議の奏では「計工料銅價每百觔銀七兩、加以工匠雜費通共九兩二錢、約鑄錢一萬餘文」とある。各省の鏇邊錢は每十文銀一分の通用としたから、江西・山西にて鑄錢の利一割程度、福建にては僅かに二分であつて、高文薦の奏に「母子相權、贏銀十分之一」とあるは卽ち之である。

續文獻通考引く所の張溥の國朝經濟錄に「顧開鑄之初、許借官帑銀於州縣收買黃銅鼓鑄、其紅銅煠點成黃而用之、而吏責民輸銅、鎖毀器成不盡給其直、責銅急而銅價騰躍、非產銅之地尤甚、則是未得錢之利、而已被銅之害也、弊一、及既開局、工作之費、物料之需、諸翻砂看火提確之人、剉眼穿條燻色之匠、與煠銅質雕錢模之工、又多費不貲、比錢始流、民樂奉令、則銅已告乏、鼓鑄不給、是患不在於錢之不行、而在於錢之不繼、不在於錢之不繼、而在銅之不廣、錢之不繼、而欲其如流泉之不窮者否也、弊二云々」とある。歴代の例に見ゆる如く銅の缺乏と其價格の騰起、並に鑄錢費の膨脹等が鑄錢繼續に支障を與へし事は疑ふべくもない。萬曆六年十二月戶部の奏によれば、各省の鑄錢既に二ヶ年を經るも何等之に關し報得なきを述べており、十年に至つて各省鑄錢を中止せしめた。

錢價の法定を見るに、嘉靖通寶は初鑄の時毎七文銀一分に、隆慶六年金背毎八文銀一分、火漆·嘉靖鏇邊錢毎十文銀一分に、萬曆六年十二月嘉靖·隆慶·萬曆制錢金背毎八文銀一分、火漆·鏇邊毎十文銀一分、洪武等の舊制錢·舊錢毎十二文銀一分に折した。然るに十三年八月戶部は奏して今萬曆金背毎銀一分五文、嘉靖金背毎銀一分四文なる事を述べ、初鑄の時の錢價と輕重同じからざるを不當とし、庫貯の萬曆金背を各商に價給するに十分の二(殘八割は銀)銀一分八文を以てし、隆慶金背も亦酌量官俸商價に通給せん事を請ふた。萬曆二十七年戶部は商價給錢を議し毎五十文銀一錢とし三分の一(他は銀)を給した。三十九年十月給事中周永春等が商人劉仲智等の告申を以て奏したる中に、先に官より毎五十文銀一錢として市に給し、市間又五十文を以て行使し上下通行せしも、今市價毎銀一錢錢六十六文なるを以て、五十文の例により給付するを不當としてゐる。項夢原の冬官記事によるに、乾德·坤寧兩宮の建造は萬曆二十四年七月に起工し二十六年七月に竣成したのであるが、其間財費の支辨法として銀四萬兩を出費して鑄錢した[7]。該書に收載せる議鑄錢に「照得銀一錢鑄錢六十九文、給散各役、止照時估、大約五十五文爲率、毎銀一兩剩錢一百四十文、則發銀萬兩、可積銀二千五百餘兩矣、亟宜付行虞衡司、寶源局鼓鑄、本司按季酌量發銀、如錢貴則行、賤則止、務俾官民兩利」とある。是を以て見るに萬曆十年代より二十年代に亙り、嘉靖・隆慶・萬曆の金背錢は每銀一分四文・五文乃至六文前後であり、又明かに此相場を以て市間に通用せられた事を知る。卽ち嘉隆間乃至萬曆初年に比し、當時の一般的通價であつた銀に對する錢價は大體に高く、法定又之に伴つた事實がある。

萬曆五年山西巡撫高文薦の奏に「工料銅價每百觔銀七兩」といひ、又冬官記事に萬曆二十四、五年頃の記事として「二火黃銅用二十一萬斤、該價二萬二千兩」とあり二火黃銅百觔銀約十兩五錢に當り、又四十四年には戶部奏して銀十萬五千兩を發して每斤一錢五釐の相場にて四火黃銅二百萬斤を求めて京に解して鼓鑄せしむることゝしたが、之又四火黃銅百斤銀十兩五錢に當る。高文薦の工料銅價は恐らく黃銅價の事であり、從つて銅料に於いて相當の騰起を認め得るであらう。冬官記事によれば鑄錢六十九文の工本銀一錢といへば、萬曆初年以前の法定價格では既に尠からざる損失を招く事となる。張溥の國朝經濟錄に「比錢始流、民樂奉令」とあるが、嘉靖以前明代制錢の流通は極めて僅少であつた事は次に述べる。顧災賦も福建に於ける通貨を記して、前代の舊錢乃至私鑄錢を敍し、明代制錢中萬曆制錢に至つて始めて「以吾一邑言〇中略(萬曆)五年廢凞寧錢、而用萬曆制錢、方一年而萬曆錢又置不用」と記してゐる。萬曆三十年代に至り錢價稍や低下せる狀の商人劉仲智等の言に見ゆる事前述の如くであるが、冬官記事に「其後錢七百文、乃値銀一兩、或亦槩給之過也」とある。明代制錢中萬曆制錢に至つて漸く頒行せられし事が察せられる。

泰昌元年(A. D. 162)十二月熹宗既に卽位したるも光宗の紀年を以て泰昌通寶錢を鑄造せしむる事とし、兩京及各省をして之に當らしめ、翌年より天啓通寶錢を以て之に接鑄せしめた。天啓二年三月工部天啓錢一百萬文を鑄成してゐるが、南京にては銅炭米等物價低廉なるを以て錢法侍郞王德完の議に從ひ鑄本十萬餘を南京に附して鑄錢せしめた。天啓二年六月陝西に開局したるを始めとし各省の鑄錢行はるゝに至つた。明史に要約して「天啓時開局、論天下重課錢息」とあるが、此時に至つて國用窮乏の救濟法として鑄錢の利を貪求する方策が露骨に現はれた。

天啓二、三年間(南京にて)督臣李宗延・陳于廷相繼ぎて

本二〇九、〇五四兩　獲息一二八、六〇六兩八錢

又同四年督臣鄭三俊の時
　本一四三、四四一兩　獲息一二八、九三二兩
を得、又崇禎元年南京にて
　本　七九、二五〇兩　獲利　三九、一一三兩六錢三分
とあり、又北京戶部にては崇禎元年正月より九月十五日に至る間に鑄錢一二九、四八九、九八四文にて息銀二六、四五三兩を獲得してゐる。陝西にては撫臣練國事の報によれば天啓二年開鑄より崇禎四年まで本銀一二、四〇〇兩餘に對し、利銀合計一〇七、〇八〇兩を擧げて每年本利相準ずといつてゐる。天啓の初め鑄錢の息八十二萬兩を目して各省にも割當てたらしく天啓七年九月山東巡撫李精白の奏に「山東額定鑄息四萬兩、自天啓七年六月止共得息銀八千七百五十九兩零、未及部議二十分之一」とて其理由を擧げてゐる。戶部尙書侯恂の議によれば初め鑄錢本息の事は
錢一一、一一一文　價銀一七兩九分四釐　錢六五〇文銀一兩
黃銅一〇〇斤價銀一二兩

（紅銅　一斤　價銀　一錢四分三釐
　窩鉛　一斤　價銀　七分七釐）

各項支給二、二九五文估銀二兩五錢三分二釐　差引利得　一兩五錢六分一釐

とあり、利得は約一割に當る。然るに鑄錢の利を貪求する方策の結果は、或は崇禎元年南京にて銀一錢五十五文に折して五割の利銀を擧ぐる等不當の錢價法定を試み、他方又錢質劣等化の勢を促した。工匠役人の侵本減工等の不正は之に應じて彌々甚しく、要するに明末國勢の頽廢政綱の紊亂するに應じて其貨幣策を無統制たらしめたのである。天啓三年九月御史游鳳翔は南京鑄錢の弊を述べて舊弊三、新弊四を擧げてゐる。出馬の弊即ち本銀五千兩利銀一千兩とすれば、鑄錢司官錢八十萬を私し、鑄錢大使・爐頭・工匠等皆私利を奪つて殘餘を朝廷に返還する事、補秤の弊即ち例せば銅一百斤の內九十斤のみ鑄成し殘十斤は小錢銅一兩毎に七文重七分の劣小錢を以て名目上補重し結局銅十の五を私する事、對賞の弊即ち鑄錢の際の銅末は悉く公物たる所半を以て工匠に賞給し作弊の資となす事、以上三弊は來由久しきものであるが更に新しき四弊を生じてゐる。即ち南京では錢十二文銀一分に准すべき所[8]、銅高價なりとて軍糧に十一文商人

に十文にて搭放し、更に匠工には十にして七に當らざる一種の細錢を作り給與し、舊制にては鑄錢料は銅七鉛三なるに（前掲侯恂の議では黃銅を紅銅、窩鉛の値段より計算すれば、銅六・五强、銀三・五弱となる）今は銅鉛相半し、斤兩を減じて錢千文重八四〇錢に過ぎざる等の四弊である。錢制の腐敗は益激化し御史趙洪範の言に「令楚時見布政使頒發天啓新錢、大都銅止二三鉛砂七八、其脆薄則擲地可碎也」とあり、私鑄の濫發に追車を加へ、又崇禎元年には從來流通貨の主體とも見るべき古錢を銷毀せしめて劣貨の氾濫を招致した。明末の錢制に猶記すべきものがあるが、かゝる狀勢を進めた事を指摘するに止める。

明代の制錢が歷朝果して如何程鑄造せられしやを簡粗なる當代の記錄に求むるは無謀の擧に近い。されど萬曆以前に於いて大凡次の如くに考得る。

一、憲宗朝以前にては殊に寶鈔通用を計るために錢貨の使用を極めて制限し又は全然禁じ、隨時に又相當長期に亙り鑄錢を中止せしめた事がある。

二、鑄錢の銅料豐富ならずして、價格騰起し、鑄錢費膨張して寧ろ償はざる事情にあつた事。歷代、制錢の實價値を充實せしめ私鑄の餘利なからしむるを以て主旨としたので、鑄錢費の多少の伸縮にても其鑄造に支障を與へ得た。

三、次節に述ぶる如く制錢は徒らに庫貯せらるゝもの多く充分社會に配給流通しなかつたのである。明政府は私鑄を嚴禁して制錢の流布を圖つたが、事實意に反して流用せず、流用せずして死貯さるゝ制錢の鑄造は自然停頓せざるを得なかつたであらう。

かくて洪武以來定制の爐座錢數の如きも其實施されたるは幾割にも達しなかつたであらう。又隨時指定鑄造の錢數の如きも同樣であつた事若干の事實に就いて既述した。

明政府が優秀なる制錢の鑄造を企圖した事は、鑄錢費と其法定價値との差を僅小ならしめたといふ一面に於いて考得る。即ち萬曆以前にては鑄錢による直接の利得を第一義的のものとせず、私鑄を排除して其流通を計るにあつたのである。張溥の國朝經濟錄に「萬曆初從科臣議、行天下省一體開鑄與在所舊錢兼行、隆錢式每百文重十三兩每文重一錢三分、必輪郭周正、字文明、質厚、即易爲全美也、蓋倣古不愛銅惜工之費、便私鑄者無利、不禁而自止」とある。かやうな考は錢法の要締と見られたので、牧鑑に「上蔡謝氏曰陝右以鐵錢舊矣、有議、更以銅者已而會計所鑄子不踰母、謂之、無利遂止、伊川先生曰、此乃國家之大利也、利多費少私鑄者衆、費多利少、盜鑄者息、民不敢盜鑄則權歸公上、非國之大計乎」とある。[9] 尤も制錢の實質が常に所定のものであつたのではない。工匠役人の侵本減工が嘉靖間以後文獻に著しき事を前述したが、是亦歷代の通弊であつたであらう。錢質の充實を頻りに唱道した萬曆間に於いても、冬官記事に兩宮建繕の工人に寶源局所鑄制錢卽ち萬曆錢を給付するに當つて「如錢短少、中攙低假等錢、許夫匠卽時口稟、卽將小委官重處、若侵冒數多、見工官奏、請罷黜」とある。天啓に至つて鑄錢の利得を以て財收の目的となすを露骨にし、工匠役吏の通弊は激化して制錢の質量低下濫發となつたのである。

晴韻館收藏古錢述記卷三によるに晴韻館收藏の明錢大中通寶以下崇禎通寶迄は十二種六十六品で內小錢は五十三品である。同種の錢にして品量大小の差あり、就中述記に其僞錢なる事を想定したものもある。此によつて或は鑄局其の他の事情にて其差違の相當甚しきものある事、或は制錢の僞錢の尠かからざりし事等を考ふるに參考し得るであらう。殊に天啓錢小錢五種崇禎錢同二十六種に達して錢品の多き事、品量大小の懸隔甚しき事は官鑄自身の紊亂せし事を反映してゐる。幕に各省の鑄局の所在を示したものは大中通寶・洪武通寶があるが、淸の張端木の錢錄、望江倪の古今錢略（卷十三）に記するのを左に併記する。

京（南京）、北平、浙（浙江）、福（福建）、豫（河南）、廣（廣東）、鄂（湖廣）、桂（廣西）、濟（山東）、治（四川）、

大中通寶

述記　當十錢—浙・豫・北平
錢錄　京・浙・福・豫・北平・廣・鄂・桂・濟
古今錢略　小錢—浙・豫・桂
折二—浙
當三—浙
當五—豫、鄂
當十—京、桂、北平、浙、濟、豫、廣、

洪武通寶

述記　小錢—治、福、浙、北平、
折二—浙
當五—豫
當十　浙
錢錄　京、治、浙、豫、濟、桂、廣、鄂、福、北平
古今錢略　小錢—浙、桂、福、北平、沁、豫、治、廣
折二—北平、浙
當三—浙、桂、廣、福
當五—京、北平、福、鄂、浙、豫
當十—京、北平、豫、福、浙、濟

本章大明會典卷之三十一、續文獻通考卷十一、明史卷八十一及皇明實錄（京大東洋史研究室寫本內閣本）により記したるもの多けれど一々之を示さず。

註

1　皇明實錄　太祖　卷之九　辛丑二月己亥

2　同卷之十二　癸卯十二月是歲

3　洪武二十三年十月の改制に小錢一文に銅二分を用ひ餘の四等錢小錢の制に依り遞增すること實錄・會典に記す。淸の張端木の錢錄に「按此乃半銖錢」とし所謂貨泉學者多く之を承繼するも、之は餘の四等錢遞增の事に對照するも一錢の二字を錯脫し一錢二分の義なる事、續文獻通考の所說を正當とせざるを得ぬ。

4　續文獻通考引く所の傅維鱗明書食貨志に「洪武時天下共開錢爐三百二十五座、歲鑄錢一萬八千九百四十一萬四千八百文、後多盈縮、不可得而考」とあり、爐座錢數に多少の出入がある。

5　皇明實錄　孝宗　卷之二十九　弘治二年八月甲寅

6　司鑰庫に解納するは、卽ち內庫送錢であつて萬曆二十年十一月工部の奏に「舊規以六分爲率、一分進司鑰庫、五分進太倉」とあり、之は兩京工部の鑄錢につき述べたものであるが、會典に「令工部查照永樂宣德年間事例、差官於直隸幷河南閩廣、鑄造嘉靖通寶、解京、貯內府司鑰庫云々」とあるは司鑰庫貯用の各省につき記したので、其の他の各省に開局しなかつた事を必しも示してゐない。各省の鑄錢は各府に備用するを原則とする。高宏圖の棗林雜俎錢爐の條に(今據るは烏石山房本寫本)、北平・山東・雲南各二十二爐、山西四十爐、浙江二十爐、江西一百五十爐、廣西・四川各十爐、陝西三十九爐、廣東十九爐とあり、後に本論引く所の嘉靖錢の記事を受けてゐる點を見れば嘉靖間の爐座數と見られぬ事はない。洪武、弘治の制と出入の著しいのは雲南の十を二十二とし廣西の一五半を十とする點である。江西の百五十は百十五の倒錯と見られぬ事はない。

7　明項夢原　冬官記事　寶顏堂祕笈本

8　之に就いては萬曆四十六年五月給事中官應震の議「京師銅炭米價皆貴於南、故留却錢用十二文爲一分、京師用錢六文」とあるを參照される。

9　昱東谿輯　收鑑卷七

## 第二節　明朝の錢法、制錢の配給及流通

明歷代前朝の舊錢と制錢とを兼行せしめ、私鑄行爲を嚴禁し私鑄錢を大體排除する方針であつた。私鑄行爲は嚴禁したが、私鑄錢の通用を全然禁止したのではない。

洪武元年洪武通寶錢の鑄造と同時に私鑄を嚴禁しており、同六年私鑄錢が錢法を阻害する理由を以て、之を銅に作廢し銅一斤毎に官錢一百九十文を支償せしめ、又稅課內現在のものは更鑄せしめた。洪武八年以來大明寶鈔を發行し其流布のため非常な努力を拂つており、十年小錢と鈔とを兼行せしめ百文以下にのみ錢の通用を制限し、商稅に錢三鈔七を兼收することゝし、十五年在外衛所軍士月監皆鈔を給し鹽場工本に鈔を付することゝしたる等は其例であるが、二十七年に至り軍民商賈所有の銅錢を鈔に換へしめて通用を禁止した。宣德十年

十二月の梧州知府李本の奏に、錢鈔兼行は律文に載する所、然るに用錢禁止のため現在錢を使用せる兩廣地方の如き違禁に問はるゝ民多きを述べて、其兼行を聽さん事を乞ふて容れられてゐる。若し洪武二十七年以來用錢の禁が繼續されたものとすれば、制錢の通用も勿論中止さるべきで其配給も全く行はれなかつたと認むべきである。

明會典に「天順四年(A.D. 1460)令民間除假錢錫錢外、凡歷代幷洪武・永樂・宣德銅錢及折二當三、依數准使、不許挑揀」とある。成化十六年(A.D. 1480)十二月戸部より京民の告申を以て、以前は京師銀一錢八十文に換へしを近時僞錢盛行により百三十文となり揀選甚しき狀を奏し「乞勅都察院、出榜禁約、如有揀選者、每一罰十、庶使錢法流通米價平減、臣等請、如先年事例、除僞造幷破碎錫錢不用外、自餘不問年代遠近、無得揀選、違者治罪」とあり此制規が布かれた。當時の私鑄錢は舊錢を模したるもの多く、其錢質は左程に低劣でなく、好錢の半價以上に通用されたるものゝ普通なりし事は次節に詳敍する。稍や後に舊錢中の低錢と共に之等は中樣の舊錢中樣の囫圇錢と稱せられてゐる。假錢・錫錢・破碎等は甚だ通用價値の低きもので、之を除き他は一樣に舊錢制錢と共に兼行せしめたと認められるので、此點は後の記述によつて明白になるであらう。天順の制あつて、錢價が低下し市間に揀選行はれ、嚴に之を禁止したのは、政府の一律に兼行せしめんとしたる銅錢中に市間通用價値の差あるものが併存したる事より考得るであらう。正德六年二月給事中李鐸の奏に新鑄・鉛錫薄小の低錢・倒好・皮棍等の私鑄錢を悉く使用せしめず、洪武等の制錢歷代眞正大樣舊錢を兼行せしめん事を請ふて聽された。（會典・萬曆會計錄に五年に作る。續文獻通考卷十一に據る）是前制の實施し難きを以て高下を論せず低錢は一切除外して舊錢を倣せる私鑄錢の如きも排し、制錢並に所謂眞正大樣舊錢に限定したのである。然るに翌七年正月に官庫貯錢の關給及徵收に「除破瑩鐵錫外、每七十文折銀一錢、毋得仍前雙折、庶官民兩便」とあるが[1]、同じく又「戶部覆准榜諭、軍民人等不分年代遠近錢樣大小、但係囫圇銅錢、每七文作銀一分、不許以二折一」と記してゐる[2]。卽ち年代の遠近大小を問はず、形式整備せる囫圇錢たる限り一樣に兼行せしめたのであつて、唯鐵錫破碎等の劣錢をのみ除外せしめたので、天順成化の舊制を踏襲したのである。同月の司禮太監張永の奏に「洪武・宣德・弘治等錢暨歷代舊錢例得兼行、但內無官給、外無徵收、上下違隔、致令民間以二折一、物價騰起」とある。當時市間に板兒と稱する私錢が行はれ、董穀の碧里雜存によつても二文を以て好錢一文に折する程のものなるを知るが、舊錢制錢同樣銀一錢七文を以て課收せられたことは後に述べる。陸深の燕間錄に「偶不用、新鑄者謂之低錢、毎以二文當好錢一文、人亦兩用之、弘治末、京師好錢復不行、而惟行新錢、謂之倒好云々」とあるが、[3] 倒好と稱する二文を以て一文に折する低錢は前掲李鐸の奏に排除されたものである。張永が上下の素志の違隔を述べ民間二文を以て一文に折し物價騰貴するを奏し、前掲錢法に通用錢價の區別を禁止したのは、此程の低錢は囫圇錢に屬して舊錢制錢と一律に兼行せしむる主旨に據るものと思はれる。

明政府にては私鑄は錢法を破壞するものとして洪武以來屢嚴禁してゐる。景泰七年(A. D. 1456)蘇松等より僞造貨多く來京し其内には錫鐵錢を混じ、又在京の軍匠人等も私鑄を行ふを以て之を禁約しており、成化十三年六月に蘇松等私鑄熾んにして客商聚集收買し奸弊日に滋きを以て、文を各省巡撫巡按に移して禁約を揭げ以後首謀者幷工匠を律に依つて問罪し從事者及情を知り買使するものは枷示一ヶ月に處する事とし以後も屢此罰令を以て禁止してゐる。

一方又制錢の流布を計つて、或は文武官の俸餉等に折給せしめて配給を計ると共に、或は各種の課稅等に兼收せしめたのである。

初め寶鈔流布を目的として用錢を制限禁止する方針であつたが、鈔法困難の實情を漸く識認して、宣德十年用錢の禁を弛め、成化元年七月商稅課稅に錢鈔中半して兼收せしめ（鈔一貫、折錢四文）、同四年京官に鈔三錢七の割合にて折俸し（鈔一貫、折錢二文）、同六年各處の船料に、同十年戸口食鹽に錢鈔兼收せしめた（俱鈔一貫。折錢二文）。弘治二年八月戸部より四川重慶府知府毛泰の奏を以て達してゐる。即ち洪武・永樂・宣德錢等皆庫貯さるゝのみで通用せず、寶源局各布政司をして弘治通寶を開局鼓鑄し洪武等の制錢歷代錢とを兼用せしめ、庫貯の制錢を官吏旗軍の俸粮に折色給付し、又商稅戸口錢に折收するに歷代錢洪武等の錢中半を以てし、洪武等の錢なくば歷代錢二を以て制錢一に當てん事を請ふた[4]。翌三年六月庫貯する所の洪武等の錢を廢して歷代錢との兼行を命じたが、同十六年二月に至つて民間私鑄を禁約すると同時に、兩京內庫各司府縣に廩積貯有せる洪武等の錢並に弘治通寶を盡く發して官員に折俸し稅關收課にも洪武等の錢と兼收せしめ、之等制錢なくば舊錢二を以て一に當らしめた[5]。正德二年八月南京戸部尚書楊廷等奏して、近代錢法を疏通せんがため戸口食鹽の解納商稅魚課等必ず歷代舊錢と洪武等錢を中半兼收せしめたるも、洪武・永樂錢等貯庫多くして給領猶少なく、弘治通寶の如き鑄造未完にして市間に行使せられずして解戶措辨に及ばず官府收受亦難く、洪武等の錢を舊錢二文に折收するは愈負累を重くする所以なるを以て、今後は中半の數に拘泥せず新舊錢を兼收し、他日弘治通寶鑄造の完き日を俟ち中半兼收せん事を請ふて聽された。[6] 更に又正德七年正月司禮監太監張永奏して制錢歷代舊錢を兼行せしむると雖、内には官給なく外には徵收なく、天財庫及戶部等の衙門・在外各布政司在庫の貯錢を以て關給されん事を請ふて又聽され、又戶部の議に從ひ職官俸給十分を以て率とし錢一分銀九分に折して在京九門稅課・在外の各鈔關幷に官府の買辨估價・里甲收受の錢糧倶に歷代舊錢と制錢とを兼收せしめた。

以上の制規を通じても、制錢の頒給少なく其流通の乏しかつた二の事實を察知し得る。政府は前述の如く制錢の折給を種々の方法にて試みたのであるが、依然として「貯庫雖多、領給尚少」「內無官給」であつた。舊錢制錢中半兼收して制錢なき時は舊錢二を以て充當せんとしたのは、制錢流通の増大を目的とするものであるが、制錢通用額の小額なるため中半兼收を改めなければならなかつた。

制錢頒給の實施し難かつたに就いて、例せば京師の司鑰庫(天財庫)に於いて次の如き事情がある。工部所鑄の制錢が太倉庫並に一部司鑰庫に送られ諸關稅錢も司鑰庫に解納された。明史食貨志に「京衞軍秋糧取給焉、每七百當銀一兩、武宗之初○中略　又以錢當俸糧者、僅及銀錢三之一、請於承運庫給銀、時中官用事皆不聽」とある。續文獻通考に「而卒艱於發者中官靳之也、觀弘治正德間大學士劉健等、屢奏司鑰庫銅錢該部奏請支用、内官展轉推延、至今不發、是其明證矣」と記す。卽ち司鑰庫給付の銅錢が數に滿たずして每七百銀一兩に當つべき所三分の一に過ぎず、或は展轉推延して發せず、承運庫にて給銀を請ふも之等を掌る中官聽用せざる事情にあつた。司鑰庫給付錢少なきに關聯し、明史食貨史に又「司鑰庫太監龐瑛言、自弘治間権關折銀入承運庫、錢鈔缺乏、支放不給」と記してゐる。明代に於いて銀の流用熾んとなり、課稅にも多く折用さるゝに至つた事は事實であるが、續文獻通考に司鑰庫太監の言を目して司鑰庫太監、忌承運庫之擅利、而請收錢、承運庫太監、忌司鑰庫之擅利、而請收銀(倶正德二年事)」と評してゐる。(7) 配給なくして司鑰庫其他庫貯の制錢多きは前揭の諸議に徵して明かであり、又其後の同じ事實に據つて明白である。錢鈔缺乏とは司鑰庫太監の一遁辭と見らるべきであり、續文獻通考に中官斬之とあるを是認しなければならぬ。是司鑰庫に於ける事實であるが、同書に「如此者不一而足也、京師之病內官爲梗矣、外省誰實爲之日輦轂之下、雖令不從、外省尤鞭長不及、自皆泄泄從事、而詔命多廢格矣」とあるも推想し易き事實であらう。

制錢の流通少なきは既に頒給僅小なりしによる。景泰七年の中兵馬司指揮胡朝鑑の奏に在京の買賣に永樂錢を用ひたる事見え、[8] 又成化丙戌の進士陸容の菽園雜記に「洪武錢民間全不行、予幼時嘗見有之、今復不見一文、蓋銷毀爲器矣」とあり、[9] 弘治二年八月の工部の議にも「今民間洪武等錢倶不用」とある。陸深の燕閑錄に「弘治末京師好錢復不行、而惟行新錢、謂之倒好」とあるが、特に京師近邊にて制錢の多少流通せるものありとするも、或は陸容のいへる如く銷毀して器物とし、或は後にも示す如く丘濬の奏に舊錢を銷して僞錢を造りしと同樣制錢も銷失したらしい。京師に就いていへば弘治頃舊錢制錢の好錢を驅逐して低錢が通用されたので、前掲陸深の書や董穀の書に徵しても察知される。

正德以前の錢法が歷代舊錢と制錢とを同樣に兼行せしめ、而して舊錢は眞樣大樣のそれに制限せず囫圇錢たる限り大小等を論じなかつた。破碎錫鐵の劣錢を除外したるのみで、㘝圇錢中には所謂折二程度の低錢も含まれたであらう事は前に述べた。從つて此等は一律に諸税課等にて兼收しなければならぬ。嘉靖三十三年嘉靖通寶及洪武等の錢、前代雜錢中の上品なるものを毎七文銀一分に准せしめたが、「俄又內庫錢給文武官俸、不論新舊年號及錢美惡、悉以七文折算」とあり、之が爲め市場動搖した。此より前政府は好低錢の通用價値を法定した所であつて、御史何廷鈺の反對となつたのであるが、戶部の覆稱に「其內庫所發錢、由門攤税課而入、原以七文折收、故不宜增數給俸」とある。是明かに㘝圇錢中低錢の存せし事を示し、其税收の尠からざりしを察せしめる。舊錢制錢等の好錢の流通界より消失し、低錢の税收多かりし所に、尠くとも京師を中心として部分的には明朝錢法の齎らせる效果を察すべきものがあらう。

柴氏は洪武錢以下の明朝制錢の配給されず流通せざりし事實を擧げて「洪武以下の錢は何故に好まれなかつたか。種々臆測は立て得られる。然し實證は未捉へ得ない予等はこれだけは姑く遠慮したい。今日では唯好まれなかつたといふ事實さへ認め得れば十分である」とし、永樂以下の制錢の輸入に從つて明の評價をも添へて齎らし、日本にて明朝制錢を嫌忌し惡錢とした事を論ぜられる。制錢輸入、日本國內明錢の通用に就いては後述する所によつて氏の誤解は順次明白となるが、支那にて明朝制錢の流布せざる事實を認め、其原因の捕捉は之を不問に附すとしながらも、當時制錢を好まずして低錢視せりとせられた點に既に氏の想像に蹉跌があらう。

正德頃より低劣なる私鑄錢漸く熾んとなり、明政府にては所謂民情に順應して從來の錢法を次第に改變を加へた。會典によれば「嘉靖三年令戶部出給榜文、曉諭京城內外買賣人等、今後只用好錢、每銀一錢七十文、低錢每銀一百四十文云々」とある。每七十文銀一錢の好錢のみを今後使用すとあるは、恐らく會典四年の條に「令宣課分司收稅、每鈔一貫、折銀三釐、每錢七文、折銀一分、查照應納課稅收送」とあるを參照すると收稅の場合をいふのであらう。全然低錢の使用を禁止するならば、每百四十文銀一錢の法定は凡そ意味をなさぬ。此低錢は既に市間に普通であつた折二錢であつて前錢法の囫圇錢に屬するものである。是より先既に正德元年司鑰庫の支給錢に折二錢新小錢の混入せるを軍衞より訴へて戶部の議に折二錢は出願通り引替へ、新小錢は受領せしむる事が見える。折二錢は市間より見ていふのであつて、新小錢も共に前揭嘉靖三十三年戶部の議に見ゆる如く每七文銀一錢に兼收せるものであるが、折給每に紛擾を惹起したであらう。好低錢の價値法定の動機は直接には先づ此點にあつたであらう。

嘉靖六年十二月戶部尙書鄒文盛は、錢法五事を奏してゐるが、第一遵用制錢・第二嚴禁私鑄・第三嚴禁私販（第三節に說述する）・第四體順民情・第五督收官鑄である。第一は洪武等の制錢通行を見ず在官收貯して民間に發する事なきを以て、司鑰庫より制錢の數を査核して官軍俸粮に折給し、又各監局官吏司府州縣に諭して錢鈔を解納し戸口鹽粮船料商税等に兼收せしめ、以て制錢を民間に轉輸し貿易せしめんとするもので、第五は制錢鑄積多からずして民用に缺き騰貴し易きを以て各省に鑄造せしむると共に直隷・河南・閩廣の舊來私鑄の地に有司をして能鑄の人を取立て好錢のみ輸納せしむるといふのである。第一より第三までは孰れも聽許せられ、最後のものは私鑄地に開爐せしめば奸弊愈滋しとの理由にて採用されなかつた。第四の順應民情とは「言法無事執、便民者爲良、若美惡不分、則混而無制、選擇太精、亦滯而難行、今欲通用好錢、餘宜禁革(誤記あるか)、但小民行之已矣、且使收積者、無所售、怨讟易生、第令私鑄鉛雜錢首之官他、若中等舊錢一百四十文準銀一錢、如輪郭周正而大者半其數、與國朝通寶、隨宜行用、庶民情便安、錢法無阻」と見ゆるもので戸部及科道の參奏に「重治錢禁、私販惟禁私鑄之僞惡者、餘不必禁、所議中錢一百四十、抵好錢七十、奸弊終難禁、革錢法終難流通、自今令市中惟用好錢、以七十文抵銀一錢、與制錢相兼通用、下以是輸納、上以是支放、毋以不堪者混之」とある。即ち鄒文盛は美惡を分たず混用して統制なき結果は揀選甚しく通用阻滯し(是正德以前の錢法に當る)、以て今好錢のみを用ひ他を禁革せんとするも、私鑄の鉛鐵錢を除き中等舊錢は銀一錢百四十文に折し輪郭周正にして大なるものを半數として制錢と兼行せしむるは民情に順應する所以であり錢法に阻害なからしむる法なりといふに對し、戶部科道の奏は私鑄の僞惡のみを禁じて中錢を兼行せしむるは奸弊禁じ難きものとし自今市中好錢のみを使用せしめ制錢と兼用し、輸納官給にも之を充つべきものとしたのである。然るに會典に「嘉靖六年、又令曉諭京城內外行戶人等、今後除私鑄新破鉛鐵等項、首官易買不用外、但係囫圇中様舊錢每一百四十文、准銀一錢、與洪武・永樂等錢、隨便行使」とあれば前者の議が採用されたものらしい。是卽ち正德以前囫圇錢たる限り一律に兼行せしめたるを、民情に順應し民間折二錢卽ち囫圇中様錢を好錢の半價たらしめたるものに外ならぬ。嘉靖三十二年十一月大學士嚴嵩の議に「去歲禁止鉛錫薄錢、止許用本朝制錢、稅課衙門遂專收嘉靖錢、以致錢法不通」とあれば、遂に制錢のみの行用を許し收稅には嘉靖のみ收受する事にした。當時倒七と稱する每七文好錢一文に當つる劣錢さへ橫溢し、前述戶部科道の中錢兼用が奸弊禁じがたきに至るといふ類の見解が强調されたからであらう。而も依然錢法通せず、三十二年十月嘉靖錢七文を以て銀一分に代へ洪武等の制錢及前代雜錢は二倍百四十文たらしめた。然し此は間もなく不當と見られたと見えて翌三十三年三月嘉靖錢及洪武等の制錢及前代雜錢の上品なるものを倶に毎七文銀一分に准じ、其他は錢の高下に準じて毎銀一分十文・十四文・二十一文等に折し、爾餘の私造使用に堪えざる濫錢は一切禁止せしめた。此際内庫の錢を發し新舊美惡を論せず、悉く毎七文銀一分の好錢に准じて官俸に折給したるため、受俸者は此價値を以て市易に臨み混亂を招致した。御史何廷鈺は庫貯の舊錢は前の制定に從ひ其高下により官俸に折給せん事を獻議してたるに對し、戸部は「内庫所發錢、由門攤稅課而入、原以七文折收、故不宜增數給俸」と應せること前に述べた。戸部の言は正德以前の錢法に關する限り、遮般の事實を認めなければならぬ。然るに既に高低錢の法定ありし以上、法規上より見るも明かに不當の處置であり、廷鈺は戸部郞中劉爾牧は自己のために專擅し百姓の急を念せざるを彈劾して爾牧は杖黜せられた。又廷鈺の議を採用し嘉靖錢七文・洪武等の錢十文・前代錢三十文を各銀一分に折せしめた。前代錢を總括的にかく低價に規定せるは、所謂中様舊錢等の含まるゝことを考へらるゝ。

明代に於ける銀流用の發展は別に研究を要する處であるが指標的に二三を記述する。明史食貨志に「嘉靖四年、令宣課分司收税鈔一貫折銀三釐・錢七文折銀一分、是時鈔久不行、錢亦大壅、益專用銀矣」とある。初め鈔法を阻害せしめざらんため、金銀の行用を禁止し、後ち用錢の禁を弛めて錢鈔兼行を屢令したのであるが、鈔法は自ら廢せられて特に嘉隆間以後は銀錢兼收又は兼給の令が頻りに發せられた。隆慶六年四月戶部奏して「由税課徵銀而不徵錢、又民間止用制錢、不用古錢、私鑄者多、眞僞混雜、而訛言搖惑、謂制錢且嚴格不行也、仍請禁濫惡僞錢勿用、其制錢舊錢、俱聽相兼行使、税課房號行戶等銀俱令收錢、民間交易一錢以下止許用錢、如僞造及阻撓低昂價值者重罪之」とある。税課にて銀を徵し錢を徵せずといふ傾向に就いては早く正德間司鑰庫太監の議にも見えてゐるが、萬曆十八年六月御史馮應鳳の通錢法の議に「官給之民、則銀錢參用、民輸之官則盡去其錢、宜通行內外官司一切收支徵解銀錢相兼云々」とあるが對照される。民間私鑄錢が多く流用されるが、又一方「錢亦大壅益專用銀」、とあり此方面からも錢法は梗塞される。前述の如く一錢(銀)以下錢のみ使用せしめ、或は萬曆五年十一月の令の如く各項商價銀八錢二を兼行せしめた。官給にも錢銀兼行せしめ、既に正德三年太倉積錢を官俸に給し錢一銀九の率とし、隆慶六年にも在京文職員折俸に九分を銀一分を錢にて折給したるも、馮應鳳の議より見るも如何程實行されたかは疑しい。萬曆四年十二月給事中絲訓の言に銀庫貯錢累千百萬、壅積何益、宜令百官俸給四分支銀、六分支錢」と見える。

嘉靖以後の制錢は黃銅錢であるが、大體嘉靖・隆慶・萬曆制錢と洪武等の制錢・前代舊錢との錢價法定に若干の區別がある。之等の事實は既に第一節にも觸れてゐるが、黃銅錢は鉛を加味する點より見ても、又重量上より比較しても必しも凡ての前代制錢舊錢に實質價値上優れてゐるとはいへぬ。唯當面の鑄錢費が增大してゐた事は前に述べた。嘉靖間明代制錢の稍や行はれ、萬曆に至つて漸く著しく酌中志にも「世廟神廟享國年久、皷鑄嘉靖・萬曆錢、流行甚廣」と記してゐる。天啓以後錢法の紊亂甚しく、低劣なる私鑄錢と選ぶ所なき制錢が多量に鑄出せられた。

註

1 皇明實錄　武宗　卷之八十三　正德七年春正月庚午

2 續文獻通考　卷之十一

3 明陸深　燕間錄　寶顏堂祕笈本

4　皇明實錄　孝宗　卷之二十九　弘治二年八月甲寅
5　同　卷之一百九十六　弘治十六年二月丙寅
6　同　武宗　卷之二　正德二年八月壬申
7　承運庫に就きては例せば明劉若愚撰酌中志卷之十六に「內承運庫掌印太監一員、近侍僉書十餘員、掌司等官數十員、職掌庫藏在宮內者、曰內東裕庫寶藏庫、皆謂之裏庫、其會極門・寶善門迤東及南城磁器等庫、皆謂之外庫也、凡金銀紗羅紵絲織金閃色綵羢玉帶象牙瑪瑙珠寶珊瑚之類總隷之、又浙江等處、每歲夏秋麥米共折銀一百萬有奇、卽國初所謂折糧銀、今所謂金花銀是也、候解到京于每季仲月、由長安右門入、經進本庫交收」とある。課收の場合銅錢は司鑰庫に銀は承運庫に交收したものである。
8　皇明實錄　景宗　卷之二百六十八　景泰七年秋七月甲申
9　明陸容　菽園雜記　卷十
10　皇明實錄　世宗　卷之八十二　嘉靖六年十二月甲辰

## 第三節　歷代舊錢及私鑄錢の流通

明代を通じ流通せる銅錢の主體は大體に於いて歷代舊錢と私鑄錢であつたといひ得る。歷代舊錢は唐宋元等前朝の鑄錢を本來指す事は明かで單に舊錢又は古錢とも呼び事實は宋錢が大部分であつた。明政府では私鑄行爲を嚴禁したが、私鑄錢は事實上總て禁止したのではない。使用を禁約したのは概していふと破碎錫鐵等の僞錢である。私鑄錢を屢新錢と呼んでゐる。成化十三年六月の刑部の奏に「近歲民間所有新錢、多蘇松・常鎭・抗州・臨淸人鑄造、致四方客商聚集收買、奸弊日滋、阻壞錢法」とあり、會典に嘉靖六年「又令曉諭京城內外商賈及鋪行人等、但有收積新錢、限一月內盡數、赴府縣幷各城兵馬司、出首具呈、戶部照銅價、給與價銀、免其私販之罪云々」とある如きそれである。

新錢とは勿論新鑄の錢といふ意味であるから制錢の場合にも用ふ。萬曆五年二月の江西巡撫藩季馴の奏に「一議舊錢、收買低假舊錢、改鑄新錢」とあるは萬曆通寶を指すこと明瞭で、當該時の制錢を指して新錢と呼ぶ事は往々ある。然るに柴氏は明代の新錢とはすべて明の制錢を指するものと定義して、「舊錢は模造し難い。易きに就いて新錢ばかり造る。(制錢のみ模造する意味)」といひ「前朝の錢は舊錢である。新錢とは舊に對しての制錢である」と記し、更に日本に輸入せられたる明代制錢も新錢と稱したとしておられる。新錢が果して何錢を意味するかを其の場合の事實に就き一も徵證される事はない。思ふに新錢が私鑄錢たる低劣錢を指すこと多く、又一方明代制錢を嫌忌、低劣視したりといふ氏の解釋より出でて、兩者を常に同一物視されたものと思はれる。かゝる推察は又氏の私と相反する立場の一の出發點である。

私鑄が明代初期より引續き行はれた事はいふ迄もない。而して私鑄の熾んであつた地方は景泰七年秋七月の中兵馬指揮司付指揮朝鑑の奏には先づ蘇松が擧げられ、北京にも移入されて「其錢大小不一、俱各雜以錫鐵等」とあり、又成化十三年六月の刑部の奏に蘇松・常鎮・抗州・臨清等が擧げられ、翌年八月の都察院の奏に南直隷・浙江・山東地方があり、又錦衣衛事都指揮同知牛循の奏に河南の許州を擧げてゐる　朝鑑の奏に在京軍匠人等の私鑄行爲を述べてゐるが、嘉靖以後になると開局地の工匠等が僞造を專らにする事が著しくなつてゐる。

當時の低錢と目された中には、前代舊錢の薄小なるもの毀損せるもの乃至前代來の私鑄錢が存せし事は想像し易き事である。正德以前私鑄されて是等の諸錢と共に使用された僞錢とは如何なる種類のものであり、是等を通じて低錢とは如何なる錢位のものが多かつたであらうか。嘉靖十五年九月の巡視五城御史閻鄰等の議に「國朝所用錢幣有二、曰制錢、祖宗列聖及皇上所鑄、如洪武・永樂・嘉靖等通寶是也、次曰舊錢、歷代所鑄、如開元・祥府・大平・淳化等錢是也、百六十年來二錢並用、民咸利之、雖有僞造、不過竊眞售贋、其於原制猶不甚相違也、尓者京師之錢、輕裂薄小、觸手可碎云々」とあり、[1] 近時の僞錢の低劣極まるを述べ、以前の僞造は原制に甚しく相違せざるを記してゐる。明の董穀の碧里雜存に「吾鄉。(謂浙江海鹽) 自國初至弘治以來皆行好錢、每白金一分、准銅錢七枚、無以異也、但揀擇太甚、以青色爲上、正德丁丑[十二]余始遊京師、初至見交易者、皆稱錢爲板兒、怯而問焉、則所使者低惡之錢、以二折一、但取如數、而不視善否、人皆爲良便也、既而南還則吾鄕皆行板兒矣、好錢遂閣不行、不知何以神速如此、既數年板兒復行揀擇、忘其加倍之由、而責如數、自是銀貴而錢賤矣」と記し、板兒なる折二の低錢が京師に行はれ、次いで地方に擴がれる事を述べてゐる[十二]。陸深の燕閒錄に「予少時、見民間所用、皆宋錢、雜以金元錢、謂之好錢、唐錢間有開通元寶、偶忽不用、新鑄者謂之低錢、每二文當好錢一文、人亦兩用之、弘治末京師好錢復不行、而惟行新錢、謂之例好」とある。弘治頃より京師を初めとして例好と稱する折二の新錢が流布せる事が察される。前後を通じ舊錢中にあつて宋錢の通用一般に多かりし事は後にも述べるが、新鑄の低錢は又舊錢を多く模せるものである。丘濬の奏に「凡市肆流行而通使者、皆盜鑄之僞物耳、其文則舊、其器則新、律非無明禁也、彼視之若無、作之者無忌、用之者無疑、銷古以爲今、廢眞而售贋、滔滔皆然、○中略 次勅内帑精選唐宋以來眞錢、如開元太平之類、得百萬發下戶部、分散天下、於闤闠市集所在、用繩聯貫古錢百文、隨所懸掛、以爲式樣、使小民知此樣者、是舊錢、非此樣者、皆俾其具數赴官首告、官爲收之、毎僞錢十斤、量價以新錢六七斤、則民不失利、官得其用、如此則鼓鑄之銅、不求之民而得之矣」とある。[3] 右は即ち舊錢僞造の私鑄錢多き事を示してゐる。而して其僞錢は十斤を以て新錢（此場合新鑄の制錢を指す）六七斤と交換する程度のもの即ち折二錢に近きものであらう。清の高士奇が天祿識餘に「明朝通行歴代好錢、謂之當一、次用新錢、謂之折二、民甚使之、正德十六年吳中驀然不用好錢、惟用折二」とあるは大凡以上の事實を稱するものである。別に私鑄錢には鐵錫破碎があつて之等が更に劣等錢であつた事はいふまでもない。正德以前の明政府の錢法は大體破碎鐵錫等の劣錢を禁じ他は制錢舊錢共に年代遠近大小を論ぜず囫圇錢は皆一律に兼行せしむるにあつた。而して民間一を以て二に折するを嚴禁したるも、「上下違隔、致令民間以二折一、物價騰貴」、或は又「京民上言、前此京師錢價毎銀一錢易錢僅得八十文、錢貴米賤○中略 比因僞錢盛行、銀壹錢增至百八十文、錢賤米貴、揀選太甚」と稱せられた。かくして當時の所謂折二錢が囫圇錢中に含まれ、之を政府が好錢と一律に兼行せしめたものなる事は前に述べた。嘉靖六年私鑄鉛鐵を除き中等舊錢一百四十文を銀一錢に准じて、好錢七十文銀一錢とし兼行せしめたのは、所謂民情に順應したのである。中等の舊錢を又囫圇中樣の低錢と稱し、卽ち折二錢に相當するものである。嘉靖三十三年の錢法に「洪武等年號錢與前代雜錢上品者、倶如嘉靖錢例七文」とあり、又萬曆五年二月潘季馴の奏に「低假舊錢」の語が見えるが、低劣の錢を舊錢と稱するは、舊錢中の薄小のものを指す場合もあつたであらうし、又私鑄が多く舊錢を模したる故である。前述の如き錢法の結果正德以前折二錢等の低錢が當然諸稅等に兼收せられたのであつて、嘉靖三十二年十一月大學士嚴嵩は「聞內庫貯積本朝制錢甚多、其前代雜字舊錢大板兒等項、亦恐年久浥爛」とて、該庫の錢の査發を請ひ、翌年「俄又內庫錢給文武官俸、不論新舊年號及錢美惡、悉以七文折算」とて在庫錢を發し、延鈺の反對となり戶部の之等內庫錢はすべて七文を以て折收したる事を以て應へた事は前に述べた。正德六年二月李鐸の錢法議は、「請時新鑄低錢倒好皮棍等項名色盡革不用」とて從來の折二錢等を兼行せしむるを改變し、從つて使用すべきものは「將洪武・永樂・洪凞（續文獻通考に二字衍かとしてゐる）宣德・弘治通寶及歷代眞正大樣舊錢」のみに限つたのである。倒好といひ板兒といひ折二錢にて囫圇錢に包含されし事は、前述する所によつて想察し得るであらう。

柴氏は「舊錢は模造し難い。易きに就いて新錢ばかりを作る。私鑄新錢は世に多く出た。さうすると舊錢が好まれて新錢はます〳〵嫌はれる」とて新錢（制錢の意に氏は用ひられてゐる）のみを僞造し其結果新錢を益々嫌ふことを想像してゐられる。制錢の僞造も勿論あつたであらうが、舊錢僞造の多かりし事史乘に徴し明かである。舊錢は模造し難く制錢は易しとは如何なる理由であるか。官鑄に從事せるものが私鑄を行ふからだといはれるが、官鑄匠工の私鑄は一部分を占むるに過ぎず、而も官鑄と私鑄は異なれる條件の下に行はれる事はいふまでもない。制錢の流布少なく舊錢の流通が主である當時に於いて舊錢の僞錢多きこと寧ろ自然である。制錢の僞造易く、易きにつき多しといふ特別の理由もなければ史實もない。舊錢は模造せず、制錢のみ模造するとは如何なる實證によられたるか。以上新錢の解釋、制錢を嫌ふといふ說、制錢の模造多しといふ考案は全く私の承服し難い所である。

折二錢以下の低劣錢の私鑄は正德嘉靖間より次第に熾んとなつた。正德七年春正月司禮監太監張永の奏に「時私鑄之弊歲久、難變正、有以四折一、惡爛不堪者曰例四、亦盛行云」とあり、例四と稱する四文を以て一文に折する劣錢の行はれたる事を記してゐる。前引碧里雜存に正德十二年頃板兒錢が京師に行はれ、數年後の正德末年には板兒錢の揀選又甚しくなつたと稱し、板兒以下の劣錢の混用されし事を察せしめる、嘉靖十二年四月には直隷の奸民が薄小鉛爛等の錢を僞造して、道三・道五・折六・折七等の名を以て呼びそれ〳〵三文・五文・六文・七文を以て一文に通用せる事が見えり、同十五年九月の巡視五城御史閻隣等の議に「尒者京師之錢輕裂薄小、觸手可碎字文、雖存而黠畫莫辨、甚則不用銅而用鉛鐵、不以鑄而以剪裁、粗具内好、卽名曰錢、每三百文直銀一錢耳、作之者無忌、用之者不疑、而制錢舊錢返爲壅遏」とある。燕間錄に「正德中則有倒三・倒四、而盜鑄者蜂起矣、嘉靖以來有五・六至九・十者、而裁鉛剪紙之濫極矣」といへるは右の事實をいへるものである。嘉靖三十三年に一方私鑄は依然として嚴禁しながらも、嘉靖錢・洪武等の制錢及前代雜錢中の上品なるものを倶に銀一分に七文、其他は錢の高下に從つて十文・十四文・二十一文と定めたる如きは或る程度迄は民情に順應せざるを得なかつたからである。

嘉靖六年十二月の戸部尙書鄒文盛の議に「豪商巨賈依憑勢、要往來内外、或收買新錢、或收積好錢、乘其匱乏、因時販賣、倏忽變更、展轉財利、夫以匹夫之財而執泉貨低昂之權」とあるが、事實豪商巨賈の手に錢價の支配さるゝ事も多かつたであらう。

かくの如き私鑄劣錢の濫出の結果、好錢たる舊錢制錢の流通を壅塞し、或は銷鎔するものが尠くなかつた。前掲丘濬の奏に舊錢の銷鎔の事が見えるが、嘉靖三十二年には舊錢銷鎔者は盜鑄の例を以て科斷せしむる事を令してゐる。かく舊錢の銷鎔を主として記さるゝは、好錢としての舊錢流通が制錢に比して多かつた事を又察せしむるものである。何喬遠の名山藏に「今海內所在多用宋錢、可見宋錢精且多」とある。[5] 顧炎武の日知錄に「予幼時見市錢、多南宋年號、後至北方見多汴宋年號、眞行草字體皆備、間有一二唐錢、自天啓崇禎廣置錢局、括古錢以充廢銅、於是市人皆擯古錢不用」とある。天啓崇禎間多くの舊錢を廢毀して制錢の銅料とし、制錢の量質は低下して民間私鑄の劣錢と撰ぶ所なく益其濫發を誘起することゝなつた。

明代銅錢の種品或は流通狀態が地方によつて一樣でなく極めて領域的のものである事を知るを要とする。是は單り明代に限らず、又銅錢に於いてのみでなく一般社會經濟事情に於いてもそうであつた。宣德十年十二月の梧州知府李本の奏に「律載寶鈔與錢兼行、今兩廣交易用錢、卽問違禁、民多不便」と述べており、丘濬の奏には「自國初以來有銀禁、恐其或閡錢鈔也、而錢之用不出於閩廣、宣德正統以後、錢始用於西北也」と見える。[6] 丘濬は別に「直隸・河南・閩廣舊當私鑄之地」といつており、[7] 大體錢貨流通の盛んなる地方に私鑄の行はるゝは當然であらう。景泰以來私鑄の熾んなるは第一に浙江地方が擧げられ、前記地方の外に山東があり、又勿論兩京地方の然るはいふまでもない。此等は孰れも錢貨通行の地域である。顧炎武は閩中の錢に就きて次の如く記してゐる。

我朝錢法遇改元、卽隨年號、各鑄造通用、但民間使用則隨其俗、如閩中福興汀邵福寧、皆不用錢、漳泉延建間用之、泉漳所用之錢與延建異、泉又與漳異、或以七八文、或以五六文而各准銀一分、漳郡如龍巖漳平亦不用錢、其同俗者龍溪諸縣、而諸縣所用、又有美惡不齊、詔安極精、漳浦次之、龍溪則極惡亦用之、又非時制錢、乃宋諸年號民間盜鑄傳用者、而又年一度、以吾一邑言、嘉靖三年四年用元豐錢、七年八年廢元豐而用元祐錢、九年十年廢元祐錢而用元聖錢、十三・十四年廢元聖錢而用崇寧之當三・熙寧之折二錢、萬曆三年廢崇寧錢專用熙寧錢、五年廢熙寧錢而用萬曆制錢、方一年而萬曆錢又置不用、用者以低銅而已（萬曆錢厚估一文直銀一釐、今三文准銀一釐）其用之也、民間惟藏錢、凡田宅蔬菜之屬皆用錢交易、契券亦以鑄書、鄉村自少至老有不識銀、一村之中、求一銀秤無有也、及其廢而之他也、郎官府屢禁不能挽之、曰每一更變則藏錢者輒廢棄爲銅云、今民間皆用銀、雖民間亦有銀秤8)

顧氏の記載實狀を陳して出色、寔に有用の文字たるを思はしめる。福建內の諸郡縣に於いても流通の錢種錢品を異にし、而も數年乃至一兩年にして是を異にする。それ等は宋朝年號を有する僞錢であつて制錢ではなかつた。而も顧氏の邑里に就いて更に擴大して見れば嘉靖以來宋朝年號の錢が二三年にして交代する。是僞錢なるが故である。其中には崇寧之當三、熙寧之折二の類があり、之は或は大錢のそれをいふのであるか、或は高士奇の天祿識餘に「正德十六年吳中驀然、不用好錢、惟用折二、嘉靖改元則用折三・折四惡錢、由是私鑄者日甚」といふ類のそれかは明かでない。萬曆五年新鑄の萬曆制錢が通用したが、間もなく退けられ、毎一文銀一釐の厚美なる萬曆制錢に對して其三分の一の價値に當る萬曆の低錢が通用されたといふ。思ふに之は萬曆の僞錢であらう。五雜俎に「今天下交易所通行者錢與銀耳、用錢便於貧民、然所聚之處人多以賭廢業、京師水衡日鑄十餘萬錢、所行不過北至盧龍南至德州方二千餘里耳、而錢不加多何也、山東銀錢雜用、其錢皆用宋年號者、毎二可當新錢之一、而新錢廢不用、然宋錢無鑄者、多從土中掘出之、所得幾何、終歲用之而錢亦不加少又何也、南部雖鑄錢而不甚多、其錢差薄於京師者、而民間或有私鑄之盜、閩廣絕不用錢而用銀、低假市肆作姦、尤可恨也」と見ゆ。山東にて制錢行はれず宋年號の錢を皆用ひ、二文を以て新錢一文に折したといふ。此場合新錢は私鑄の低錢をいふのでなく萬曆制錢を指してゐる。此等の宋錢は僞錢が多かつたものと思はれる。閩廣地方では萬曆天啓の間銀通用が一般化し錢が殆んど廢せられた事は前掲二書に見える。名山藏に閩廣之間則銀從西南夷來」とあるが、是より先嘉靖間より閩廣沿岸に日本及印度等の銀が尠からず輸入せられ、稍や遲れて隆萬以後西班牙銀が將來さるゝ事亦多かつた。是等が明代に於ける銀流用の傾向を增大せしむるに至つた事に就いては私も亦他日論及してみたいと思ふ。

註

1 皇明實錄　世宗　卷之一百九十二　嘉靖十五年九月甲子

2 明黃穀　碧里雜存　板兒　寶顏堂祕笈本

3 皇明名臣經濟錄　卷之二十四　銅楮之幣一

4 皇明實錄　世宗　卷之一百四十九　嘉靖十二年四月丙子

5 何喬遠　名山藏　卷之六十六　錢法記

同樣の事を記したものは、例せば新學顏の錢穀論の中に「用錢之多鑄錢之盛者、尤莫如宋、○中略　今去宋不遠、故所用錢多宋之物」と述べてゐる。（古今圖書集成、經濟彙編食貨典第三百五十八、錢鈔部藝文二ノ三）

6 皇明名臣經濟錄　銅楮之幣二

7 前引、嘉靖六年十二月甲辰　鄒文盛奏文中督收官鑄の條に見ゆ。

8　顧災賦　天下郡國利病書　卷九十四　福建四漳浦縣

9　陳留謝肇淛著　五雜俎　卷十二

# 第二章　日明關係と銅錢の輸入

## 第一節　遣明船貿易と銅錢の輸入

應永年間の遣明船は幕府の經營せるものが多く、明からも之に應ふる使船が必ず來朝した。遣明船には國王獻進物として馬・鎧・刀劔・水晶・硫黃等を齎らしてをり、明からは頒賜物として絹衣・紵羅・錢鈔・各種の器物等を給與してゐる。明會典番貨價値の條に「凡番國進貢內、國王王妃及使臣等附至物貨、以十分爲率、五分抽分入官、五分給與還價値、必以錢鈔相兼、國王王妃錢六分鈔四分、使臣人等錢四分鈔六分、又以物折還、鈔一百貫銅錢五串九十五貫折物、以次增、皆如其數、如奉旨特免抽分者不爲例」とあり、更に又給賜日本國の部に「一、正貢例不給價、正副使自進幷官收買、附來物貨俱給價、不堪者令自貿易」と見える。正貢物に對しては價値を折給して純然たる貿易品として處置したのではない。而して正貢に對して頒賜があるので、之又一の貿易と見る事が出來る。この國王獻進物に對する頒賜物の交易關係が、應永年間遣明船貿易時代の文獻では殆んど全面的に示されたるものである。勿論此時代とても直接「官收買」や「令自貿易」を目的とする國王附進物・使臣附進物として商品を尠からず舶載されたであらうといふ事は察せられる。吉田家日次記に應永十年二月「自兵庫來月三日可乘船云々、種々兵具以下被遣之、此次亦爲商賣、諸大名沙汰遣之」とあり、此等諸大名出資の商品は附進物として齎らされたものとも思はるゝ。實錄に「禮部尙書李至剛奏、日本國遣使○堅中圭密等入貢、已至寧波府、凡番役入中國、不得私載軍器刀槊之類鬻於民、且有禁令、宜命有司會檢番舶中、有兵器刀槊之類封送京師」とあり、又「上曰、無所鬻則官爲準中國之直市之、毋拘法禁以失朝廷寬大之意、且阻遠人歸慕之心」とある如きは、正貢以外の貿易を目的とせる刀劍の舶載せるを示し、兵器刀槊類は民間市易の禁止品たるを以て、明政府にて國王使臣の附進物として會典規定に見ゆる如く市價に准じて官にて收買せしめたのである。應永八年足利義滿の遣明船に始まる日支の交渉は、此以前の住吉船や建仁寺船が商舶たるに止つたると異なり、新に開始された國交船であつた事は故三浦博士の指摘せられたる所である。遣明船が入貢の形式をとり、名分上甚だ遺憾なるものがあつたが、かやうな形式の國交として見る時は應永期にては彼我の應接、使船の來朝等其姿態を比較的整備せしものといふ事も出來る。永享以後の遣明船にては大名寺社より進んで商人資本の注入が發展して全面的となり、國王附進物・使臣附進物の名にて舶載されたものが極めて大量となり、之等は個別に折價せられて官にて收買し、又私易を許さるゝ純然たる貿易品であつた。かくて先づ應永年間の遣明船貿易による銅錢の輸入は多く頒賜品として行はれたる事を知る。應永十一年（永樂二年）の明室を正使とする遣明船に際し「命禮部賜王鈔錢綵幣」とあり[2]、翌年の源通賢等の使せるに對して使船を派して「上嘉之、命禮部宴賚其使、遣鴻臚寺少卿潘陽内官王進等、賜王九章冕服鈔五十錠・錢千五百緡・織金文綺紗羅絹三百七十八疋」とある[3]。應永十三年八月兵庫發の圭密等の船は翌年五月明都に着し銀一千兩銅錢一萬五千貫等を賜はり[4]、次船は同じく圭密を使として永樂六年（應永十五年）五月明都に到つてゐるが「賜圭密鈔百錠錢十萬綵幣五云々」とある[5]。後の場合は正使圭密に賜つた分であるが錢十萬は十萬文卽ち百貫である。應永十七年四月圭密等は明都に入り故義滿の謚及襲嗣を賜はりたるを謝したるに對し、翌年

二月中官王進を使として「賚勅賜日本國王源義持金織文綺紗羅綾絹百匹・錢五十緡」と見える。(6)

前述の如く永享以後の遣明船では國王附進物・使臣附進物を名とする商品の搭載が著しくなり貿易額は一般に增大せる事が察せらるゝ。幕府船の他に社船大名船があり、寛正以後は大內細川等の大名船が多くを占めてゐるが、商品は勿論の事使船の調達等にも博多・堺等の商人資本の注入が益大となつた。寶德の遣明船でも抽分錢を以て商人の貨物舶載を許可する等の事が行はれてゐるが、寛正以後には商人をして一定の金額にて使船を請負はしむる事さへあつた。故に此時期では附進物を名とする貿易に於て銅錢輸入が注意さるゝのであるが、猶頒賜物としての銅錢給與に就いて一瞥すべきものがある。卽ち將軍義政の如きは前代と異なり自ら覔むるの態度を露骨にして國書中にも屢銅錢の賜給を請願してゐる。寛正五年の遣明船に際しては國書中に「書籍銅錢仰之上國、其來久矣、今求二物、伏希奏達、以滿所欲、書目見于左方、永樂年間多給銅錢、近無此擧、故今庫索然、何以利民欽詩周急」とある。（善隣國寶記）文明五年正月右の船の正使淸啓等北京を辭するに當り綵絹紗羅錦銀等を賜つたが銅錢の頒賜なく、又がて桂菴玄樹の乘座する第三號船が海上風波に遭ひ方物を喪失せりとて「如數給價、回國庶王不見不」とて乞ふ所あつたので、特に義政へ絹一百疋綵段十表を頒賜せしめた。玄樹は猶銅錢五千貫を請ふて已まず遂に五百貫を給付された。義政は又文明八年堺を出帆せる遣明船にも、公庫の索然たるを告げて永樂の事例により銅錢の賜給を乞ふ旨の記載ある國書を附した。(善隣國寶記中卷)明では永樂の事例を要照するも給賜の例なしとて拒絶したが、正使笠芳清蓑の加表奏請したる結果銀錦段及書籍法苑珠林の他に銅錢五百貫を給付してゐる。文明十五年周璋等の使せる際も銅錢十萬貫を請ひ「抑弊邑久承焚蕩之餘、銅錢掃地而盡、官庫空虛、何以利民」と述べてゐるが、(補庵京華別集)此使船に對する續善隣國寶記收載の明の國書並に別幅にも銅錢の事見えず、此要請は勿論容認せられなかつたであらう。かく此時期には頒賜物としての銅錢の給付は殆んど無かつたものと思はれるのである。幕府の覓索甚だ切なるものあつたに拘はらず、常に銅錢頒賜を拒否し僅かに正使等の奔命により數百貫を給與する程度であつた。此時期の銅錢輸入は遣明船貿易の主體を成す附進物貿易に就いて見なければならぬ。

龍室道淵を正使とする遣明船の一行は永享五年(宣德八年)五月北京に到着してゐる。此船の附進物に就き實錄に左の如く記してゐる。

宣德八年賜例、蘇木硫黃每斤鈔一貫、紅銅每斤三百文、刀劍每把十貫、鎗每條三貫、扇每把・火筋每雙俱三百文、抹金銅銚每個六貫、花硯每個・小帶刀每把・印花鹿皮每張俱五百文、黑漆泥金灑金嵌羅甸花大小方圓香盒箱幷香壘等物器皿每個八百文、貼金灑金硯匣笄硯銅水滴每副二貫、折支絹布、每鈔一百貫絹一疋、五十貫布一疋、當時所貢以斤計者硫黃僅二萬二千、蘇木僅一萬六百、生紅銅僅四千三百、以把計者袞刀僅二、腰刀僅三千五十耳

明では附進物の折價に鈔を以て行ふに際して次の寶德の遣明船の場合を參照するに事實鈔一貫につき錢一貫・鈔百貫につき絹一疋・鈔五十貫につき布一疋とし、此三種を以て給付したるものゝ如くである。永享の遣明船の場合を見るに銅・硫黃・刀劍・蘇木の主要なる貿易品の折價は鈔にて合計六萬四千三百九十貫となる。[9]

大乘院寺社雜事記文明五年六月十七日の條に西忍入道の話として「然則日本國ヱ御返報ノ料足以下每度如昔代於南京ノ御藏ヨリ取出テ渡給之、永享ノ渡モ今度寶德後ニモ料足六萬貫叚子五百反於南京邊テ請取畢云々」とある。銅・硫黃・刀劍・蘇木を除く商品の額は幾何にも達しなかつたであらう事は察するに難くないが、

西忍入道のいふ永享度の渡航を此時のものとすると六萬貫を銅錢にて他を絹布に折給する事として段子五百反等を給付せられたのであらう。後にも述べる如く銅錢・絹布の鈔に對する折價には不當なる點があるので、右の給價收受にも幾多の曲折もあつたであらうが詳知し得ない。

次の永享六年の遣明船の附進物は刀劍三千把其他醍醐寺山名氏の寄合船に若干の硫黃を積んだと思はるゝ他に他の物貨に就いては不明であるが、次の寶德三年の船の給價の議に宣德十年の例による等の事も見えて同樣の商品は勿論齎されたものであらう。寶德三年の遣明船は東洋允澎を正使として合計十艘(第五號船島津氏の船は渡航せず)で此際の舶貨に就いては實錄に「今所貢硫黃三十六萬四千四百、蘇木一十萬六千、生紅銅一十五萬二千有奇、袞刀四百一十七、腰刀九千四百八十三、(宣德八年)其餘紙扇箱盒等物比舊倶增數十倍、蓋緣舊日獲利而去、故今倍利而來、若如前例給直、除折絹布外、其銅錢總二十一萬七千七百三十二貫一百文、時直銀二十一萬七千七百三十二兩有奇矣」とある。此主要なる舶貨の數量は大乘院日記目錄に記されたるものと吻合する。然るに以上の給價は時直に違ひ甚だ高價なりとて禮部より有司の申告に基き奏請して之を改めた。「有司言、

時直生紅銅毎斤銀六分、蘇木大者銀八分、小者銀五分、硫黄熟者銀五分、生者三分、臣等議、蘇木不分大小、俱給銀七分、硫黄不分生熟俱五分、生紅銅六分、共銀三萬四千七百九十兩直銅錢三萬四千七百九十貫、刀劍毎把給鈔六貫、鎗毎條二貫、抹金銅銚毎個四貫、漆器皿毎個六百文、硯匣毎副一貫五百文、通計折鈔絹二百二十九疋、折鈔布四百五十九疋、錢五萬一百一十八貫、其馬二疋如瓦剌下等馬例、給紵絲一疋絹九疋」。之を表記すると次の如くなる。

| | | | | |
|---|---|---|---|---|
| 蘇木 | 一斤につき | 銀七分 | 一〇六、〇〇〇斤 | 七、四二〇兩 |
| 銅 | | 銀六分 | 一五二、〇〇〇有奇 | 九、一二〇 |
| 硫黄 | | 銀五分 | 三六四、四〇〇 | 一八、二二〇 |
| 計 | | (錢三四、七六〇貫) | | 三四、七六〇 |
| 刀劍 | 一把につき | 鈔六貫 | (袞刀 四一七 腰刀 九、四八三) | 五九、四〇〇貫 |
| 鎗 | | 鈔二貫 | 五一 | 一〇二 |
| 抹金銅銚 | 一個につき | 鈔四貫 | 不明 | 不明 |
| 漆器皿 | | 鈔〇、六貫 | 六三四 (大乗院日記目録に蒔絵物大小六三四包とあり) | 不明 |
| 硯匣 | | 鈔一、五貫 | | |

| | | | |
|---|---|---|---|
| 扇 | 不明 | 一二五〇 | 二五六　不明 |

通計

折絹　二二九疋――鈔二、二九〇〇貫
折鈔布　四五九疋――鈔二、二九五〇貫
銅錢　五、〇一一八貫

錢一貫鈔一貫として計算すると通計して九五、九六八貫であり、蘇木・銅・硫黃・刀劍・鎗にて計九四、二六二貫に達する。從つて其他抹金銅銚等の物價は計一五〇六貫となるが、之は其數量價格より見て肯かるゝのである。給價に銅錢にて給付せらるゝと絹布にて折給せらるゝとは非常の差がある。此給價差定は景泰四年十二月二日の條に見え、正使允澎の入唐記には翌年正月六日の條に禮部給日本番價直とあり、二月一日の條に方物給價の增賜を請ひ、其後宣德八年の事例によらざれば歸國せずと主張し、遂に禮部は宣德十年の例に準じて給價せんことを達したるも綱司より猶十年の例にては回國後誅戮さるゝ旨を陳して訴へてゐる。一方實錄では正月十二日に允澎奏して附塔物件價値が宣德年間に比して十分の一なる事を述べて給賞を乞ひ、遂に特に銅錢一萬貫を加給し、猶允澎等請ふて已まざるを以て更に絹五百疋布一千疋を增賜せしめた事を記してゐる。允澎等は二月廿八日北京を辭して四月廿二日石城橋に至り翌日硫黄銅子若干の返還を受けて廿六日太監より給價新錢三千萬卽ち三萬貫廿七日に紗絹子五十端、翌月十六日吳山驛に泊して十七日阮太監より給價同じく三萬貫を得てゐる。前揭大乘院寺社雜事記の記載及臥雲日件錄に六萬貫を得たる事を記すと略ぼ合する。大乘院日記目錄享德三年十月十三日の條に唐船歸朝宣德錢到來とあるが、允澎の入唐記に石城橋にて取受せる銅錢に注して新錢三千萬宣德分とあり、此時宣德通寶が多く舶載されたらしい。

かくの如く舶載貨を銀錢及鈔にて折價し、錢の他に折鈔絹布を給するは收受者にとつては甚だ不當であつた。卽ち鈔錢の割合にては寶鈔發行當時の鈔一貫錢千文の法定を適用したらしいが、折鈔絹布は恐らく鈔の時直によつたものである。而して舶貨の折價は時直を參酌したのであつて鈔一貫錢一貫銀一兩を同價として之を以て評價したる事は前述の記錄によつて窺はるゝが、價給するに當つて低落せる鈔價を以て絹布に折したる事は不當なるものがある。

洪武八年大明寶鈔の發行以來明政府は手段を盡して其流用を計つたるも行はれずして、其法定價は暴落し永樂五年には米一石鈔三十貫・大絹毎疋鈔五十貫・小絹毎疋鈔三十貫・大綿布毎疋鈔三十貫・小綿布毎疋鈔二十五貫・金毎兩鈔四百貫・銀毎兩鈔八十貫に准折して課税に收鈔せしめた。當時大體銀一兩錢一貫に折するを普通とするが故に錢一貫鈔八十貫である。宣德の初めに米一石は鈔五十貫に折用せしめ、成化元年には內外課稅錢鈔中半兼收して鈔一貫錢四文に折せしめ、同六年には各處の船料鈔一貫錢二文として折收せしめた。以上錢に對する鈔の比價は永樂五年八十分の一、成化元年二百五十分の一、同六年五百分の一に暴落してゐる。明史食貨志に憲宗の時「內外課稅錢鈔兼收、官俸軍餉亦兼支錢鈔、當是時鈔一貫不能直錢一文」とある。之を以て見れば宣德景泰間絹一疋折鈔百貫・布一疋折鈔五十貫は永樂五年の鈔價差定に比し大凡半減せるもので時直に順ぜるものであらう。然るに例せば刀劍一把鈔六貫の差定は、鈔錢同價として時直を參酌せるものと見ざるを得ず、而して一方給價に際し鈔の時價により絹布を折給するは甚だ不當である。之を事實に就いて考ふるに、永享四年の遣明船の場合、假に西忍入道の談に見ゆる永享度の渡船が之に當るものとすれば大部は銅錢にて價給されたるものと見らるべく、寶德三年の場合は銅錢折絹布約半々に差定せられ、正使允澎の强硬なる要請の結果銅錢一萬貫、絹五百疋、布一千疋等の增給あつたるものゝ如くである。寶德度の船貨は物價自體が前年に比し甚だ低廉に差定されたる他に、前述の如き折鈔絹布の給價は甚だ不利であつた事情が考へられる。明政府が折鈔絹布の不當なる法をとつたる事情に就いては、前揭會典の給賜日本國の部には「正副使自進幷官收買、附來物貨、俱給價」とあつて給價の法を明示しないが、番貨價値の條には「國王妃及使臣等附至物貨、以十分爲率、五分抽分入官、五分給與、還價値、必以錢鈔相兼、國王王妃錢六分鈔四分、使臣人等四分鈔六分云々」とあるを參考すべきである。應永年間の幕府への頒賜物には錢鈔共にするを常としたが、當時入貢諸國に對する頒賜又同樣であつた。日本の國王附進物等には抽分を特赦したが、錢鈔兼給せしめたるは入貢國視したる中國の態度であつたのであらう。絹布等他物を以て折鈔給付せしむる事は他邦人に對する處置とも見らるゝのであるが、此の場合時直の鈔價にて折給するは貿易の過大と財貨の流出とを顧慮する手段としか考へられぬ。

應仁二年五月に寧波に渡航せる天與淸啓を正使とする三隻の遣明船の刀劍類の給價に就き左の如く見える。

禮部奏、日本國所貢刀劍之屬、例以錢絹紵直、自來皆酌時宜、以增損其數、況近時錢鈔價値貴賤相遠、今會議所賞之銀以兩計之、以至三萬八千餘矣、不爲不多也、而使臣淸啓猶援例爭論不已、是則雖傾府庫之貯、亦難滿其溪壑之欲矣、宜裁節以抑其貪、

上是之、仍令通事諭之、勿使復然

成化年間に至り鈔價の暴落は前述の如く甚しく錢鈔價値の懸隔は大となり之を宣德間に比するも約十倍となつてゐる。流石に鈔を以て折給するは忍びざる所であり、銀を以て賞給する事とし三萬八千餘兩と差定した。是刀劍を主とする給價なる事は右の記錄に明かであるが、此差定に對して淸啓の不滿甚しく其要求と餘程懸隔ありし事が察せられる。全部を以て銀にて折價する事は明にて事實上從來に比して相當の犧牲たるを以て、思ふに差定價直自體に可成の減殺ありしやを疑はしめる。此際の附進物に就きては扇子・刀劍・銅・硫黃等の「公方樣御

商物分」が戊子入明記に載せてゐるが、壬申入明記では刀劍はすべて三萬把一把三千文の價格であつたといふ。果して然りとすれば刀劍は民間市貿を嚴禁し官收買せるものにて此價格九萬貫に達するであらう。銀三萬八千餘兩は從來の例によれば錢三萬八千餘貫、又銀錢時直によれば大體三萬餘貫となるであらう。[11] 正使淸啓等の要請の結果若干の增賜ありとするも其二倍三倍の加給ある事は前例に徵しても到底有り得べきでない。實錄の記載の不備なるかを疑ふ前に或は壬申入明記の記載を吟味する要がある。

入明記では官收買に就いてのみ論じてゐるのであるから、此書の事實を檢討するに當つて私易ありしやを想像する必要は予め存せぬのである。了菴桂悟は永正八年九月三隻の遣明船の正使として寧波に著いたが、同船には刀劍八千本を携へてゐた。實錄に正德七年（永正九年）二月義澄の遣使馬鐙太刀諸方物を貢する事が見えるが、明にては附進物刀劍は三千本のみを收め代價は三百文を給する事としたるを以て、桂悟は同年五月上京の途次書を上つてその數と代價との增加を請ふてゐる。彼は再三書を呈して刀劍收買の事を交渉してゐるが、壬申入明記によれば次の如き强硬な意見を陳してゐる。

先時
上國重我國王有能滅海寇之功、優寵之盛莫可言、姑擧近年例以言之、假如成化五年、進納三萬餘把、十九年進納三萬七千把、以上年中進京三百餘人、收力數萬餘把、每把賜舊錢三千文、弘治八年收刀七千、每把賜舊錢一千八百者、此是當時使臣壽蓂等、犯罪科於濟寧也、悟等今領國王附進太刀七千來者、遵弘治八年例事載別幅、〇中略收刀三千、毎把賜新舊錢三百、使臣人等衣裳皆單薄無裏、與前例減剋變異之極、悟等所不審迷惑甚矣、又使臣自正副使至從僧通事、自進刀劍共九百八十把、亦古來使臣籍乎朝皇之禮不可廢也、況亦未曾進納、以上條々之事、因今不得赴京而闕奏陳、已於禮部再三呈短疏不敢收賜物、必欲請明降、然後敢領、禮部面令曰、爾可往浙江告之、豈誰言也、如今雖蒙布政司臬下嚴令督責、決不敢收有不愁訴決斷明白收領歸國、必各被國王斬首可知矣、豈不可憐憫乎、或者 上國嫌厭往來之繁、一旦棄小國積世禁賊之功、欲顯拒絶之意、變例如此、則恐失我國王之心廢職貢之事、他日海寇鬨風復集、其罪誰當、伏願奏達 神聖皇帝、垂堯舜之仁、宥萬死之罪、賜復舊規一則可釋使臣之死、二則可使國王世々稱臣奉貢不絶、如或舊例不復、是決欲絶貢事也、三千刀價則一文不敢收、洋々而去

明にては遂に國王附進物及使臣自進物共に收買する事を認めたが、刀價は弘治年間壽蓂正使の際の遣明船の例による事とした。然るに弘治八年には千八百文であつたが、九年には三百文であり、九年の例によるといふので桂悟は更に强硬に訴ふる所あつて結局單價千八百文にてすべて收買さるゝ事となつたらしい。桂悟が刀價と收買數の加增を要請するために前例の寬厚なる事を主張するの餘り、多少事實を取捨し、又は枉げたる氣味の存するとするも敢て無理ではあるまい。[12] 鹿苑日錄收載の東歸和尙の談に「普廣相公之時唐之價(刀)者初者千疋、中者五百疋、後者二貫五百文也、其謂者所遣之太刀或有名者也、裝束亦費其工、次第減價以遣焉、故唐之代(刀)亦次第減也、今則太刀惡、而其數太多、故五百三百之代唐(刀代)辨之、不然則不受焉」とあるが、後者二貫五百文とは淸啓正使の遣明船舶載の場合を併せ指したであらうし、[13] 今は刀數多く五百・三百文ならでは收買せずといふは彼の渡航せる文明十五年出帆の遣明船の經驗に基くものであらう。壬申入明記に成化五年の給價每把三貫文とあるは其間多少の差あり、又同十九年同じく給價三貫文とあるは、更に桂悟以上の强硬なる接涉によつた結果であらうか。尠くとも成化五年の給價每三千文進納三萬餘把とある入明記の記載は實錄の折價に照し、猶顧慮すべきものがあら

うと思ふ。

清啓の渡航以來永正八年の遣明船に至るまでに舶載されし刀劍數は壬申入明記以外に之を徴すべきものを缺くが、天文八年の遣明船には二萬四千百五十二把を積みし事が下行價銀帳幷驛程錄に見える。此等は何れも國王附進物の刀數である。最後の天文十六年の船の刀價は大明譜に百疋卽ち一貫文なりし事を記してゐる。又此間の遣明船の齎らせる舶貨の數量價格に就き全體として勿論明白でない。硫黃の如きは淸啓の時進貢物一萬斤の他に附進物三萬斤を積めるのみで、其後の遣明船には進貢物一萬斤の外に硫黃の舶載は一切記されてゐない銅は天文八年の船に二十九萬八千五百斤を積んでおり、硫黃に反して彼地では好調の輸出品であつた。其他漆器類・扇子等の輸出があり、蘇木が又重要な商品であつた。

以上の如き物貨の貿易と銅錢の輸入に關聯して猶考ふべき事がある。前述の如く寶德年間の遣明船に至るまでは附進物が殆んど官貿易せられたる事が考へられ、給付物たる銅錢も亦多く其儘齎らされたるが如くである。更に溯つて應永間の遣明船に於ては幕　又は寺社の修營等の資を得るを目的として錢貨乃至は折鈔絹布其他の頒賜物にて一應足るべき向もあつた。然るに商人資本の注入が全面的となり、遂に一定額を以て之を受切るに至つては利得の方途の上に更に發展すべきものがある。即ち有利な我が商品を單に錢貨に代ゆるのみでなく、支那商品の博買を增加して其利を倍增せしむる事である。既に永享寶徳の遣明船にて渡航せりといふ楠葉入道の談に「唐船之理(利)ハ不可過生絲也、唐絲一斤二百五十目也、日本代五貫文也、於西國備前備中銅一駄代十貫文也、於唐土明州雲州絲ニ成者四十貫五十貫ニ成者云々、又金一棹十兩ハ三十貫文也、成絲者百二十貫或百五十貫ニ成也」とて生絲の貿易の我に大利ある事を述べ、又同じく寶徳三年の遣明船中天龍寺船は船・進物を博多商人に調達せしめ、同商人の貨物舶載貿易を許して歸朝の際搭載貨を時直に見積りて十分の一を抽分し、大友船も商人に受負しめて歸朝の際搭載貨の價直を定め十分の一の抽分錢を徵することゝし三割を特減したりと見ゆる如きは、孰れも支那商品の輸入されしものあるを察せしめる。明應八年の東歸和尙の談に「而或絲或綾羅、擇其好者買之、相殘者以高價而著其物矣、又日本人往而買之、則唐人以高價而賣之、其物者惡而其價者高也」とあるは文明の渡航の經驗に基くものであらう。大乘院寺社雜事記明應五年四月二十八日の條に「唐船三艘當年可歸朝也、各和泉堺地下人一萬貫雜物積之、三倍四倍ニ可成之間、三艘ハ數萬貫足ナリ」とあるは風說を記したものらしいが、當時の遣明船が多く有利なる支那商品を仕入れし事を示してゐる。寶德の遣明船迄は附進物も殆んど官貿されたるも次の船の成化五年の給價は單り刀劍の類に關してのみ記されてゐる。寶德度の貿易が、先年度に比し各種の貨物とも非常に低價に差定せられ、我が使船にとつて交易の滿足せざるものあつた事は楠葉西忍の談として經覺要抄の享德三年八月十六日の條に「唐朝之儀散々之間、商賣之樣不可說云々、黃硫(硫黃)ハ一斤先々五百貳貫(誤記あるべし)□十、今度廿五文云々、太刀者五貫無相違、惣而時儀不快之間、伊勢國法樂社之枝船、徒硫黃以下持返云々、仍諸事無正體者也、比興」とあるによつても明かであるが、此明政府の官貿易を荷重視し我が使船の之を回避する態度が私易を促進せしむる直接の一動機となつたかも知れぬ。唯刀劍類は私易禁止のもので官收買せざるを得ざるものであるが、是も亦現に寶德度に半減せる如く漸次給價差定を減せしめた。我が刀劍の品質莊備の粗惡化が刀價低落の絕體的理由とは見るべからずして、是は寧ろ明の差定態度との相對的の現象である。桂悟の要請にも專ら刀劍の收買にのみ言及してゐるが、他の商品が希望通り給價せられたのではなくて、思ふに是は多く私易されたからであらう。私貿易は北京會同館にて明國官司の嚴重なる監督の下に行はるゝ他、寧波より上京の沿途、殊に寧波地方にて行はれる。官收買の給錢等を以て支那商品の購入に當て得る外に、私貿易にては直接舶貨を彼地の商品と交易し得る場合のある事、楠葉西忍の談にも示してゐる。桂悟の呈書に「悟等從人及商⿰、歷歲月凌風波遠乘、直欲拜帝闕之壯麗、且得京城貨物也」とあるは京師會同館の私貿易を欲し、京師に集まる商品との交換を要望したのである。又浙東の各市場殊に寧波にては渡航者と彼地の商人と結托して禁を犯し密貿易するものがあり、後には市舶司の官人等賄を受けて公然之を許し浙東各地の貴官、大姓にして富を成すものも多かつた。かくの如く見來れば殊に寶徳以後に於ては銅錢の輸入量は多かりし事を期待し得ぬであらう。東歸和尙の談に錢之來于日本復歸于唐土也、其謂者日本出明之京、以赴途中或乏食物受用等之物、故以精錢之耳白者、人々十貫廿貫百貫文買彼土食物等也」とあるが、飲食物の購入のみでなく結局舶貨の大部は支那商品に換へて齎らさるゝに至つたのであらう。

然らば遣明船によつて如何なる銅錢が輸入されたであらうか。應永間屢銅錢の頒賜があつたが、永享以來は義政の要請切なるものあつたに拘はらず殆んど其事無かつた事は前に述べた。義政の國書に「永樂年間多給銅錢、近無此擧」とあるは卽ちそれである。明では洪武年間金銀銅錢の出番を許さず沿海軍民の私に外番の交易に使用し官司の之を容るゝものは治罪する事を令してゐるが、明初には政府自ら銅錢を以て外貨を收買し殊に屢外番に頒賜してゐる。琉球に對しては永樂十一年三月中山王・山南王の貢使に鈔及永樂錢を賜給し、宣德間又給錢の事があつた。天順三年（長祿三年）中山王尙泰久は國府失火して倉庫に延燒し銅錢貨物を燒きたる事を告げ、蘇木等の附搭貨に對し永樂宣德間の例に照して銅錢を賜給されん事を請ふて許されず、六分は京庫の潤生絹にて四分は福建布政司に移文して絲紗羅絹布等を以て折支した。其後成化十年四月には中山王尙圓の使臣馬及方物を貢して紗絹を以て酬給され、使臣舊制の如く銅錢の折給を請ふて許されなかつた。[14] 琉球に對しては頒賜物及附搭物交易にも景泰天順頃には銅錢の給付を禁ずる方針にあつた。我が遣明船に於ては附進物交易に銅錢の交付を禁止しなかつたが、頒賜錢に關しては同樣の態度の具顯せるを認められる。洪武・永樂・宣德等の明朝制錢は當初殆んど流用されず、殊に寶鈔通用政策のため用錢を禁止する等の事あり、宣德十年十二月梧州知府李本の奏に基き鈔錢兼行を許可するに至つてゐる。即ち制錢は多く官庫に積蓄さるゝ狀態であつて、是或は銅錢の外番頒賜を寛大たらしめた一の理由であらうか。宣德以後制錢の流布は依然として充分なる開展を示さず、官庫に積貯されたのであるが、政府は一轉して制錢・鈔兼行流布に努力し、景泰間在京賣買に永樂錢の使用さるゝ事等見ゆる狀態となつた。天順三年の琉球貢使の銅錢賜給の請を退くるに當り禮部の奏に「且銅錢係中國所用、難以准給」とある。一轉せる制錢流布政策が又外番頒賜錢禁止の態度に關係を有つものであらう。此際に至る明政府の頒賜錢乃至は附進物收買錢が洪武以來積貯せる制錢の多かりし事も亦當然であらう。永樂十一年の琉球への賜錢は永樂錢とあり、又寶德度の遣明船の舶載せる銅錢に宣德通寶の名の記さるゝ如きそれである。天順四年(寛正元年)以後明では假錢錫錢を除き歷代舊錢・洪武・永樂・宣德錢を一様に兼行せしめ、成化六年には右の破碎鐵錫錢を除き囫圇錢たらば舊錢の大小を論せず制錢と共に兼收せしむる事とし、正德年間迄大體同趣の錢法を襲ふてゐる。當時舊錢の通用が多かつたが、囫圇錢中には舊錢の低錢又は私鑄の僞錢にして折二の錢が尠くなかつた。課收された錢には舊錢又は折二錢が多かつた事はいふまでもない。文明十六年(成化二十年)十一月北京に到着せる周璋の一行に加はれる金溪和尙の談に「又曰唐人者盜人也、日本人之入大明之京者、以土宜賣之於官、官定其直、以錢償之、或新錢出焉、日本懇請以求舊錢、々々則精選也、新錢則惡矣」とある。彼地にて私鑄低錢を新錢と呼べる用法が多く、此場合新錢は此種の低錢卽ち主として折二錢を指すものと思ふ。成化以來刀劍の類の給價に精錢たる舊錢を得たる事桂悟の呈書に見える。明にては折二錢も舊制錢と同價に兼行せしめたのであるから、支拂に同樣の態度を以て臨む事もあるべく、使人は特に精錢を要求する必要があつた。然るに私貿易密貿易にては、精低錢の價直は市間區別せられたるを以て低錢を齎らすべき機會もあり得た事と思ふ。而して又私貿易密貿易にては一般通貨が舊錢を主とするなるを以て當然銅錢の輸入に際しては舊錢の多かりし事が察せられる。

柴氏は金溪和尙談の上述の記載を解して舊錢を永樂錢新錢を宣德錢とせられた氏の舊說を訂正して新錢を明代の制錢なりとせられる。氏は制錢は明にても通用を嫌つて低錢視して之を以て日本への支拂に好んで用ゐんとせる事を想像されるので、第一章に述ぶる所と關聯する。

遣明船貿易の他、應永年間の明の使船も亦商易を行ひ、我が邊民の海寇となり密易せる事實等に就いて論すべきものがあるが、銅錢輸入の具體的問題につきては的知し難い。然も前述の如き明代銅錢通用事情を反映せるものなる事はいふまでもない。

註

1 皇明實錄 太宗 卷之二十三 永樂元年九月己亥

2 〃 〃 卷之三十一 永樂二年十月壬申

3 〃 〃 卷之三十九 永樂三年十一月辛丑

4 〃 〃 卷之四十九 永樂五年五月己卯 尾張德川侯爵家所藏文書

5 〃 〃 卷之五十六 永樂六年五月癸丑

6 〃 〃 卷之七十四 永樂九年二月甲寅

7 〃 憲宗 卷之六十三 成化五年二月甲午

8 〃 〃 卷之一百七十 成化十三年九月辛卯

9 刀劍の數に就きては續善隣國寶記所收成化二十一年二月十五日の明の國書に「宣德年間事例、各樣刀劍總不過三千把」とあり、又價格に就きては鹿苑日錄明應八年八月六日の條の東歸和尙の談に「普廣相公之時唐之價者初者千疋中者五百疋後者二貫五百文」と見ゆ。硫黃に就きては拙稿「中世に於ける硫黃の外國貿易と其產出」經濟史研究四十三號がある。

10 皇明實錄 憲宗 卷之六十二 成化五年春正月丙子

11 成化十六年十二月大興縣民何通の上言に「前京師錢價每銀一錢、僅易八十文云々」とある。（續文獻通考卷十一）

12 弘治八年の給價千八百文、翌年三百文なりし事を桂悟は存知せりとするも敢えて先例とせざるは當然であらう。桂悟は弘治八年のみ毎把舊錢一千八百文として「此是當時使臣壽蓂等、犯罪科於濟寧也」と述べたるは、濟寧の事件が刀價減定に關係ある如き口吻である。壽蓂等は弘治九年閏三月に錦段白金等の頒賜品を得て且宴を賜つてゐるから、間もなく北京を辭去したのであらう。而して實錄、弘治九年八月庚辰の條に「禮部奏、日本國遣使入貢、至濟寧州夷衆有持刄殺人者、其正副使壽蓂等不能約束、乞賜裁抑、上命、今後日本國進貢使臣止起送五十人來京、餘存留浙江館、殺者嚴爲防禁」とあつて濟寧事件は北京よりの歸途とも見らるゝ。孰れにしても若し弘治八年の給價が毎把一千八百文、九年のそれが三百文とし、濟寧の事件が刀價に關係あるものとすれば、三百文の差定に對するものと見なければならぬ。

13　普廣相公卽ち義敎時代の遣明船は永享年度前後二回に過ぎず、第一次は實錄に刀劍毎把鈔十貫文と見え、義政時代の第一次寶德年度のもの毎把鈔六貫文(國內記錄に五貫文)とあれば、二貫五百文は次の淸啓正使の船か或は妙茂正使の船でなければならぬ。

14　拙稿中世琉球に於ける錢貨の流通に就いて　歷史と地理　三一ノ三　猶明代の銅錢流出特に琉球との關係につき他日詳述することゝする。

## 第二節　日支商船の貿易と銅錢の輸入

我が私船の浙江・福建・廣東沿岸に漸く盛んに往來貿易し始めたるは天文の中頃卽ち一五四〇年代にあり、更に進んで南洋各地に發展したるものにて、又支那商船の來往も略ぼ同時に頻繁を加へたるものである。

是より先瑞佐宋素卿の寧波の爭亂を契機として嘉靖二年(A.D. 1523)(大永三年)寧波の市舶司を罷め日支商人の私易密貿易に對する警戒は嚴重を極め、當時前述の如く私易を主とせし我が商人はもとより浙東商人の受けたる打撃も大なるものがあつた。日本圖纂に「嘉靖二年科臣建言、倭患起於市舶、遂悉罷之、市舶罷而利權在下、姦豪外交內訌、海上無寧日矣」とあるは市舶禁止より倭寇猖獗を極めし嘉靖末に至る動向を簡敍したるものである。時に葡萄牙人は南方より進んで浙江沿岸に至つて交易に從事し、又閩粤海商の南方通商の風潮も高騰した。日本にては遣明船貿易による絹布生絲等の多量に輸入されたる他に、猶之等支那商品及南洋各地の物產が國內經濟生活上新なる資財として擴充發展したるものがあつたのである。卽ち其一は十五世紀を中心とし、十六世紀前半にかけて琉球商人の顯著なる海上活躍によるものである。琉球商人が南支那・南洋各地より我が國に多くの物貨を齎らし、那覇港には日本・支那・南蠻商船輻輳して各地の商品は轉貿せられ、博多を始め薩南の商人等より文明頃には堺の商人に至るまで那覇に赴き通商に從事した。然るに十六世紀中期以來琉球人の活動は萎縮し、既に遣明船の貿易は制限衰滅の域にあつた。絹・生絲を主とする支那商品より南方物貨が需要大にして有利なる輸入貨たりし事は日支商船の往來を頻繁ならしめし一の基礎的條件であり、恰も葡萄牙人の東漸と其接觸が之に刺激を與へし事も考へらる。殊に支那商人にあつて、明代に入り國內通貨として伸張せる銀の需要の切なるものがあり、當時我が銀鑛は俄かに激發を見たのであつて、彼等の搬出する殆んど唯一の物貨は日本銀に外ならざりし事實を注意すべきである。

浙江の市舶を罷めたる後、舊例の遣明船十年一貢使人百名、使船三隻を嚴守せしめて或は其旨を日本に傳達せしめんとし、或は之に違はゞ入貢を阻止する事とし、又沿海の備倭衞門をして防備を嚴たらしめた[2]。嘉靖十八年(天文八年)閏七月浙江鎭巡官より湖心碩鼎を正使とする三隻の遣明船の來着を報ずるや、所在の巡按御史・督同三司をして嚴に譯審を加へしめ、果して效順のものたらば、先例により上京せしめ、又所在居民の私に交通して禍亂を生ずるを嚴禁せしめた[3]。同二十三年釋壽光等入貢したが、八月禮部より奏して貢期に違ひ表文なきを以て方物を收めずして却くる事とした[4]。壽光等は海商の取引地で貨物の集まれる雙嶼にて貿易に從事し官司も之を拱手したる如き實狀であつたらしい。實錄に翌年に至るも「各夷嗜中國財物、相貿易、延歲餘、不肯去」とあり、巡按浙江都御史高節より姦惡を禁じ交通を絕えしむる等の獻議があつた。葡萄牙人も既に雙嶼に出入したのであるから、日本商人との接觸もあつた筈である。二十五年又淸梁なるもの丶一行入貢して、同じく表文なく貢期に違ふ故を以て却けられた事が朱紈の甓餘雜集に見える。策源周良を正使とする大內船四隻は天文十六年五月五島を發して舟山列島に十ヶ月を費し翌十七年卽ち嘉靖二十七年三月寧波に到つた。同年六月巡撫朱紈の日本國貢使周良等六百餘人浙江界に入りし報は北京に著いてゐるが、其報は哨報夷船事と題し載せて甓餘雜集にある。朱紈は周良等の齎らせる勘合表文の正しく貢期數月の差ありと雖も之を峻拒するは良策にあらずとし、隨伴する者水夫共六百三十七人、前年より外洋に在つて病死する者二十一人にして、三隻の他軍船一隻を副へたる理由は「要在防賊舟、而完貢船、而已嘉靖二十一年以來邊寇指商舶爲名、不時來國、或與竄島兇賊交通、或侵劫邊民、剽奪家財、不可勝數、國王遠慮設副軍船一隻」と力めて辯護陳狀する所あつた。禮部はよつて全然拒絕を加ふるは遠航の勞憫むべしとて朱紈に命じ十八年の例に循ひ五十人を起送し（是弘治九年の新制である）て京に赴かしめ、他は寧波嘉賓館に留めて量加賞犒し、互市は事宜を防守して斟酌處置せしめ、國法に遵ひ夷情を得て邊釁を弭ん事を以て奏した。周良等は翌年四月北京に著したが、禮部の舊例に基き百人の正額のみに賞給せんとせるに對し、隨伴者の多く又一隻の規定外たるは敢て明制に背くにあらず「中國商舶入夷中、往往歲匿海島爲寇」を以て貢舟を護らんためなるを陳した。禮部は已むを得ず百人の他に量加賞犒して百人の制の遵行し難き事貢舟の數の斟酌せん事を以て新に奏請してゐる。[5] 右の規約外の一隻は內實は貿易の加增を目的とするものであつたとしても、海寇の當時出沒せしは事實である。周良の議と、剛直を以て許さるゝ朱紈が恐らく其說辭に基きて辯護せる言とを對照して考ふるに、支那の海商が日本に往來して海島に隱れて寇略を行ふ事あるを以て軍船一隻を副へたといふ意味であらう。朱紈が「嘉靖二十一年以來邊寇指商舶云々」と述べたるは日本一鑑に「嘉靖壬寅(二十一年)寧波知府曹誥、以通番船招浙海寇」とあるに相當するかも知れぬが、倭寇に關しては、同書には同二十四年王直の倭人勾引を以て「直浙倭患始生矣」と記して、その倭寇の萠芽となるべきをいつてゐる。孰にしても當時は日本商人の雙嶼に往來して海商と取引する者はあつたが未だ倭寇の活動は微小であつた。

籌海圖編に「王直二十三年入許蹤、爲司出納、爲許領哨馬船、隨貢使至日本交易」とあつて王直が日本貢使に從つて日本に赴きし事をいふが、貢使は前述釋光を指すと見る外はない。釋光は廿四年卽ち天文十四年六月に歸朝したと考へられるから王直の來朝は同年の事となる。日本一鑑に「王直（的名録即五峯）於乙巳歳（嘉靖二十四年）往市日本、始誘博多津倭助才門等三人來市雙嶼、明年復行市其地、直浙倭患始生矣」と記す年次は當つてゐる。籌海圖編に又「又日本非入貢、不來互市、私自二十三年始、許棟時亦止載貨往日本、未嘗引其人來也」とあるが、右は又釋光の入貢を指すものゝ如くである。日本一鑑に同二十五年許二許四等直隷蘇松等に良民を誘騙して貨財を收買せしめて雙嶼に到り、陰に番人を使嗾して之を搶奪せしめ陽には之を慰撫し、而して被害者の資本を他より借りたるものは抵償無くして歸去する能はず、許四に隨て薩摩京泊津に赴きて島主〇（市來城主新納氏か）に番人の財貨搶奪を告げたので島主は交易に來れる番人を殺し薪粒等を許四に給して彼等を歸還せしめたる事を記す。右番人は卽ち佛郎機である。更に又翌年胡霖等倭夷を誘引して雙嶼に來市せしめたといふ。甓餘雜集に、浙江按察司帶管巡視海道副使魏一の呈書に據るに寧波府通判唐時雍は嘉靖二十七年五月通事盧錦等を帶同して嘉賓館に到り遣明使周良等と筆談するに雙嶼港の事宜は使臣の關知する所にあらざる旨を報じ、大邦海寇の誘引する所（日）として「嘉靖二十五年福建福淸等縣、通番喇噠見獲、林爛四等糾集多人、發航往至本國、朝見國王、說我大明買賣甚好、

國王借與稽天等銀子五貫計五百兩、造船一隻、給與番銃二架・番弓・番箭・倭刀・藤牌長槍・鏢槍等項利械、自三月內在(日)本國、開洋到浙江九山海島思得、雙嶼港係日本國等國通番巢穴、欲投未獲徽州賊許二等做地主、被官兵來攻、傷落溺死、餘亂刀鎗狠殺、擒獲稽天等大船一隻幷林爛四等五十三人、見在日本向來、無有倭人過上國、至今船船俱各帶有(日)本國之人、前來之販番尚有百數、倭人在後船內未到等語」とあり、又紹興府知府沈啓申に據るとして「審據稽天手書、來歷詞多支漫、恐係詐僞、訪有附近民人周富一、能諳夷語、拘伊前來委於嘉靖二十六年六月內在雙嶼港識認稽天、當令打話、審抄口詞內開、稽天新四郎係日本國薩摩州人、因福州人已殺死、林陸觀舊年到日本、大風破了、舟無一物、三年居住日本、且暮悲多、我主君看之哀哉、借用米錢其外銀子五貫目、造舟回還、故我五子携來、取其貨物、我五子之間銀子六貫二百六十目、今歲天文二十六年(嘉靖二十六年)(天文ならば十六年の誤)丁未六月內有倭船一隻、到雙嶼港往來、二十七年戊申三月二十日京泊港出船、風惡四月二日被風打舟、遇兵三子殺死、船主陸觀殺死、其外福州人六子殺死」とある。

之より先一五四二年頃(嘉靖二十一年)には海上往來の**喇噠即ち船主** Nachoda によつて葡萄牙人は雙嶼に當るといふリアンポー・福建漳州に植民地を開き江閩の市

人と取引し、日本商船も往來通商する所があつたであらう。朱紈は二十六年七月提督浙閩海防軍務巡撫浙江となり、其禁止通番政策により支那海商・日葡商船と官憲との間に衝突あつた程度で、倭寇として積極的に作動する時期には到つてゐない。勿論支那海寇の以上の政策に反撥して沿岸を搶掠する者あり葡人の又之に投ずるものはあつたが、倭寇は却つて葡人以上のものに出でなかつたであらう。[7] 朱紈の政策と衝突との極は二十七、八年の雙嶼並に月港の掃蕩となる譯である。兪大猷は徽州浙江等の番徒西南諸夷を雙嶼港等に勾引し、廣東市舶の税を逃免し貨賣終りて去る時に毎々肆行劫掠する事を述べ「故軍門朱虚其日久患深禁而捕之、自是西南諸番船隻復歸廣東市舶不爲浙患、當時倭寇未侵東南、無事、而巡撫朱節制精明賞罰信、必隙將開而先室機方動而亟除任事、不慮其怨、逮丁必開其誠、算計靡爽、從諫如流入、得以盡其心、衆皆願爲之死、其不遭浮議、得久在職則其制置愈詳、禁防益密、如王直之巨猾、必不得以恣横於浙東、而沿海之奸徒豈敢出入於倭國、今倭奴肆逆、東南塗炭、乃禁防踈濶大失祖宗之制之罪也」とある。[6]

當時浙江雙嶼と共に海舶互市の中心たりしは福建漳州府月港であつた。朱紈の議處夷賊以明典刑以消禍患事の奏に上虞縣陳大賓の申告によつて「同口稱、佛郎機十人與伊一十三人共漳州寧波大小七十餘人駕船在海、胡椒銀子換米布紬叚買賣、往日本、漳州寧波之間乘機在海打刧云々」とある。實錄に嘉靖初年佛郎機の貢市を禁ずるや安南・滿刺加の諸番來つて漳州に私易し八年十月に至つて「至是提督兩廣侍郎林富疏其事、下兵部議云、安南滿刺加自昔內屬、例得通市、載在祖訓會典、佛郎機正德中始入、而亞三等以不法誅、故驅絕之、豈得以此盡絕番舶且廣東設市舶司、而漳州無之、是廣東不當阻、而舡當禁而反不禁也、請令廣東察番舡例許互市毋得禁絕、漳州則驅之毋得停泊、從之」とある。縣志に月港にて正德間豪民巨舶を私造し外國交易に從事し嘉靖九年巡撫都御史胡璉の議にて海滄に安邊館を置きて鎭せしめたと記す。[8] 嘉靖二十七年六月朱紈の增設縣治以安地方事の奏に於いて、福建按擦司巡視柯喬の呈議に據り「漳州府龍溪縣月港地方距府城四十里、負山枕海、民居數萬家、方物之珍、家貯戶峙、而東連日本、西接暹球、南通佛郎彭亨諸國、其民無不曳繡躡珠者、蓋閩南一大都會也、其俗强狠而野、故居則尙鬬、出者喜刧、如佛郎機日本諸夷、其實李大用諸賊首、苟可以利則竊於其家、而縱之妻女不恥焉、此何等俗也、其東逼近海滄、設有安邊館、通判一員管理捕務其始也」と述べ、月港八、九都、海滄一、二、三、四、五、六、七都、漳浦縣・井尾島・同安縣の沿海の部分を併せて月港一帶の海濱を以て一縣とし縣治を設けて姦徒を鎭めん事を請ふた。(9) 後四十四年に至り此地に海澄縣治が設置された。二十八年朱紈は月港を攻めて、葡人は之により閩浙より驅逐されランパカヲに通商し、後澳門に移り一五五七年(嘉靖三十六年)頃此地は居留割讓せられたといふ。

一五四〇年代に於ける日明貿易の隆盛は單り日本私舶の往來のみでない。寧ろ更に大なる役割を占むる者は支那海商の來往であつた。メンデス・ピントが一五四六年(嘉靖二十五年 天文十五年)再度日本に來たる時薩摩を始め南九州では三十、四十、處によつて百艘以上の支那ジャンクの碇泊せざる港はなく、同年には二千艘以上の支那船が日本に渡り、同年末の大暴風雨のためジャンク船千九百七十二艘が失はれたといふ。このときピントの便乘せる船のカピタン・ジョルジ・アルワーレスの報告に據れば、この大暴風雨による支那船の沈沒は七十二艘であつたと記し、ピントの記載は誇張に過ぎるが支那船の輻輳せる事は明かである。嘉靖二十六年、前に日本に往市せんとして漂流せし福建下海の奸民三百四十一人を朝鮮より解送し、今又馮淑等千人以上皆軍器を挾帶し貨物を船するものを獲たることを遼東都司より具報する所があつた。日本來往の海商に福建のもの多かりし事は、此際の詔に「頃年沿海奸民犯禁福建尤甚、往々爲外國所獲」とあるによつても察せらるゝ。[10] 福建にあつては漳州月港を以て中心とせし事は、例せば嘉靖平倭通錄に朱紈の通番禁止策を記して「時浙人通番皆自寧波定海出洋、閩人通番皆自漳州月港出洋」とあるによつても知らるゝ。

朱紈の雙嶼、月港掃蕩は此地を取引地とする外番通商に一大打擊を與へたが、通番禁止の主唱者たる彼は雙嶼攻擊後間もなく巡撫より貶せられて巡視となり、廿九年七月には自裁し終つたのである。支那海商の下海は之によつて多く阻止せらるゝ事なく、朱紈失脚後は「禁防踈潤大」といはれ、日本に來朝するものも猶減少しなかつた。李朝實錄明宗八年七月辛未（天文二十二年 嘉靖三十二年）の條に「日本國銀子多產、故上國之人交通往來、販買而或因漂風來泊、作賊於我國海邊」とある如きそれである。殊に通番禁止策と其反動は漳州地方に於て一層大なる者があつた。都司載冲霄の議に「閩中事體與浙直不同、惟在撫之、得宜而已、蓋寸板不許下海之禁、若行於浙直、則海濱之民有魚鹽之利、可以聊生而海洋卽爲之肅情、若福建漳泉

等處、多山少田、平日仰給全賴廣東惠湖之米、海禁嚴急、惠潮商舶不通、米價卽貴矣、民何以有活乎、愚聞漳泉人通貨至省城、海行者每百斤脚價銀不過三分、陸行者價增二十倍、覓利甚難、其地所產魚鹽比浙又賤、蓋肩挑度嶺、無從發賣故也、故漳泉强梁狡猾之徒、貨貲通番愈遏愈熾、不可勝防、爲倭嚮導者官府繫其家屬不敢生還、歲入寇、是外寇之來、皆由內寇糾引之也、福建之亂何時已乎、福亂不已浙直之患何時而靖乎、唐刑川云、倭患始於福建、福建者亂之根也、諒哉言乎、如愚見莫若因其勢而利導督撫海道衞門、令漳泉巨室有船隻者、官爲編號、富者與之保結許其出洋、○中略　但不許至外國及載番貨、今哉海禁太嚴貝船在海有兵器火器者、不問是否番貨卽捕治之云々」と見える。[11] 王世懋は漳州を記して「漳窮海徼、其人以業文爲不貲、以舶海爲恒產、故文則揚葩而吐藻、幾埒三吳、武則輕生而健鬪、雄於東南夷、無事不令人畏也」とあるが[12]、早く陳侃は操舟の術漳州を以て第一とし[13]、剛毅果敢の風は發して又嚴山老・許西池等の月港通番の巨寇を出してゐる。

嘉靖の大倭寇は漸く嘉靖三十年代に始まる。日支貿易は豊富なる資本を投じて商人の手に行はるゝものなる事はいふまでもなく、籌海國編卷之二倭國事略に「富而淑者或登貢舶而來、或登商舶而來、凡在寇舶皆貧與爲惡者也」とある。支那沿岸海寇の徒が多く相投じて搶掠猖厥を極め、彼是貿易を頓挫せしめた事は認められる。一五五五年十二月一日付パードレ・ルイス・フロイスが滿剌加より發した書翰に、日支の間に猛烈なる爭の生ぜる事を報じて「支那と日本とのこの爭ひは、日本に行かんとするポルトガル人にとりて甚だ好き都合たるべし、そは支那人その商品を載せて船を日本に送らざればポルトガル商人の交易をなすの好き便りとなるの故なり」といひ、フロイスは又日本史中に一五六二年の日本の情況を報じたる時、支那船が日本に往來する事絶え、年一回日本へ來るポルトガル船にとつて何よりも幸なることを述べた[14]。而も海寇の徒は元來海商巨室と結托するもの尠からざる故に、彼我の往來は猶絶えざるものがあつたであらう。

漳州にあつては官司に結んで下海の禁を犯す事甚しく、海寇倭寇の弊に苦しみ、開市舶・通番禁止の對立的爭は嘵々として、遂に隆慶六年海澄にて郡守羅靑霄東西二洋の商税を徴して賈舶に及び、賈舶商税は防海大夫之を監政して市舶税制に大なる進展を見た。泉漳の商船は海澄を基點として東西二洋に往來し、就中海澄の巨賈はその主なる資本家であつた。此間にあつて日本通商は嚴禁したる所で、かの福建税監高寀が萬曆四十一年彈劾されたる一理由として通倭の計畫が擧げられてゐる。而も猶漳泉地方が日本來舶の一淵叢たりし事は例せば海防纂要に「漳泉負海之民、舊有商夷爲業目、自先朝過禁遂致勾倭、釀成禍、至萬曆初年巡撫龐尙鵬、請開海禁、准其納餉過洋、既裕足食之計、實寓弭盜之術、蓋市禁則商轉而爲寇、市通則寇轉而爲商、理固然也、惟私販日本一節、百法難防、不知因其勢導之、弛其禁而重其稅、又嚴其勾引之罪、譏其違禁之物、如此則賊歸干國、奸民亦何所利而爲之哉、然日本欲求貢市斷不可許何也、過洋自我而往貢市、自彼而來、則必有不測之變、自我而往則操縱在我、而彼且資中國之利、二者固大不侔也、若海禁愈嚴則獲利愈厚、而奸民愈趨之矣、嗟乎利乃亂之囮也」とあるによつても察せらるゝ。[15] 以上嘉靖間の貿易を簡敍して隆萬間のそれは後日に讓ることゝする。

然らば當時の貿易の目的たりし物貨は如何であるか。籌海圖編卷之十九に「嘉靖十九年(天文九年)時海禁尙弛、直與葉室滿等之廣東造巨艦、將帶硝黃絲綿等違禁物、抵日本・暹羅・西洋等國、互市者五六年致富」とある。璧餘雜集に佛郎機人等と共同して漳州寧波大小七十餘人駕船して胡椒銀子を以て支那內地より米布紬叚を買ひ日本漳州寧波間を往來する事が見え、又雙嶼にて湖絲と日本人の銀と換へた事も記してゐる。詳しくは籌海圖編日本圖纂に倭好として擧げたる絲・絲綿・布・綿紬・錦繡・紅綿・水銀・針・鐵鍋・磁器・古文錢・古名畫・古書、藥材・氈毯・馬背氈・粉・小食蘿・漆器・醋等は孰れも日本に舶載されたものである。就中絲は同書に日本にて價十倍する事を述べてゐるが、生絲が前代遣明船盛時に引續き、猶又次世紀に亘つて最大なる日本輸入貨たりし事は之を葡人側の記錄に徵するも明かである。日本一鑑に、　曰永（水銀也、其爲流金燒硃升粉之用、宋元豐時嘗貢、此物本土不產、入朝市去、及他國市去者、）　曰手統（銃）（○中略　而福建鐵向和市、彼以作此）　曰硝（土產所無、近則竊市於中國、遠則與販於暹羅）　曰藥材（市物入、朝市去）　曰木棉（入朝市、去者）　曰鍼・曰大紅線・曰產紙・曰紗・曰紈（已上六者入、朝、市去）　曰玳瑁・曰豹皮・曰虎皮・曰氈茵・曰馬背氈（已上五者本土不產、入朝市去）　曰燒磁（茶碗之類按彼用者、磁皆由入朝市去者）　曰線紬（土作綿紬、入朝市去）等とある。[16]　日本より輸出されたものは主として銀であつた。前揭日本商人との交換貸借に銀を受用し、又李朝實錄に日本に銀產多く上國人の之を求めて往來するを述べたる事實が參照される。籌海圖編卷之十二に「日本夷商惟以銀置貨、非若西番之載貨交易也」とあるは日本商人の齎らすもの銀を主とする事を示し、一五六三年（永祿六年 嘉靖四十二年）ヴェニスの商人マスター・シーザー・フレデリックの航海記に「支那より日本へ毎年絹を積んだ一隻の船が赴き絹の代として銀塊を齎らす」とある。當時の銀貿易に就いては嘗つて論述する所あつたが、猶進んで十六世紀中期日本銀産の激增が支那商人を吸引し、日支貿易の盛大を致したる一條件たりし事を確信する。而して銅錢の輸入に關しては如何。籌海圖編、日本圖纂に

古文錢　倭不自鑄、但用中國古錢、而已每一千文、價銀四兩、若福建私新錢每千價銀一兩二錢、惟不用永樂開元二種

とあり、日本一鑑に

銅錢　宋史銅錢乾文大寶、元史造商持金來易銅錢、圖書私鑄司罷鑄已久、惟用中國古錢、每錢一文價銀四釐、向者福建龍溪地方私自鑄錢市之、彼重中國之錢、不計龍溪之僞

とある。古文錢、古錢卽ち唐宋等の舊錢を專ら使用するとは鄭若曾及鄭舜功の當時の九州邊の實狀を見聞しての記載であらう。蓋し當時にあつては生絲絹等を主とし綿布・藥材・紅線・硝等を以て日本銀と貿易するので銅錢の如きは其重要なる客體たり得たのではない。而して銅錢の輸入ありとせば貿易が私易なりし結果彼地銅錢流通の事情を一層よく反映せるものであらう。特に支那にては銅錢流通が領域的のものであり、彼我通商の要衝たりし寧波漳州の實狀を見なければならぬ。前掲籌海圖編等の文にては古錢の通用せらるゝ狀を述ぶるに止まるが、古錢は彼にあつても流通多く又其輸入を認め得るものゝ如くである。而して猶右の文に福建の私鑄錢、一鑑にては明白に龍溪の私鑄錢の近時輸入された

る事を記してゐる。龍溪は卽ち月港の地であり顧炎武が記して「詔安極精、漳浦次之、龍溪則極惡亦用之」といひ、浙江と共に私鑄の盛行地の一と稱さるゝ閩地にあつても特に低劣なる僞錢盜鑄の地であつた。古錢の通用銀四兩一千文と稱するは、天文末銀十兩(四十三匁)錢一貫文乃至二貫文なりし實狀と大なる徑庭はない。支那にて制錢・好舊錢を凡そ銀一分七、八文とすれば二倍前後の利得となるであらう。而も絲・絹・紅線等の數倍乃至十倍の利あるに如かず、寧ろ私鑄の劣錢が多く輸入されたかも知れぬ。一鑑に中國の錢を重視するの餘り龍溪の僞錢を計らずと記せることは、僞錢を過重して通用したかの感を抱かしめる。而して此福建にて最惡の錢の一が、恐らく千文銀一兩二錢卽ち古錢三文に對し十文の割にて通用せる事實を留意しなければならぬ。

以上本章を通じ概述する所にして大過なくば次の如く要約し得る。遣明船の初期應永年間には洪武・永樂錢等の頒賜多く、寶德頃迄は附進物貿易の代價として洪武・永樂・宣德等明代制錢を齎らしたる事尠くなかつたが、其後支那商品の博買が多くなつて銅錢の輸入は恐らく僅小に過ぎず、而して輸入銅錢は刀劍等の官收買といひ、私貿易といひ舊錢が多かつた。支那にて鐵錫・破碎の劣錢ありしも、私鑄錢等の低錢としては折二錢の類が多く通用し正徳嘉靖頃より低價の劣錢が流布したるを以て、一般的に低錢の舶來は此事情を反映したるものと思はれる。而して天文中期以後日支私舶の往來通商は甚だ熾んであつたが、銅錢の如きは益々輕き貿易對象に墮したであらう。當時彼我通商の關係地たる浙江・福建の通用錢が輸入され、就中最も劣等と稱せられし龍溪の錢が多く流入したのである。從來日明貿易の盛大に應じて漠然銅錢の多量なる流入せるをいひ、殊に洪武・永樂・宣德等を始め弘治・嘉靖等の制錢が相繼ぎて齎らされ我が銅錢流通を發展せしめたと論ずる如きは充分批判さるべきものがある。[17] 又各種の惡貨・中には低劣極まる僞錢が明の前後とも陸續將來されたる如く豫想さるゝ向があるも猶三省すべきものがあらうと思ふ。十六世紀後半期以後の我が國銅錢の輸出入關係につきては他日之を述べることゝする。

註

1 十六世紀初期に滿剌加方面に通商せるゴール人は琉球商人と見るを妥當とする。最近岡本良知氏は「歐勢東漸の始めと日本人」(史學十三ノ一)なる論文にて右に關する詳細なる葡萄牙人側の史料を擧げられて、ゴール人は結局琉球人とも日本人とも解されるとせられたが、而も私は氏の論述より見るも之を琉球人として差支なく却つてかゝる推論が導かるゝ事と思ふ。氏によればゴール人の名を傳へた文書にはレキオ人の事が全く見えず、レキオ人の事を載せた文書にはゴール人の名が見えず、而してアラウジョの書翰に報じたゴール人、アルブケルケ傳に説いたゴール人と、バルボーサの述べたレキオ人の狀況は殆んど同一のもの丶如く、一見この二個の民族をポルトガル人は混同してゐるやうに思はると述べ、又「ポルトガル人の傳へしゴール人は名稱はアラビヤ人又はマライ人を踏襲したが、其の他の説明は寧ろ當時の新な情報によつて付け加へたもの丶如くである」といふ。此意見は傾聽すべきものと思ふが、アラビヤ人の記載したゴール人の消息には倭寇と見らるべきものや鐵（刀）の産出ある事、如何にしても日本にあらざれば結着し難き記載があつて、此内容は全然ポルトガル人のそれと異なり結局ポルトガル人がゴール人の名のみを彼等の經驗せる見聞と結合したに過ぎない。ポルトガル人の記錄に見えるゴール人の事實はレキオ人のそれと一致し、是は航海程といひ貿易品といひ秋山氏の試みた如く琉球人としても説明のつく事である。故にアラビヤ人のゴールが縱令日本に關するものであつても、恰も中世のアラビヤ地理書の日本關係の記事と稱せられるものが支那の通商港邊にて聽取されしものに基く如く、滿剌加邊まで出洋して彼等と接觸せる事を想定しなくてよい。岡本氏はゴール人の名を載せないのはジョン・デ・バロスの如き滿剌加占領後三十年も經つて琉球の確かな消息を知り、ゴール人・レキオ人といふ曖昧なる名稱を整理して、無稽なゴール人の名を無視し、レケヤに代へたといはる丶が、寔に然りで是卽ち嘗つてゴール人と傳へられたものが進展せる智識に基き琉球人なる事を確實たらしめたのである。

2　皇明實錄　世宗　卷之七十九　嘉靖六年九月丙戌
　　卷之二百三十四　嘉靖十九年六月丙戌

3　〃　卷之二百二十七　嘉靖十八年閏七月癸卯

4　〃　卷之二百八十九　嘉靖二十三年八月戊辰

圖書編倭國入貢事略に「二十三年六月夷船一隻使僧什壽光等一百五十八人稱貢、驗無表箋、且以非期却之」とある。種ケ島家譜に「天文十二年四月十四日二合船解纜渡唐、同十四年六月十四日渡唐船歸朝」等記すは壽光等の貢船に相當すべしとは栢原氏の「日明勘合貿易に於ける細川大内二氏の攻爭」中に述べられてゐる。籌海圖編に「自甲申歲凶、双嶼貨壅、而日本貢使適至、海商遂販貨以隨售、倩倭以自防、官司禁之弗得、西洋船原回私澳、東洋船遍布海洋、而向之商舶悉變而爲寇船矣」とある甲申歳は甲辰の廿三年なるべき事後藤肅堂氏の指摘されたるが如くである。鐵砲記に種ケ島貢船の詳細なる記事があるが、「於是畿內以西富家子弟進爲商客殆千人、柁師篙師之操舟、如神者數百人艤船於我小島」とあり、其歸朝を記して「飽載海貨蠻珍」と記してゐる。思ふに右の貢船が海商交易の中心地たりし雙嶼にて貿易し來た事は事實であらう。

5 皇明實錄 世宗 卷之三百三十七 嘉靖二十七年六月戊申、同卷之三百四十九 嘉靖二十八年六月甲寅、內閣文庫藏 甓餘雜集 卷二 章疏

6 內閣文庫藏 正氣堂集卷之七 呈總督軍門在庵楊公揭論海勢宜知海防宜密

7 當時の倭寇事情に就き倭寇研究家後藤肅堂氏の論は傾聽すべきものがある。(西力東漸と倭寇、歷史地理二九ノ一、二、六、三〇ノ三)

8 海澄縣志 卷之一 輿地

一五一七年フエルナン・ペルス・デ・アンドラーデの枝船隊ジョルジ・マスカレーニャスが漳州に達したる事情を述べて、ガスルパルコレヤは「葡人の滿剌加に來らざる以前に、此市(漳州)から每年四隻のジャンクが金銀生絲を積んで滿剌加に行き、印度の産物を持歸った、マスカレーニャスは更めて滿剌加に渡航せん事を彼等と約せしも彼等は敢えて實行しなかつた」と述べてゐる。(岡本氏前論參照)

9 甓餘雜集 卷之三 章疏

10 皇明實錄 世宗 卷之三百二十一 嘉靖二十六年三月壬子

11 籌海圖編 卷之二

12 王世懋、閩部疏

13 彼於駕舟者閩縣河口之民、約十之八、因夷人駐泊於其地相與情稔欲往爲貿易耳、然皆不知操舟之術、上文所云長年數人乃

漳州人也、漳州以海爲生、童而習之、至老不休、風濤之驚見慣閑事耳、其次如福清・如長樂・如鎭東・如定海・如梅花所者亦皆用、人各有能不能（紀錄彙編、使琉球錄）

14　岡本良知氏　十六世紀日葡貿易の研究　社會經濟史學四ノ八

15　海防纂要　卷之一　福建事宜海禁

海澄中心の隆萬以後和蘭人の福建進出に至る間の東西二洋貿易、之に關聯する日支貿易の研究は不日公表する筈である。

16　日本一鑑　窮河話海卷之二　器用（京都帝大國史研究室藏、中山大學本、之を富岡本と對校する機會を得なかつた）

17　此處に入田整三氏の勞作「發掘錢に就ての考察」考古學雜誌二〇ノ十二が參照される。氏は全國各地十八ヶ所より發掘せる古錢總數五十五萬四千七百十四個につき調査され、其内個數の多きは元豐通寶を第一として十位に至るまで僅かに永樂通寶が第六位を占むる他、總べて北宋錢にて、明制錢に對する宋、唐錢の割合は絕體的大多數である。是勿論室町時代以前に多く輸入されたものであるが、其後とても同樣流入したのである。明制錢にては永樂に次ぎ洪武通寶で前者が全體に對し五パーセント强、後が二パーセント弱、宣德通寶は遙かに尠い。而して氏の言葉を借れば「而して洪武・永樂の二錢に於て、再び大數を示し、宣德通寶以後に至りて再び五百個に滿つるもの皆無なるの現象を呈す」と。

## 第三章　西國に於ける銅錢の流通

中國以西にて銅錢使用上價値の區別を示した文獻中古きものゝ一として左の如き文書を見出す。

○前略

宇佐木村惣高之付立之事

高百貳拾石之在所之田畠共ニ

付久田卅三町大卅歩　壹段三斗代

米九拾九石貳斗二升五合定

付御段錢久田壹段ニ表ハ古錢拾貳文宛

秋ハ貳拾文宛也

付半田貳町五段三百三拾歩　壹段八斗代

米貳拾石七斗七升五合定

右之田御段錢表ハ貳拾四文古錢也

秋ハ六拾七文定

幷而百貳拾石　定斗ハ丸山斗也

右之御段錢春分四貫三百四拾六文定

秋分貳拾貫壹文定

付春秋目錢七百五拾四文目之共ニ

惣幷而廿五貫百壹文定　春納分秋納出共ニ

右之明田數六明之在所也
(名)　(名)

一、此所之立之事、宇佐木長福寺坊主熊毛郡代久賀郡代仕ニ仍、大野村之算司・伊保庄北村之さん司・新庄市算司幷ニ與田村くもんたてかはたと稱被書候而、此堺日見分してサシサシ仕所如件

文明拾貳年庚子
三月廿六日

宇佐木村　長福寺判
宇佐木　木工ノ允

○下略[1]

右は段錢の徵收は古錢を以てする事を示してゐる。古錢は平安朝以來輸入されたた唐宋元等の銅錢で、我が皇朝錢の如きも併せ見て差支なきもの丶ようだが、當時其殘存したものは殆んど皆無同樣と信ずるので、明代にいふ古錢舊錢と實際上同じである。從來普通に通用し來つた古錢に對して新錢ともいふべきものが——新錢の指す所は複雜だが後述する所により次第に明かになる——通用せられて來て價値の上にも區別されたのである。

古錢は近畿以東でも後まで勿論善錢として通用した。——古錢中の磨損せる

もの乃至は古錢の僞造錢は下々の古錢或は別而惡物の古錢と記されてゐる――西國でも古錢が元々唐宋等の銅錢を指したる事に變りはないが、更に廣く善錢と同義に使用されるようになつて來る。古錢即ち善錢を意味するに對し、元々新鑄の錢の意味で私鑄錢を表はした新錢が惡錢の義に對用される事になつたのである。東福寺文書の本寺出錢貢錢幷常樂祠堂錢可撰條々の一條に「古錢可納之、但別而於惡物者可撰事」とある古錢の類は本來の唐宋元等の古錢を指してゐるに對して、後に西國ではかゝる限定的でなく一般善錢精錢等と實を同じくするに至つてゐる。室町時代以前は勿論の事明との通交後も古錢が國內通用貨の主體であり、善錢中の本體であつた事實を見れば、かくの如き慣用の生れたのは不自然ではないのである。

奧野氏が東福寺文書の古錢を日本の古錢と解された事の誤解は柴氏も論じておられる。それよりも奧野氏が織田氏の精撰條々に、一倍・五增倍・十增倍の三種の惡錢を規定してゐるが、其基本となる善錢に就いて「然し永樂錢及び其の模造錢等を以て標準貨幣と法定云々」と記したのは同意し難い。氏は一倍の惡錢に「宣德・燒錢・其他古錢の價格は善錢即ち永樂錢の二分一」といはるゝが、本文には明白に「下々の古錢」とある。永樂錢は關東では領主の搾取主義の下に之を以て標準として他物、他の銅錢を充課せしめたので、近畿でも勿論善錢の一であるが、此處では古錢がやはり善錢の主體であつた。

文明十四年四月十四日付の大内氏の撰錢に關する禁制は足利幕府の禁制に先じて現在知らるゝ限り最初のものである。

一、錢をゑらぶ事

段錢の事はわうごの例たる上はゑらぶべき事勿論たりといへども地下仁ゆうめんの儀として百文に永樂宣德の間廿文あてくわへて可取納也

一、里錢幷ばいばい錢事

上下大小をいわず、ゑいらく・せんとくに於てはゑらぶべからず、さかい錢とこうふ錢（なわ切の事也）うちひらめ此三いろをゑらぶべし、但如此相定らるゝとて永樂せんとくばかりを用べからず、百文の内にゑいらくせんとくを三十文くわへてつかふべし

○中略

右事がきの如く米をうりかひ錢を用ゆべし、若此判札前をそむくともがらあらば、けんもん其外諸人被官たりといふとも可被處重科者也

文明十七年四月十五日　大炊助在判弘——

○以下署名略す

右の禁制は近藤清石氏の大内氏實錄に收むる布施本大内氏壁書に見ゆる所であるが、更に明應六年十月七日付「弘照まで進上仕たる也」とある十月會町御法度事にも

一、あくせんにて物をかふ事

但さかいせにこうふ（なわきれの事也）うちひらめこの三いろは里せんばいばいにゑらぶべき也、かくの如くとて又ゑいらくせんばかりにてものかふべからずよし、文明十七年の御定法也、このむねをまもるべし

とあり、且「これは去年のおくがきの内よみよきやうに少なをして」とあれば、明應五年度にも下知せられたのである。又永正十五年十月十四日の禁制に

一、略す　文明十七年四月十五日のもの

錢をゑらぶ米をうりかふ事、前御代御法度右のごとし、しかる處に近年その御法にかゝわらず、錢をゑらひとる條、國のすいび、土民けつはく日にそへて言語同斷なり、此故にかさねかさね、制止くわうといへども猶以自由にゑらぶ事、前々に超過云々、諸人のうれへ只此事也、所詮前御代さだめらるゝ處の三色（なわ切、大とう、打ひらめ）の外ゑらぶべからず、仍三文札のおもてにかけおくものなり、若此旨

をそむくやからあらば、就注進之、一段可加成敗也、自然うる人買人共にくかいの沙汰に及て後わたくしに和談して無事たりといふとも御法たるうへは、両方罪科のがるべからず者、諸商買人かたく此旨をつゝしみ守之、敢勿背御制禁矣、仍下知如件

永正十五年十月十四日　　遠江守

○以下署名略す

天文十九年の北條氏朱印狀に「御法度之四文之悪錢一錢も在之者、可曲事」とあるを私は前著にて撰錢を命じ使用を禁じた四種の悪錢と解したるに柴氏は異説を立てられて四枚にて精錢一文の悪錢と解して渡唐新錢であらうといはれる。渡唐新錢なるや否やの想像は暫く措き、武田氏では甲州法度に市中に悪錢の見本を示して其通用を禁じ、結城氏も亦幾種かの悪錢を撰んで通用を止めており、北條氏の通貨政策も全體より見て類似しておる。大内氏禁制にいふ三文の悪錢を示して撰錢を命ずる（實は通用禁止なる事は後に述べる）とあると用法を一にし、北條氏の「法度之四文之悪錢」といふは通用禁止の四色の悪錢で、現に永祿間の北條氏の令に中錢の見本を札にて懸け示せると同様に公示したものと思ふ。當時二文・三文、或は四文を以て一文に通用し、又更に拙劣にて五六乃至其以上の數を以て一文に通用せるものもあつたらうから、單り四文にて一文の悪錢のみを禁止するは意義をなさぬ。

以上の禁制にて大内氏は撰錢につき段錢徴收の場合と一般民間通用の場合と

に於いて其主意を區別して

段錢の徴收に撰錢を行ふは往時よりの例としてゐるが、先掲文明十二年三月の熊毛郡の段錢に古錢たるを明記せる如きであらう。善錢たる古錢を以て課すべき所、地下人優免の計として百文中永樂宣德兩錢にて廿文を加へ收納せしめた。里錢並賣買錢にては、さかい錢こうふ錢（なわ切の事也）うちひらめの三色の錢を撰び、永樂・宣德錢は大小上下を論せず區別せず、之を百文中三十文加へて通用せしめ、是等のみを以ての通用も亦之を禁ずる。こうぶ錢（洪武）は又大たう（唐）と呼んだ事右の一通の文書に見える。今少しく是を細說しよう。足利幕府の明應九年以後天文十一年間に見ゆる數度の現存せる撰錢禁制が大體の主旨にて大內氏のそれに一致する事は大方の異論はあるまい。

1 明應九年十月

（イ） 於日本新鑄料足者堅可撰者

（ロ） 至根本渡唐錢者、永樂、洪武、宣德等 者向後可取渡之、但如自餘錢可相交之

2 永正二年七月

（イ）京錢うちひらめ等これをせんし

（ロ）其外のとたう錢ゑいらく、せんとく、われ錢但われとをらざる錢以下とりあわせて百文に三十二錢可在之けりやう三ふん一向後とりわたすべし

3　永正二年十月

（イ）撰錢事限京錢打平等

（ロ）右於唐錢者、不謂善惡、不求少瑕、悉以諸人相互可取用矣

4　永正五年八月

（イ）セイセンノギ京錢ウチヒラメヲノゾク

（ロ）其外ノトタウ錢、エイラク、コウブ、セントク、ワレ錢但ワレトラサル錢以下トリ合テ百文ニ三十二錢ケリヤウ三分一分可在之於向後トリワタクスヘキ事

6　天文十一年四月

（イ）せいせんの儀京錢うちひらめ、われ錢をのそ



5　永正九年八月

（イ）百文の内ロさしの分ふるせに十文洪武二文宣德二文永樂六文已上二十文なり

（ロ）地せにの内よき永樂五文大觀嘉定以下うらに文字のあるせによき錢の內たるへし

（ハ）日本せにわれせにをのそく、但少分かけたるはよき錢の內たるへし

く、

（ロ）　其外のとたう錢ゑいらく、こうふ、せんとく、かちやう、かけせん以下すこしのきずをいはす取合、百文に三十二錢けりう三分一あるへし於向後は取わたすへき事

---

先づ上段から見る。幕府が一貫して堅撰錢せよといひ、又撰錢を限つた錢は永正二年以下の令に京錢打平とあり、天文十一年四月のものに之にわれ錢の名を加へてゐるが、其前永正五年八月のものにワレ錢但ワレトラサル錢を取用しめたのであるから、ワレ錢はやはり撰錢を令したるものに加へたりと見らるべく永祿九年の淺井氏の掟にワレ、うちひらめ（文字のなき）二錢を除き撰出を禁じたのも同趣である。京錢打平は當時通用の最劣等の錢貨である事は最早明白であつて永祿十二年三月の織田氏の精錢條々に「なんきん、うちひらめ」を以て「以十增倍用之」とあり增錢中の最低に置いた事實が參照される。なんきんは卽ちきん錢であらう。京錢打平を限り撰錢を命じたのは、之が最劣等の錢であつたからである。明應九年の令に日本新鑄料足とあるが、卽ち京錢打平に相當する事は文意上主旨上より明白である。柴氏は「禁制（永正二年七月）にはまづ惡錢とは京錢打平であると例示せられてゐる。このところ明應九年禁制では日本新鑄料足となつてゐる。一見すると双方同じ事を指してゐるやうに思はれる。然し此處では次の文言に「其外の渡唐錢」とあるから、矢張渡唐錢として前論では京錢打平を渡唐錢として論じた。今でもさう考へてゐる。但し贋造渡唐錢である」といひ、私が京錢とは尠くとも日本新鑄料足の一部を包含せること疑を容れぬといつたに對し、「それでも差支はない。贋造の唐製であるか和製であるかは實際に見分けがつかなかつた筈である」と述べられてゐる。見分けのつかぬ錢に對し、「其外の」の字句に拘り渡唐錢か否かを嚴密に識別される態度は少し怪訝であるが、「其外の」といふ文句は同物中の或部分を除き他の

部分を指す場合（柴氏の解釋）あると共に、全然他物を併述する時にも使用さるるはいふまでもない。永正二年七月の令には其外のとたう錢とあるが、同年十月の令には京錢打平を除き、他の錢に對して右於唐錢とある。文意上よりも後者に屬する使用の場合なる事疑を容れぬ。

根本渡唐錢或渡唐錢と記すものが、主として當代輸入の銅錢永樂・洪武・宣德等の錢を指してゐることも文意上確しかである。而して渡唐錢を明應九年の令に自餘錢の如く即ち主として古錢の如く混用せしむる事を命じ、永正二年以後渡唐錢の割合數を三分の一としてゐる。而して京錢打平等は前後通じて撰錢せしめ、他は之を禁じて同價に使用せしむるのである。私は前著にて京錢打平を單に撰錢を許可したるものと考へたため、他錢の同價通用政策の主意が徹底しなかつたが、是は實は通用を禁止したのであつた。其事は後に述べる。柴氏は渡唐錢の場合のみ之を善錢に通用價値を呆上げ、他はそれ〴〵打歩を以て通用せしめたといはるゝが、奥野氏のいはるる如く其事は右の幕府の令には少しも表はれてゐない。撰錢は各種の上下ある錢價を不當に使用せんとする場合に生ずる行爲である。打歩を認め單に京錢打平等の最劣等錢のみ堅く撰錢せしめ、其他を一切撰錢を禁止したとすれば、打歩の規制なくしては少し放慢に過ぎる。幕府は唯渡唐錢に前述の數割合を示し、又「所詮於古今渡唐錢者、悉以可用之」と命じたのである。

幕府は京錢打平又は日本私鑄料足に對して、唐錢、根本渡唐錢或は古今渡唐錢といふやうに一括的に屢令してゐるが、當時の銅錢に市場間種々の價値のものがあり、日本私鑄錢の如きも單り京錢打平の最劣錢に止まらざる事はいふまでもない。柴氏のいはるゝ如く唐製か和製か實際見分けがつかなかつた場合も考へ得るので、渡唐錢古今渡唐錢と記すものが、事實支那輸入錢のみにあらざる事も看易き事である。此間の消息は幕府の令でも前記下段に記せる永正九年八月のものに表はれてゐる。此令は餘程幕府前後の令と異り「撰錢事改御法」と見える。

私は前著にて前の撰錢令の行はれ難きを以て、京錢打平以外他をすべて同價としたるを善錢の種類を指定し卽ち善錢の資格を制限して、撰錢を認むる惡錢を增加したるものとした。現在私は京錢打平を通用禁止と見るを以て、此改令では撰錢認容の惡錢の增加卽ち使用禁止惡錢の增加と考へる。善錢指定とは日本私鑄錢中のよき永樂・嘉定等裏の文字あるもの、日本錢のわれ錢を除き少分かけたるもの等である。而して同價通用の善錢の中數割合を百文中ロさし分二十文古錢十文・永樂・洪武・宣德で十文・他の七十六文は古錢等であらう。地ぜに中のよき永樂は勿論ロさし六文中の永樂に入ると考ふべきである。[2] 此新令では撰錢を京錢打平に限る文句の見えざる事を注意すべきである。卽ち此兩種以外に撰錢を命ぜる（使用禁止）の惡錢が擴張されたのである。

大內氏が撰錢を令せる三色の劣錢が、幕府令の京錢打平に相當する錢なる事は文意旨意より見て明かである。然るに京錢打平又は日本新錢料足に對する古今渡唐錢、唐錢等が事實すべて支那輸入錢にあらざるは明白なる如く、京錢打平が果して日本私鑄錢なるや否やは事實に就いて實證されなくてはならぬ。何となれば、日本私鑄料足乃至は根本渡唐錢・唐錢・古今唐渡錢等の呼稱は、必しも和製・唐製の精確なる見分なき概括的のものであるからである。

大內氏は延德四年三月豐前國中に宛て左の如き惡錢に關する掟書を出してゐる。

豐前國中惡錢事、近年被禁遏之處動令犯用之、剩去年己來者、偏に受用流布云々、以外之子細也、併不肖御成敗而已、企貴賤之無足歟、所詮於市中賣買之場、用之仁者、見合搦捕其身、於惡錢者押取、可令注進之、若又御禁制之趣、有不存知之由申族、其所爲給主幷地下役人結構、可被改易其地其職之由、堅固御定法畢、仍此旨速可被相觸之由、所被仰出也、仍執達如件

延德四年三月　日　　左兵衛尉
左衛門尉

此掟書は宇佐・上毛・築城・田川・下毛五郡の郡代・段錢奉行に宛てられてゐる。此と前後する大內氏の撰錢禁制と同じ原則の下に解釋するを妥當とする。右の掟書によれば惡錢が近年禁遏するに揭らず動もすれば犯用し、殊に昨年來流布するを以て市中賣買の場合は使用者を搦捕り惡錢を沒收する等嚴に其通用を禁止せしめた。此種惡錢は上下大小を論せず同じく通用せしめた永樂宣德等の錢に類せずして、獨り撰錢を認めたる三色の劣錢に當るべき筈である。然らば撰錢を命せる劣錢は事實使用禁止したのであり、更に大內氏の撰錢令と同旨の下に幕府の令に見ゆる京錢打平等は事實通用を禁止せるものと思ふ。

撰錢と通用禁止との關係は「惡錢のかたをゑりてつかふべからず候由被申候云々」とある結城氏法度、北條氏の法度、甲州法度等に一層明白なるものがある。

かくて撰錢令に於ける徹底せる解釋が可能となる。支那にて古く唐宋以來惡錢通用の禁止があり、明代にても嚴に之を禁止し又之を廢毀せしめてゐる。天順以來錫鐵破碎を除き、囫圇錢たる上は同價に之を兼行せしめたので、錫鐵破碎の通用は嚴禁してゐる。寔に柴氏のいはるゝ如く、足利幕府の錢法は明のそれを反映しており、京錢打平は卽ち錫鐵破碎に相當するのである。[3] 柴氏は幕府も大內氏も市間通用通り惡錢の打步を認め、唯永樂錢等の明錢のみの善錢値上げを計つたのでその他の惡錢は打步付にて通用せしめたといはるゝが、然らば京錢打平等に限り撰錢を命じたのは如何なる理由からか。卽ち氏によれば勿論京錢打平も相當代價にて同じく通用を認めたので通貨たるに於いて毫も撰ぶ所ないからである。

前掲延德四年の大內氏掟書によれば、延德三年(明弘治四年)頃打平・こうふ・さかい等の劣錢に類する惡錢が急激に市間に流布せりといふ。かゝる劣錢の突發的の增加に就いて遣明船其他支那輸入たるを察せしむるに該當する事實は見出され難い。此は寧ろ國內私鑄錢たるの認定に接近せしむるものがある。嘉靖十三年(天文五年)册封使として琉球に到り翌年歸朝せる陳侃の使琉球錄に「通用貿易、惟用日本所鑄銅錢、薄小無文、毎十折一、毎買折百、殆宋季之鵝眼綖貫錢也」とある。嘉靖十三年即ち天文三年以前薄小無文毎十折一程度の劣貨が日本にて私鑄され多く琉球に輸出されてゐたのである。打平なんきんが織田氏の精錢條々に十增倍の劣錢たる事見え、之恐らく當時の實狀に基き規定せるものなる事、東福寺文書永祿二年五月七日の得地正税并奉加官錢納支帳に「二百文吉見當人返禮（但南京二貫文也」とある事が參照される。南京の呼稱は妙法寺記の天文廿四年の條に「此年錢南京ト云錢出來候而代ヲエルヿ無限」とあるを初見とし京錢と同一類であらう。以上の如く見來れば、幕府の令の文意旨意より打平京錢が日本新鑄料足に相當するのみならず、此種の劣錢が早くより多く國內にて私鑄された事は略ぼ疑なきヿ實であらう。

幕府の撰錢令に根本渡唐錢・古今渡唐錢と稱するものゝ中にも國內私鑄錢の存する事は前に述べた。明では明朝制錢よりも舊錢の私鑄が多かつたようであるが、日本では明錢模造が尠くなかつた。明の侯繼高の日本風土記貿易の條に「買賣亦用銀金銅錢、交易憑經紀、名曰乃隔依理、今用之銅錢、乃鑄天順・永樂・洪武三樣毎銀一兩、換錢三百三十三文爲則、零用以三文抵白銀一分、總錢一千稱爲一貫、値銀三兩由琉球高麗、以得中國之錢爲樣、本國照樣鑄之」とある。卽ち明錢を得て樣錢とし之を模造して天順・永樂・洪武三錢を日本にて鑄て通用したる事を述べてゐるので、天正頃の殊に西國の實狀に觸れたものであらう。右の私錢は一千文銀三兩といへば、我が銀十兩(四十三匁)一貫四五百文で餘程良好のものであつたであらう。朱國禎の湧幢小品に「日本亦用銅錢、只鑄洪武通寶・永樂通寶・若自鑄其國年號則不能成」とある。[5] 琉球へは中世末には日本私鑄錢が流入したものと思ふが、中山傳信錄に蕭崇業・夏子葉等の錄記を引いて「卽云、國中用黑銅錢、極輕小、千不盈掬、凡五貫折一貫、折銀一錢」とある。蕭崇業は萬曆八年・夏子葉は同三十三年に渡航してゐる。中山傳信錄に又「市中交易銅錢、無銀、錢無輪廓、間有舊錢、如鵞眼大磨漫處、載有洪武、已絕少」とある。義弘公御一代御事蹟中に大隅國加治木にて天正年中より寬永年間まで加治木錢を鑄造した事を述べて「錢屋町、在蒲田町東、上古此所ニ而錢作被仰付、依之此處ヲ錢屋町ト云也、其錢ハ洪武通寶、裏ニ治ノ字加ノ字有リ云々」とあり洪武通寶を多く鑄したるものの如くである。天正頃私鑄の熾んとなつた事は諸方面から察知されるが、特に洪武・永樂等の私鑄が多かつたのではあるまいか。此傾向は猶以前に勿論溯り得るので、幕府の令に地せにの內よき永樂とある如きそれである。

鳴海平藏由緒書に「應永年中足利公方勝定院義持公御代朝鮮國より永樂錢三千貫文奉貢〇中略　然レ共員數纔三千貫文ニテ通用不足、故我朝ニテ共後永樂錢鑄足被仰付候云々」とあるは疑ふべき點多いが一應參照される。

此等の私鑄錢は種々の品量のものがあつたであらう。而して日本風土記の記事に見ゆる如くよき地錢が比較的多かつたものと思ふのである。然し私鑄錢は明錢贋造のみでは勿論なく古錢の模造も尠からざりし事、幕府の令によつても窺はるゝ。

翻て大內氏の禁制に上下大小をいはず永樂宣德に於て撰錢すべからざるを令しており永樂宣德錢の種々の品量の存せし事を示してゐる。縱令官鑄制錢たりとも品量の一定せず中に輕小假錢の混せし事は第一章にも述べた所であり、又私鑄明錢の輸入された事も否定し得ない。而して特に國內私鑄の明錢が混用されたのでないかと思ふ。而して右の禁制は永樂宣德錢に、撰錢の對象となるものあるをいふので、永樂·宣德一般が撰錢され、明の制錢そのものが劣等視されたといふ事では勿論ない。永樂錢の如き、後に關東方面にて領主の搾取的立場から分錢高を精錢を以て次いて永樂錢を以て標示せる事より起つた事は私の前論に說く所で、是永樂錢を以て善錢たりとする前提の下に理解される。唯明の制錢の流用は永樂稍や多く他は僅小で、共に古錢に比し一部分に過ぎなかつたのであるが、國內私鑄が比較的多かつたと思はるゝ推測が誤なければ、明錢に對する撰錢行爲を一層刺激したものであらう。三十文の使用數指定に就いては明錢の通用額の割合を考慮に入れなければならぬ。

奥野氏は錢幣館主田中氏の宣德錢に就いての實測の結果を擧げ「重量に於いて永樂錢と大なる差異を認め難い。然しながら善錢でも錯誤のため惡錢と認めらるゝ事は實例の存する處であり、永樂・洪武・宣德の間には實質上殆んど差別なきに拘らず當代に於ては永樂錢を最優秀と考へた」といはるゝ。實際永祿八年十二月の興福寺の禁制に宣德錢を撰ばしめ、信長の精錢條々に宣德錢を一倍用の錢と規定してゐる。又一方之等の禁制に惡錢として記されざる洪武錢の名が大內氏禁制の三色の錢の內にあり、最劣錢の打平と同列であつた。永樂錢の精錢たるは明白であり、永樂僞錢は又明かに低錢であつた。實質上差して區別なき洪武・永樂・宣德の三錢が、假令多少好惡の上下ありともかくの如く使用上價値の區別を大たらしむるは理解し難い。私は寧ろ惡錢として區別されたる宣德錢自體の性質、通用關係を吟味すべきものと思ふ。大內氏の洪武錢が恐らく國內私鑄劣錢に類すべき事は述べた。宣德錢中にも永樂錢同樣下錢の存すべき事、幕府、大內氏の禁制に明かである。永樂錢の關東にて標準貨の如くなりしに就いて、通用量の相當多きを一の要件とす。永樂錢が洪武・宣德に比して時人に好まれたものであらうが、又通用量の點にも優位の條件を加へたものであらう。

銅錢が品量によつて種々の價値で通用された事は察するに難くないが、爲政

者として明確に法規の下に之を示したのは、明應二年卯月廿二日付の肥後相良爲續同長毎二代の法度中に見ゆるを初見とする。即ち

一惡錢之時之買地之事、十貫字大鳥四貫文にて可被請、黒錢十貫文之時者、可爲五貫

とあり、字大鳥の惡錢は十貫文精錢四貫文、黒錢は十貫文同五貫文に通用する事を定めてゐる。字大鳥なる惡錢が廣く薩摩地方にも行はれた事は清水楞嚴寺文書に左の例がある。

祉家之大工の所領だけ大門口一町の内東に付て二たん、大工藤次郎の手より清水石塚八郎さへもん志地けん申候を志として、了嚴寺へ寄進申候、本物は字大鳥九貫文洪武二貫文米一斗にて候、何時も本主としてうけにする時者石塚次郎さへもんれうこん寺さひりあひにて本物をうけとり申へく候、若彼所領に付候て異儀違犯申候する時と、石ちの子孫にをひて其沙汰可致候、少分の志にて候へ共かの所領の事かたく覺悟めされへく候、仍爲證文寄進狀

永正十三年八月廿六日

石塚八郎左衞門尉種延花押[6]

天文頃より惡錢は餘程增加したものと思はれる。善錢が長年の使用のため磨損し、災害のため破毀さるゝ等の他に、日支間私船往來によつて福建等の私惡錢が流入した。殊に國內私鑄錢の增加甚しきものがあつたと思ふ。私は近畿を中心として雜多の錢が通用し、其使用價値の割合は善錢の二分の一程度から十分の一前後に及んだ事を相當詳細に前著に於て論じた。織田氏の精錢條々は結局此實際を參酌して二倍より十增倍まで惡錢を三段に分類したのである。西國にては如何であるか。私は訪索し得た史料は多く防長地方に限らるゝが、此一地方に於て比較し以て其指標としようと思ふ。

一、東福寺文書

伍拾石　於上得地自毛利殿奉行衆請取之
拾石　於下得地自吉見殿奉行衆請取之
以上　六拾石
右賣代　新錢九拾六貫文（但二和利半充買古錢卅八貫四百文也）
賣石別　壹貫六百文充
弘治參年十二月晦日　性東花押

三一〇

高山寺僧元棟花押

二、同文書得地正税米幷奉加官錢納支帳

納

卅五貫文　正税米七拾石沽却代（但新錢百五貫文也 興禪寺證明）

貳百文　吉見兩人返禮（但南京貳貫文也）

參貫文　官錢壹人分

以上　卅九貫八百卅八文

支行

○中略

以上　七貫參百六十九文

殘　卅貳貫六十六文（内廿八貫六十三文銀子七百八文目之代、大小廿四切圖在之、但新錢八十七貫九百七文、興禪寺證明）

殘　四貫四百三文（内七百廿文二和利分引之）

撰錢　參貫六百八十文

此外　新錢拾貳貫九百文（四ケ所之奉加）

永祿二（乙未）年五月七日

三、周防國防府町松崎神社文書

松崎天満宮定灯料幷十月御神事御輿殿料之請分注文

合

一、六貫文也　古錢也　定灯料也

參拾六貫文　六和利錢也

一、貳貫貳百五十文　古錢也　御輿かさり也

以上　八貫貳百五十文　古錢

四拾五貫文　當料也

右請料毎年佐波郡以反錢之内御勘渡之前注文如件

永祿十三

九月十一日

乘林坊
空憲判

市川殿

四、萩藩閥閲錄六十　山縣備後守就延書狀

○前略

一、我等給地一町七反之御段錢、古錢五百十文に而候、當料三貫六拾文事○下

略

五、東大寺文書(京都帝大國史研究室寫本)第十七冊、天正十四年土居八町之內國衙分帳

土居八町內年禮領分

向原

一所一町八段小

○中略

春　五十二文　古錢當料一倍定

秋　八十四文

同土居之內重任分

○中略

春　六十文

秋　百三文　當料古錢一倍定

六、長門國長府忌宮神社文書

(年次不明)　二宮入目注文

○中略

以上古錢三拾九貫九百五十文

但二和利　〆七十九貫九百文

三和利　〆百十六貫八百五十文

一は上下得地の本所東福寺に納むる年貢六十石を石別一貫六百文の値段にて新錢九十六貫に賣り、此新錢を以て二和利半宛古錢卅八貫四百文に換へて解納せるものである。此場合古錢一文新錢二文半の割合に當る。二は同じく得地正税及奉加官錢等が合せて納高卅九貫八百卅八文は勿論古錢にて計上されてゐる。而して注記を見ると內卅五貫文は新錢百五貫文の代で、事實は正税米七十五石を新錢にて沽脚したものと思はれ、次の二百文は吉見兩人返禮の南京錢二貫文の代で此も返禮は南京で交付せるものであり、官錢一人分參貫文は注記もないから古錢で受納したものと見る外はない。其內支行分合せて古錢にて七貫三百六十九文、差引卅二貫六十六文とあるが、是は四百を脫落して卅二貫四百六十六文の誤記であらう。此殘高中廿八貫六十三文は銀子七百八文目の代金で、事實は新錢八十七貫九百七文で支拂はれたものであらう。殘り四貫四百三文の內から七百二十文を差引き三貫六百八十文となるが、古錢と記してよき所を撰錢と注してゐる。卽ち事實は銀子七百八文目と古錢(撰錢)にて三貫六百八十文相當の銅錢(實際は新錢又は南京が含まるべきである)其他に四ヶ所の奉加新錢十二貫九百文が解納されたのである。此場合古錢一文新錢三文の割である。三は松崎神社の灯料古錢にて六貫文、六和利錢にて三十六貫に當り、又御輿嚴料は古錢にて二貫二百五十文、二件の合計古錢にて八貫二百五十文、當料の錢にて四十五貫とあり、卽ち御輿嚴料分は當料の錢九貫文に當り四和利錢となる。當料の稱は此地方では古錢に對應して普通に使用される言葉で、新錢惡錢たる事は明白だが如何なる意義に基くかは確しかでない。私は前著にて古錢を以て勘定するに對し、實際の當該使用錢の意であらうと述べた。此場合は灯料六貫文に對し六和利錢三十六貫、御輿嚴料二貫二百五十文に對し四和利錢九貫文、計四十五貫が勘渡されたものと見らるゝ。古錢にて兩件合せて八貫二百五十文の請料は佐波郡内反錢中より毎年勘渡する定で、古錢ならば勿論右の額、其他の錢ならば當料の種類によつて異なる譯である。四は反別三十文一町七反の段錢五百十文は古錢にての計算で、當料は三貫六十文なる事をいひ、此場合古錢一文當料錢六文卽ち六和利錢である。

五は東大寺領土居八町の年禮分春秋の額を古錢にて示す事同樣であるが、當料は一倍定、卽ち古錢一文當料錢二文二和利錢なる事を示す。六は二宮の入費勘定に、內譯古錢を以て示し合計三十九貫九百五十文となるが、但書に二和利・三和利錢を記す事は右の支拂に古錢と共に是等の錢を實際使用した事を意味するのであらう。以上六例は年代的に多少の隔りがあるが、古錢一文に付き二文・二文半・三文・四文・六文・十文等を以て各充當すべき各種の惡錢の通用されし事實を知る。而して猶又注意すべきは、古錢が計算上の基本として用ひられた事で、此處では古錢は抽象化したる價格標章である。卽ち古錢が唐宋元等の錢の實際上の通用の場合を離れて、是等の錢を以て代表視される善錢・撰錢の意味に一般的に使用されてゐる。是本章の初めに述べた所である。日本一鑑等によれば古錢一文に付き三文餘の福建私鑄錢の行はれたる事を記す。鄭舜功の來朝は弘治二年で豐後に留つたのであるから、當時の九州邊の事情と見て差支ない。右の私鑄錢は福建にても最も劣等なる龍溪の錢であるといへば、大凡當時の渡來私鑄錢の國內流通中に於ける位置を知る事が出來る。

[illegible]みならずすべて官鑄の制錢を指すものとし、之を又我が國に移して國內文書に新錢とあるを

明の制錢とせらるゝようである。例せば東福寺文書に「新錢・磨・惠明・洪武・宣德・破欠等可撰之」とある新錢も明の制錢で（既に洪武宣德の名が記される故に）近來渡來の新錢即ち明でも評判のわるい弘治・嘉靖通寶といひ、又永祿二年の武田家の小山田氏の印書に「右甲州悪錢法度並新錢等之儀者、一切被停止之間云々」又「當年爲改新錢參法之、且那中へ可申屆候」とある新錢とは渡唐新錢（明制錢の意であらう）といはるゝ。氏は明制錢は明にても日本にても劣等錢視したことを主張さるゝ。新錢は悪錢であり、明制錢は新錢なる事が又制錢を劣等視したといふ柴氏の論證の一をなす。新錢が悪錢である事は疑ない。唯かくの如き場合の新錢は明にては私鑄錢を指してゐるのである事は既に述べた。故に明に於ける制錢即新錢の解釋から日本側の新錢に同じ解釋を移されたるに對し最早反對する必要もないであらう。日本側の新錢は新鑄私鑄錢又は武田家の法度改正の場合では悪錢と同義に使用してゐる。更に得地の税米等の納下帳では當料錢と同樣廣く悪錢と解するが寧ろ妥當であらう。此に至て特に明官鑄の制錢と解する事が益々無理となる。猶一言附加すれば明の王世貞は宛委餘編十一に「唐宋錢薄小而賤什不能當今上錢一也」といひ、是は多分に溢美の言であるが、氏が何によつてか益々嫌はれたといはるゝ嘉靖通寶に就いて顧炎武は日知錄に「嘉靖所鑄之錢最爲精工」といひ、實際明で後に通用價も上騰した。然し弘治以下の錢が我國に流入する機會の尠かつた事は本文に述べた。

近畿では古錢は永樂錢等と共に善錢たるに相違はないが其指せる處は唐宋元錢其物を意味してゐる。分錢段錢及一般物價等は善錢を以て計上されたる事は又同樣である。然るに東國では西國の古錢に對し更に强き明かな對蹠の位置を占めたのは永樂錢であつた。即ち永樂錢が精錢中の上位に置かれて、分錢懸錢等は最も價値高き永樂錢を以て從來の分錢高懸高通りの額を課してのである。是所謂永高の生ずる所以である。

西國にても永樂錢が通用し、又善錢たりし事には變りはない。薩摩楞嚴寺文書に次のものがある。

奉寄進本寺楞嚴寺田地貳段

本田因幡守之段屋戒名元丹淸金大、姉營來際之儀、在坪東卿蔫藁田貳段者、申合子細雖爲本錢十一貫文、松永外記允へ六貫五百文友申候實也、然者相添本文書二通寄進狀ニ、富山又右衞門尉・村崗中左衞門尉持來度ト當住悅傳和尙監寺永椿藏主申候實也、於已後彼在所本主被請取候者、如本錢十一貫、永樂・洪武・古錢三十文差、撰請取、別ニ田地相求、來際之孝養可爲本望候、仍爲後日證文如件、低頭申述意趣書、末代御覺悟所仰候、寄進狀筆跡兩人口上之語諸同一舌云々

天文十六年丁未四月念一日

富山又左衞門尉　花押

村岡中左衞門尉　花押

本錢十一貫永樂洪武古錢三十文差を撰請取るといふのである。廿文さしの慣行のありし事を柴氏は考へられたが、又鹿苑日錄明應八年十二月廿八日の條に「自北鹿苑寺、眞如寺作州豐田年貢錢拾貫文持來、但永樂十文指也云爾」とあり十文さしの慣行ありし事察せられ、かくて十文・二十文・三十文等小額を一さしとして通用を便にする風があつたのであらうか。薩摩邊にて右の三十文差に就いて猶他の記錄の參照すべきものを俟ちたいが、永樂・洪武・古錢が善錢として處置されてゐる事は察せられる。然るに西國或は近畿以西で洪武永樂等の私鑄錢が時代と共に多く鑄出されたであらうと前にも述べた。北條五代記、大三川志等は永樂錢が關東に留つて京錢（此京錢は鐚錢の意で、近世以後の筆法では古錢も私鑄錢も永樂錢以外はすべて鐚錢である）は多く京に上つた事を記すが、此事實はとにかくも永樂錢の關東に於ける分布の濃厚なりし事は認めざるを得ない。西方に於ける私鑄の永樂錢の興盛と關東の永樂錢重視とがかような流動に關係ある如く思ふのである。

鄭若曾の日本圖纂、籌海圖編の古文錢の註記に但用中國古錢、○中略　惟不用永樂開元二種とある。柴氏は明の官鑄制錢が低錢であり惡錢であつたといふ解釋を此處にも當箝められる。即ち永樂開元の開元は宣德の誤記で、用・不用は古文錢が倭好の物件の中にあるのだから好用・不好用の意であるといはれる。明制錢を好用せざる事をいふならば、宣德より數の多いと思はるゝ洪武を逸して二種と限定するのが適當でないし、開元を宣德の誤と斷ずるのも冒險である。倭好として擧げた物件に就いての記述なる故、當然該文句は倭好の意に制約されるといふのは如何と思ふ。例せば馬背氈の條に「王家用靑、官府用紅」とあるのは矢張り好用であらうか。私は古錢を用ひ、永樂開元二種を使用せずと普通に解するのが解釋としては穩當だと思ふ。此記載も西國中心、或は近畿以西の見聞であらうが、官鑄永樂錢等の通用の實情を大凡述べたものであらうかと思ふ。德川幕府が永樂錢の通用を（永樂錢一文、鐚錢四文としての通用）廢止したる後、大かけ・われ錢・ころ錢・かたなし・なまり錢・新惡錢（之新私鑄錢の義であらう）等の六種を限つて撰錢せしめ其他の撰錢を禁じてゐる事は前著にも述べたが、元和二年三月大山崎に宛てたる板倉伊賀守等條目には右の六錢の他に永樂かいけん（開元）がある。（徵古文書）是は永樂・開元の私鑄劣錢であらうが、近畿には行はれてゐたのである。參照さるべきものと思ふ。奥野氏は籌海圖編に誤記多しとて之を排斥されてゐるが、日本圖纂等の唯不用永樂開元二種の句は、古文錢の他の條に同趣の記事ある日本一鑑には記されぬので、如何程信據すべきものなるやは猶吟味を要する所である。

西國にても分錢・懸錢・段錢其他物價には善錢を以て計上する事同樣であるが、特に善錢たるの註記の必要なる場合は古錢を以てする。天正十九年二月、翌二十年二月の周防氷上山興隆寺の二月會脇頭役二十貫文は部濃郡、三頭役十貫文は豐西郡に課せられてゐるが、當年中に古錢として寺納すべき事を達しており、又年次不明であるが忌宮神社御祈禱大般若經のための御戶開料として、三月に尊印、八月に尊信より孰れも古錢二十疋を神社大宮司宛進めてゐる。當時御戶開料が古錢にて二十疋の例であつた。[8)] 分錢納にも古錢の事を註付するに至つたので、私は嘗つて實例として次の二文書を擧げた。

筑前國糟屋郡穗波郡二百石賦打渡

糟屋郡內

一、田畠拾五町壹段小拾歩　別符村

分　米　百拾壹石三斗五升

一、畠數　貳町七段三百廿歩　右同村

分古錢　壹貫五百五拾文

爲石四石六斗五升

已上　田畠數　拾七町九段九拾歩

分　石　百拾六石

穗波郡內

一、田數　四町四反三百三拾歩

分米　　三拾四石九斗六升四合

一、畠數　壹町四段九拾歩　屋敷共ニ　右同村

分古錢　壹貫九百拾六文

爲石五石七斗四升八合

一、田數　六町三段小

分米　四拾壹石九斗九升
一、畠數　七段大三拾歩　屋敷共　右同村
分錢　四百五拾文
　爲石壹石三斗五升
已上田畠數　拾三町九拾歩
分石　八拾四石三斗五升
都合田畠數　三拾町九段九拾歩
分石　貳百石三斗九升
右如件
天正十九年辛卯十二月廿日
井上又右衛門尉
手島東市助判
桂宮內少輔判
鵜飼新右衛門尉判
（萩藩閥閲錄遺漏二ノ二　國貞平右衛門所藏文書）

國貞甚左衛門殿
筑前國那珂郡住吉村之內百石地田畠打渡之事
一、田數　拾壹町六段大拾歩
分米　九拾八石貳斗五升貳合
一、畠數　七段三拾歩屋敷共ニ

分古錢　六百四拾貳文但二季分
爲石壹石九斗貳升六石（合カ）
合田畠數　拾貳町三段大四拾步
分米　百石壹斗七升八合
天正廿年壬辰十一月十五日
手島市介花押
宗近新右衛門花押
高尾又兵衛尉花押
黃梅院御納所
（黃梅院文書）

此他に猶次の如き例を見出す。

(宗像)社家分貳百町田畠辻
一、河西鄕田七拾八町三段　永々否除之 但二三年荒之
一、曲村田四拾七町八段半　御帳面永々否當否、不被極分之候半分加之
一、河東鄕田拾壹町九十步　牟田除之
以上田數百參拾七町壹段大三十步
一、河西鄕畠拾六町八段大二十步

分古錢　拾貳貫四百四拾四文
一、曲村畠拾貳町八段大
分古錢　拾貫文
一、河東郷内畠五町九十歩
分古錢　貳貫六百拾七文
一、已上畠數　三十四町七段半五十歩
分古錢　貳拾五貫六拾壹文
貫目田七町五段七十歩也
右惣田數百四拾四町六段三百四十歩
貳百町不足分　五拾五町三段廿歩
天正拾六年十一月廿一日　社官中
桂宮様參
宗像社領御檢地前一帋目錄
一、惣田□八拾參町五段九拾四歩　河西郷
內□町貳段小廿八歩　是ハ永々不無計代

二町五段六步　當荒二三年荒

分米　拾石六升七合

以上　七町七段半廿八步　永々不當荒 又ハ二三年荒

殘而現田七拾五町七段大小步

分米　五百三拾四石五斗六升三合

一、惣畠數　拾九町百十步　但屋敷畠共 ニ河西鄕

內貳町三段大　內貳町壹反半卅步社家官脇 貳段卅步　當荒百姓家ノ下除之

殘而現畠拾六町六段半五十步

分錢古　拾貳貫四百四十四文

已上

一、惣田數四拾九町九段半卅步　曲村

內　四町貳段小　年々不當荒

分米貳拾三石四斗一升壹合　一勺 一才

殘現田四拾五町七段九十步

分米　三百五拾六石九斗七升貳合三勺

一、惣畠數拾四町壹段小步　但屋敷共ニ曲村

內　九段九十步　御百姓脇家ノ下除也

七段大四十步　年々不當荒

分古　三百七十三文

殘現田拾貳町四段小

分錢古　拾壹貫四百廿七文

已上

一、惣田數拾貳町三段小卅步　河東鄕內

內　八段小四十步　當不作

又壹町貳反六十步　手田也是ハ貫町數ノ外也

分米五拾壹石七斗八升貳合九勺　但卆田ハ除之

一、惣畠數五町九十步　河東鄕內

分錢古　貳貫六百拾七文但二季

已上

惣都合田畠百七拾町六段大五拾六步

但永々否並牟田除之、曲村ハ永不當荒御書分依無之、當荒共ニ田畠除之也

天正拾七年己丑十一月五日　學頭秀賀

圖師良秀

忌子千秋(9)

東國の永高は卽ち分永錢の高であつて、分古錢は永樂錢を古錢に換へたのみである。永高は元の形の分錢高を永樂錢で承繼したので、實際の分錢徵收には永樂錢で計上された額だけの鐚錢や穀類・金帛で充當する場合が多い。分古錢にても所當の新錢當料を以て徵收する場合も尠くない。

請米手日記

佐波郡御領錢米請方之事

合

一、三石三斗　車塚妙見　二月十三日御祭

上樣御祈禱御湯立入目米也

一、貳石四斗　同御神事御供米也

一、壹貫文　古錢　但四貫文當料之御幣料分米貳石四斗貫別六斗宛

一、壹貫貳百文　古錢　十月十三日御神樂錢也　但四貫八百文當料也 分米貳石八斗貳升貫別六斗宛
一、壹斗　十月十五日　御祭禮　隨兵御秡米也
以上拾壹石貳升定
右爲每年社遣方請取所如件
天正十五
十月十四日
都治部大夫好備[10]

右は周防松崎神社の祭禮料等の料所として佐波郡領所の分錢米は米にて分米計十一石貳升であり、内錢に換へて二貫四百文は古錢にての計算にて實際は貫別六斗の當料卽ち古錢一文に付き四文に相當する惡錢で領收されてゐる。

唯東國の永高制は永樂錢の通用量が元々通貨の極く一部であつて、實際は他錢や米金で多く充當されて、全然價値の標識として抽象化されてゐたので、却つて近世初期の石高制や貨幣等の變動期を通して後世迄殘つたのである。然るに分古錢は惡錢が增加せりと雖も古錢が依然通用銅錢の主體であつたので、古錢を以て充當される場合が多かつた。故に古分錢高は結局分錢高と結局殆んど區別される所はない。特別なる必要なき限り分古錢を註記する場合が尠かつた

のである。

奥野氏は私が西國で古錢が關東の永高に對し略同樣の位置を占めたと述べたに對して「關東の永高に對し關西方面では古錢が略同樣の地位を占めたと小葉田氏は云はれて居るが、之も永樂錢と同じ過程を辿つて單に過去の名稱となり、後には關西地方に於ても永高が採用された如く思はれる。」といひ、明治四年五月公布の新貨條目を掲げて、「關西地方でも古錢は永高の地位を永く占有し得なかつたのでないかと思はれる。即ち永樂錢と等しく近世初期に於ける古錢の流通數量、貨幣上の地位を推定出來る」と述べ古錢が氏の主張されるグレシヤム法則實現の結果餘程消滅した如くいはれる。關西地方といふのは西國と記したものの、誤解であり關西で永高の行はれたといはるゝも恐らく錯誤であらう。それはとにかく近世初期でも古錢の通用は事實多かつたので寛永新錢發行の際も「寛永之新錢並古錢とも金壹兩に四貫文壹分には壹貫文にうりひさくへし」といつてゐる。（入田氏の發掘錢の調査に、寛永錢一枚と記され、右は勿論一回分の發掘で、伴出せる古錢數は不明だが、一枚の寛永錢よりは遙かに多かつたであらう）古錢が近世を通じ明治年間迄に如何にして消失したかといふ調査は又興味ある問題である。私に一、二意見がないではないが、今は省略する。奥野氏が寛永十三年の令を擧げて「室町時代に於て精錢とされた古錢は、玆に金一兩鐚錢四貫文、換算すれば永一貫文の割に使用する事になつた、古錢は鐚錢に低落したのである」といはるゝ。此金一兩鐚四貫文の令は慶長十三年十二月の制令に見える。徳川幕府は永樂錢を最上とする關東の慣行から出發してゐるが、永錢の價値法定は抽象的の一の價値標識となつてゐるので、永樂錢通用も廢止され、（即ち金一兩永一貫としての通用を停め、永錢も永一文に四文とす）現實に鐚錢四枚を以て一文に通用する精錢は最早存在しない。然らば古錢が鐚錢となつて前代の古錢に比し四分の一に價値が下落したといひ得られぬ。譬へば之を金とか米とかに對して見ると天正以前善錢一貫文に金一兩或は米四・五石前渡（近世初期金一兩永一貫、四・五石前後として)の相場は先づ無いのである。抽象化せる永一貫と近世以前の永樂一貫殊に善錢一貫と同一に扱ふは如何であらう。奥野氏は又私が近世初期永樂錢廢止が可能事であつたのは永樂錢の流通量が尠い爲なる事を述べたに對し、「室町時代に輸入されたのは如何にして消失したのであらうか」といはるゝ。永樂錢の流通量は元來流通銅錢中の一小部分である。私も古錢や永樂錢が自然的に磨損し災害によつて廢毀し減少した事實は勿論認めてゐるし、地惡錢の增加甚しき事は嘗つて詳說した。唯奥野氏のいはるゝ如く足利幕府の禁制の結果グレシヤム法則の完全なる發現を見て近世初期永樂錢や古錢が殆んど消滅したといふ事は贊成出來ぬ。

註

1 防長古文書誌 卷三 熊毛郡平生村宇佐木村 農與助家藏

2 柴氏は一緡を百文(九十六文)と解されてゐる。勿論百文を一串とする慣行は普通だが、一緡といふ時は一貫文なることはいふまでもない。氏は二十文さしの慣行の例として覺源禪師年譜略の「上野國世羅田之門前一宿、〇中略 受嚫金一緡、販壽福寺、便五箇以爲香傳云々」とあるを擧げ一緡は百文で一箇は二十文なりといふ。一緡が一貫文なる以上一箇は二十文たる係りは右の文には毫もない。一緡は一貫、一個は百文である。例せば鹿苑日錄天文五年十二月十七日の條に「自松本新兵法玉ヒワ代壹緡貳ケ幷紬一而壹緡一百來也」天文十二年十一月十七日の條に「自護國惡孔方替二緡百五十片來、內又惡物八百五十片在之、壹緡三ケ請取之」とある如くである。個は又連といつてゐる。前揭覺源禪師の年譜の文は受嚫金一貫文、壽福寺に歸り香傳五百文の意味である。之とは別に廿文さしの慣行の存した事に就いては私も同意したい。

3 永正二年十月の幕府の撰錢令に見ゆる「惡錢賣買事同停止之上」とあるを私は前著にて「打歩存在の承認は惡錢をも同一價値にせんとする幕府の主旨に反する故、惡錢賣買禁止になつた」と解せるに對し、柴氏が然らば撰錢容認せられた惡錢はどうすべきかといふ疑念が起ると抗議されたのは一應御尤と思ふ。然し撰錢容認の惡錢は通用禁止と解せば問題は明かである。

4 武備志 卷二百三十一 日本考にも同樣の記載がある。猶「由琉球高麗」といふ句があるが、支那より樣錢を得んとすれば、當時日支私船往來盛んであつたのだから、特に其事を俟たぬ。朝鮮よりの銅錢輸入に就き細説しようと思つたが、多岐に亙るので割愛した。

5　朱國禎の湧幢小品　卷三十　日本

6　薩藩舊記　前集　卷三十一

7　右同、百文を以て一串とするは最も普通であるが、省陌法は大乘院寺社雜事記　文明十二年十二月二十一日の條に「新足アカマカ闕ヨリ西ハ百文、東ハ百文九十七文目」とあり、是等小額のさしで割切れる性質のものでない。

8　防長史談會編　氷上山興隆寺文書二四七、二四八、同、忌宮神社文書一三三、一七五、一七六、

9　宗像神社文書及宗像大宮司關係文書、(福岡縣史資料第二輯)

10　防長古文書誌　卷九　周防國防府町松崎神社文書

附言　本論には問題となつた撰錢令とグレシャム法則との關係には直接多く觸れなかつた。私は足利時代が完全にグレシャム法則の實現せる適例であるとは考へぬので其點柴氏の御説と類似する所あるが、當代の撰錢令や通貨狀態に就いての解釋には根本的な相違がある。其の主なるものは明代制錢が低劣錢にて幕府等の撰錢令は其價値吊上策であるといふ説、又撰錢令は善惡錢の打步使用を容認したるもので、同一價値通用を令するものでないといふ説等である。前者に就いては氏が論證の主要點、(イ)明に於ける一般制錢が嫌忌され低錢として扱はれたとの説(ロ)新錢が明制錢たりとの説(ハ)大内氏禁制の解釋(ニ)籌海圖編の解釋等に就き各詳細に論及した積りで、後者に對しても簡單に之に觸れた。足利幕府・大内氏・淺井氏等の禁制と關東諸侯、殊に寺社邊の禁制との間には主旨に於いて甚だ相違する點があると考へるが、幕府の禁制の類が强制される場合にはグレシャム法の實現さるゝ機會があり、其强制力の伴つた淺井氏分領に於ける如き、かゝる現象を見た事は私も既に述べた

所である。　奥野氏は幕府の撰錢禁制等の結果完全にグレシャム法が實現し、良貨が驅逐されて、非常に減少し悪錢の增加せる事を詳論された。私と奥野氏の立場の相違を二三箇敍すると次の如くであらう。(イ)私は悪錢の打歩通用は幕府禁制の見ゆる以前より行はれ、悪錢の種類、數量の增加に應じて實價に相當して類型的に幾段もの打歩を以て慣用されて來たと考へる。　奥野氏は前の論文で明治年間の銅錢の磨損率迄引用されて精密なる實價の區別を說きグレシャム法出現の機會を論ぜられたが、善悪錢の區別觀念に就いては柴氏の論難がある。　然し奥野氏は第二論に於て柴氏のいはるゝ善悪錢區別の一般社會の通念と特殊の階級者の區別の差あるを主張して、土倉・酒屋・商人・寺院等の差別觀が一般民衆と異なる事を述べられたが、　右は卽ち貨幣論者のいふ唯小數の兩替商、鍛冶等の善悪識別に習熟するものが僅小の差を知り利益を得んとすると論ずる點を指さるゝのであらう。然し商人土倉・酒屋・寺院等は恐らく當代通貨流通の大部を荷擔するものといふべく、私のいふ善悪錢打歩の慣行は寧ろかゝる階級者の間に發生せるものであると思ふ。　奥野氏は鐚錢以外に悪錢が存し特に鋭敏なる階級の人に排斥されたといひ、(鐚錢は氏の論文では撰錢令に排除された錢卽ち京錢打平を指さるゝのであらうが、京錢打平等は最低劣錢で、其より上位の明制錢中の低錢も同私鑄錢もあり、古錢の磨損せるものも同私鑄錢もあり、各相當の打歩で通用されてゐたのである。)　扨て其後に來る氏の說明では右の特別階級者のみの認める悪錢は結局社會通念を以て明かに差異が認めらるといふ事になる。　奥野氏が幕府の禁制につき「古錢」と渡唐錢」との各に（禁制では奥野氏の所謂鐚錢卽ち打平、京錢等を除き他錢は此の二種に總轄していつてゐる）善悪兩貨の存在する事に氣がつかなかつた」といはるゝ所を見ると右の特殊階級以外の內に幕府當局者も含まるゝようであるが、一方又渡唐錢中に悪錢の存せし事の證左として幕府禁制の「不謂善悪不求少瑕」とあるを擧げられてゐる。　奥野氏の特殊階級の差別觀として實證さるゝ所は、大凡社會通念の區別に落着きそうである。(ロ)　私は幕府等の禁制は特別の劣悪錢を除き他を同一價格に一樣に通用せしむるものであると述べた。（數量の比例等はあるが）此原則に於いては奥野氏も大體同意見であると思ふ。私は此禁制が强制力を伴はず實現されず、法貨たるの資格（卽ち右の同一價格錢の內には市間では幾種の惡錢あり、又幾段かの打步で通用されてゐる。之が法定の如き同價にて通用される。）を附與され得なかつたと考へた。奥野氏は前の論文では天文十五年の渡唐船警護の連署狀迄例示して幕府の令が九州地方迄行はれたる事を述べて其强制力ある事を主張された。所が氏は又一方東福寺の寺中の通用錢條目につき「柴氏が說明さるゝ如く、之によつて天文十一年の幕府令の行はれなかつた事が充分推定其來る」といひ幕府の撰錢禁止にかゝはらず京都にて危險を冒して撰錢するを力說された。（八）私は惡錢の增加善錢の減少も勿論認めるが、善錢が驅逐され近世初期に極小に減じたとは考へぬ。然し此事は何れにしても絕對的に數量を實證する譯にはいかぬ。奥野氏は幕府の禁制中より善惡錢の增減を云々されるが之は元來無理であると思ふ。明應の法令では古錢と渡唐錢（永樂、洪武宣德等）とを單に混用せよといふのだから同一價格（氏によれば同一の數量の割合の意であらう）にしたが、永正二年七月の令では二と一とになつて渡唐錢の減少であるといひ、幕府は古錢と渡唐錢とに比率を設けなかつたため減少が著しくなつたと考へたるものと氏は想像し、（奥野氏は幕令の所謂渡唐錢其の他の古錢中に惡錢があるといはるゝ、其通りである。故にグレシャム法則實現を主張さるゝ氏には單り渡唐錢の減少では不都合となる）然し是は古錢と渡唐錢との各々に善惡錢の存在する事に氣付かずと理由を附せられて（是は前述の如き明白なる誤である）永正五年の禁制で古錢の減少を發見して古今の唐錢を悉く用ひしめ、其後又（渡唐錢のみの減少と考へたと見へ）天文十一年には永正二年の令に復歸して、前代の缺陷を踏襲したといふ風に說かるゝ。かやうな氏の想像と其理由付とは私にとつては無用に屬するものであると思ふ。簡單にいへば、此の一連の考察の中核たる幕府が古今渡唐錢といふものゝ中に善惡錢の存在を氣付ずといふ如きは明白に誤である。古錢の減少を發見して悉く使用せしめたといはるゝ後にも、再び渡唐錢のみの減少と考へたといふ事になる。古今渡唐錢を混用せしめたるを渡唐錢三分の一としたるは減數したものといはるゝが、當時の明制錢の通用量が例せば入田氏の發掘調査に七・八パーセント位他の九〇パーセント餘は古錢である事實に想到さるべきである。大内氏は猶以前に既に此割合を規定した。而して氏が最大の實證とせらる近世初期古錢や永樂錢が非常に尠かつたといふ說に對する私の立場は既に前述した。

猶終りに臨み精細なる硏究をものとして私も啓發さるゝ所多かつた柴・奥野兩氏に敬意を表し、特に柴氏は奥野氏が同氏及私の舊說に對し論難されたる點に關し辯明反駁せらるゝ所あり、從つて柴氏と立場を異にする點のみを擧げたるを以て非禮を累ねたる事多きを思ひ切に寛恕を願ふ次第である。猶此問題に興味を有せらるゝ方にして本論と私の前著とを併讀賜はらば幸甚である。又本論中引用の史料に就き京都帝國大學國史並に東洋史硏究室、昭和九年八月閲覽を願つた内閣文庫、同八年七月參訪した山口縣立圖書館等に謝意を表し、臺大史學科副手松本盛長氏の多大なる助力を得たる事を銘記して擱筆する。

（昭和十年一月十八日稿了）

# 明治七年征臺之役に於けるル、ジャンドル將軍の活躍

庄司萬太郎

# 目次

# 明治七年 征臺之役に於けるル、ジャンドル將軍の活躍

庄司萬太郎

## 一　征臺之役の發端とル將軍の建策

明治四年(一八七一年)十月廿九日琉球宮古島船二隻と同八重山島船二隻とは、沖繩島首里へ年貢上納の用務を果して計羅間島(那覇より七里)を出帆し、各々歸航の途に就いたが、其内の宮古島船一隻は十一月一日遙かに郷土宮古島を望見したのみで、暴風のために全く進退の自由を失つて漂流し、遂に同月六日臺灣南部東海岸の蕃地、即ち今日の高雄州恒春郡八瑤灣に漂着した。然るに其乘組員中三名は上陸の際溺死し、辛うじて陸に上つた者は六十六名であつたが、彼等のうち五十四名は無慙にも高士佛、牡丹兩社蕃人のために虐殺せられ、纔に其難を免れたものは十二名であつた。

又宮古島船の他の一隻は、十一月十二日卽ち僚船の臺灣蕃地へ漂着後六日目に、同じく打狗附近の蕃地に漂着し、一行は一時危地に陷つたが、漸くにして虎口を脱して臺灣府(臺南)に到着した。尙八重山船二隻の內一隻は全く行方不明となり、今一隻は南部の臺灣行政區域內に漂着し、其乘組員は無事に臺灣府に辿り着いた。斯くて此等の生存者は、一旦淸國福州に送られ、次で福州よりの便船で、翌五年六月二日那覇港に歸つて、之が遭難顚末を當局に屆け出でたので、當時在島の日本官吏伊地知壯之丞は、直に之を鹿兒島縣參事大山綱良に急報し、こゝに此事件は明瞭となつた。(1)

其後六年正月九日、小田縣下備中國淺口郡柏島村の船頭、佐藤利八外三名は、積載の鹽並に疊表を紀州尾和瀨で賣拂ひ、代りに線香、椎茸等を買入れて同所を出帆し、歸國の途に上つたが、同十四日より紀淡海峽で暴風に遭ひ、漂流五十餘日の後、漸く三月八日に至り、現臺灣臺東廳馬武窟に著き、これ亦同地蕃人のために衣服積荷を掠奪された。(2) 但し備中船の遭難は琉球船事件の問題となつた後に起つたのであるから、我國に於ては、最初琉球遭難船のみに就て生蕃問罪の議が起り、當時の外務卿副島種臣を淸國に派遣して生蕃處分の事を談判

せしめられることゝなつた。(3)

此時に當り、偶々慶應三年(一八六七年)三月、臺灣島南端に於て遭難した米國商船ローヴァー號事件の際に厦門領事であつて、親しく蕃人と折衝して、有利な條約を締結した米國のル、ジャンドル將軍(General Le Gendre,李仙得、後、李善得と稱す)(4)が、歸國の途次、横濱に寄港したのを、當時東京駐在米國公使デ、ロング(G. E. De Long)の好意的推擧で、急に彼は我外務省准二等出仕に任せられて、外務省顧問となり、我征臺之役に關係するやうになつた。

抑々ル將軍が清國を引上げて歸國の途に就くやうになつたのは、駐支米國公使の態度が彼の抱懷して居る對蕃策に對して熱意のなかつたことが有力な原因である。初め彼は一八七二年(明治五年)二月、琉球人が臺灣蕃地で虐殺されたといふ報知を耳にしたので、曩に彼が蕃人と約した關係もあつたから、其眞相を究めるため、米國汽船で渡臺し、自ら蕃社に赴いてテラツタ社の頭目トケートクに會ひ、其暴行を詰つた。然るに頭目は彼と締結した一八六七年の條約には、白人を救助すると云ふことはあるが、琉球人を保護すると云ふ條項はない、と答へて之に應じなかつた。仍て彼は米國公使及び清國政府に對して、加害蕃人の暴行を懲罰するやうにと忠告したが、當時誰れも彼を相手にしなかつたばかりか、彼が恣に臺灣に渡り、公然蕃人と談判を開いたのは不法である、との非難さへあつたので、彼は事情を本國政府に具陳し、清國政府及び駐支米國公使が蕃人の暴行を放任してゐることを訴へて自己辨疏を行つたから、爾來彼は清國駐在米國公使ロー(F. F. Low)と相容れないやうになつた。併し米國大統領グラント(U. S. Grant)は彼の功を賞して、彼をアルゼンチンの公使に推擧したので、彼は歸國に決して厦門領事を辭し、同年九月厦門を發して横濱に寄港した。斯くて彼が愈々同月廿二日、横濱拔錨の汽船「日本號」で、桑港に出帆しようとする其前夜の十一時に東京駐在米國公使デ、ロングより至急副島外務卿に會見するようにと希望した書信に接したので、彼は直に之を諾し、歸國を中止して、同廿四日副島種臣と横濱に於て會見し、次で同廿六日東京延遼館に於て再び會見して會食した。兩者會見の模樣は當時の應接筆記に悉されてゐる。(5)

此時の對話よりしてル將軍の意見を檢討するに、臺灣蕃地は所謂清國化外の地で、清國の政令は及ばないが、自己が曾つてローヴァー號事件の際頭目トケートクと締結した條約により、蕃人は白人に對して暴行をしないと信じて居たことが、過般自己の臺灣渡航によつて明白となつた。若し當時琉球人が、西洋服でも着て居たならば、或は殺されはしなかつたのであらう。蕃人は由來支那人に對して敵意を持つて居るから、琉球人は支那人と誤認せられて、斯様な悲慘な目に遭つたのである、と彼は確かに彼の述べた通りであつたであらうと思はれる。それは我征臺の役に、石門の戰に於て負傷し、後我皇化に服した高士佛社の老蕃カリシンパリブシの實話に、當時漂流人は一體何國人であらうかと云ふので、蕃人と交易のために這入り込んで居た或る支那人の所へ連れて行つて、筆談で聽き取つてくれと頼んだが、其支那人が何國人とも判らぬと云ふ答をしたので、殺してもよからうと云つて殺すことゝなつた(6)とのことである。故に最初殺すことに就て、一時躊躇したことは明かで、之は蕃人がル將軍との條約を忘れて居らなかつたためであらう。

ル將軍は米國は土地は敢て取るを好まない、蕃地が日本領となつても差支へない、又清國政府は永久的の砲臺を自國領土内に築造し、又は燈臺を建設しないことは知れて居るから、日本政府は其人民保護のため、清國政府に談判して、右建造のために先づ臺灣に於ける清國領土内の或る地所を租借せられよ。但し其折衝には大に注意を要する。何となれば、琉球は日支兩屬で、殊に當時遭難者は福建へ獻貢の歸途であつたと云つて、淸國政府は日本の要求に對して抗辯するであらう、とル將軍は語つて居るが、之は彼の誤聞で、遭難船は沖繩への年貢上納船で、福建へ獻貢の歸途ではなかつた。併し結局彼の意見は、淸國では臺灣蕃地をば他國であると思つて居るやうであるから、日本が之を占領するのが相當と思ふ、及ばずながら余は之が占領に助力を惜しまない、と述べて大に我外務卿を煽動し、最後に國際法上より人民保護を口實に淸國政府へ直接に交涉せよ、と丁寧に敎へて居る。實際彼は此際、剛放な副島外務卿を利用することによりて、生來の冒險的好奇心を此機會に滿たさうと思つたから、大に挑發的の語句を以て外務卿の所見に油を注いだのである。然かも當時我國内では、一方征韓論の沸騰してゐた際であつたから、我國としても一時人心を他に轉向させるには、全く恰好の問題でもあつたので、政策的にも我外務卿は大に乘り氣になつたものである。されば こそ、如何に此時副島外務卿が、彼と識つたことを衷心より喜んだかは、「副島大使適淸概略」に明かである。

副島之ヲ米國公使デ、ロングヨリ聞キ、李ヲ邀ヘ共ニ語ル。半日ニシテ相見ノ晩キヲ恨ミ、遂ニ伐蕃ノ策ヲ畫定セシメ、之ヲ朝廷ニ上ツテ、米國政府ニ請ヒテ我顧問トナシ、後ニ陛見ヲ得セシム。勅シテ曰ク、朕カ民ヲ親スルノ意ヲ體シテ其レ遐陬ヲ靖ンセヨ。(7)と

斯くて愈々副島大使はル將軍を顧問として清國に使することゝなり、威儀堂々軍艦龍驤、筑波の二隻を從ひて出發した。又大使を初めル將軍等が其出發前明治天皇より優遇された次第は、三月九日大使はル將軍等の隨員と共に參朝して陛下に拜謁の後、一同酒饌御照影及び幣絹卷錦等を拜受した事實に徵して明かである。

當時米國軍人で此事件に關係したものに、米國海軍少佐ダグラス、キァッセル(Lieutenant Commander, Douglas Cassel)と、同陸軍中尉ゼームス、ワッソン(Lieutenant, James Wasson)とがある。

註

1 加害の兇蕃は西郷都督の名を以て勒せられた「大日本琉球藩民五十四名墓」の碑裏中の文句、「明治四年十一月我琉球藩民遇颶破船漂到臺灣蕃境誤入牡丹賊窟爲兇徒殺死者五十四名」云々の語句通り、普通、牡丹社蕃であるとせられて居るが、十一月六日に上陸した遭難者の一行は、同夜は山中に露宿し、翌七日高士滑(クスクス)(今の高士佛)蕃社に迷ひ込み、同夜は同社で宿泊した。然るに八日に至り、同社の形勢不穩なるを看破して、一行は同社を脱出しようとしたが、力及はず、主として同社蕃

人のために虐殺されたものらしい。之を牡丹社蕃人とするやうになつたのは、双溪口に於ける慘劇を目撃し、其生存者に保護を加へた蕃產物交換所の廣東人陵老先が、埔力庄に來り、其庄長楊友旺に、加害者は牡丹社蕃人であると報告したのが主因であらう。勿論牡丹社蕃人も陵老先の處へ押しかけて來て、此慘劇に加はつたことは間違のないことである。何となれば、我征討軍が瑯嶠に上陸して各蕃社に投降を諭達した際に、何等問罪せられる理由のない各蕃社は、直に我軍の命を奉じて歸順したのに、高士滑及び牡丹の兩社蕃人は我軍門に降らないで、我軍に抵抗し、殊に石門の激戰に最も奮戰したものは牡丹社蕃人であつて、同社蕃の頭目、阿祿父子は此時に戰死して居る位であるから、琉球藩民殺害は全く牡丹社蕃人の行爲であるかの如くに斷ぜられたのであらう。併し遭難者中の生存者仲本、島袋等よりの聞書及び川平親方外三名の屆書によつて之を徵するも慘劇は結局、兩社蕃人によつて行はれたもので、牡丹社蕃人のみの所業でないことは明かである。

2　備中國淺口郡柏島村船頭佐藤利八外三名が、臺灣臺東廳下のマボケ（馬武窟）蕃地に漂着したのは、明治六年三月八日で、同年三月福島大使渡支の際には未だ問題とならなかつたが、後其詳報を得て、翌七年四月の西鄉都督出征の時は、十分本件の事實も判明し、柳原駐支公使は、同年四月、太政大臣三條實美より之に關して訓條を受けて出發して居る。尙利八等は土蕃の掠奪を受け勞役に服せしめられたが、支那人アンセン（陳安生）なるものに救はれ、六月十四日彼と同船で、同廿日鳳山縣旗後（打狗）に到り、同所より臺灣府（臺南）に護送され、恰も此地に出張中の福島九成に面會し、更に七月五日打狗より福州に出帆、七月十四日福州より上海に護送、同廿日日本領事館に交附された。斯くて上海よりの便船で長崎へ歸着した。

3　鄭永寧編纂、副島大使適淸概略附言。（明治文化全集。外交篇）
副島外務卿の淸に適つた名義は、辛未條約互換と同治帝親政祝賀及び生蕃問罪の件であつたが、其主目的は伐蕃問題であつた。

4　ル、ジャンドル將軍は初め「李仙得」と稱したのを、明治天皇より「仙」を「善」に改めよとの御諚で、爾來「李善得」

と名刺にも記した。(ル將軍の孫女聲樂家關屋敏子孃の談)
同將軍は佛蘭西系の亞米利加軍人で、且つ公法學者である。一八六一年、米國に於て南北戰爭が起るや、彼は北軍に從つて奮戰し、其功によりて陸軍少將に任ぜられたが、一八六二年、負傷のために退役し、醫師の勸告に從つて支那に渡り、一八六六年十二月、厦門領事に任ぜられて淡水、基隆、安平、打狗等を管轄して居た。一八六七年三月米船ローヴァー號遭難の通報は、打狗駐在英國領事より北京の英國公使に通ぜられ、英國公使より更に北京駐在の米國公使バーリンゲームに移牒せられたので、ル將軍は米國公使の命を奉じて、同年四月渡臺し、閩浙總督及び臺灣道臺等との折衝に努めたが、「該處既未收入版圖、且爲兵力所不及」と云ふ答であつたので、次で米艦の來襲となり、却て米國征蕃軍は敗退したから、彼は大膽にも單身蕃地に入り、同年十月、遂にテラソク社の大頭目トケートクと白人に有利な條約を締結した。

5 黑龍會編。西南記傳。上卷一。五五一頁―五七五頁。

6 藤崎濟之助著、臺灣史と樺山大將。二三四頁。

7 鄭永寧編纂、副島大使適淸概略。(明治文化全集。第六卷、外交篇。六五頁)

## 二 副島大使の適淸とル將軍の輔導

副島大使適淸の目的は、辛未條約交換と同治帝親政祝賀とに名を藉りて、生蕃討伐の保證を得んとするにあつた。「副島大使適淸概略」に副島疏を奉つて曰く、

外人ノ臺灣ヲ覬覦スル者ヲシテ敢テ我王事ヲ妨ケシメス、淸人ヲシテ生蕃ノ地ヲ甘讓セシメ、土地ヲ闢キ、民心ヲ得ンコト、臣に非ズンバ恐ラクハ

成ス處ナカラン。請フ清ニ適キ、換約ヲ藉リ、以テ北京ニ立入リ、各國公使ヲ説倒シテ其娼疾ヲ絶チ、淸ノ政府ト謁帝ヲ論ズルニ因リテ、告グルニ伐蕃ノ由ヲ以テシ、其經界ヲ正ウシテ半島ヲ開拓セン(1)。と

之によりて大使の抱負と自信とが如何に偉大强固であつたかを知ることが出來る。又當時の別勅に曰く、

外務大臣副島種臣

辛未冬、我琉球藩民臺灣島ニ漂到シ、其島ノ東部ニ在ル生蕃人ノ爲メ、五十四人横殺ニ逢ヒシ事件、汝種臣ニ命シテ淸國政府ニ派遣シ、其處置ヲ談判セシム。因テ朕カ委任スル要旨ヲ宣示ス。

一、淸國政府ニ於テ、臺灣全島ヲ其所屬地ト爲シ、右談判ヲ引受ケ、其處置ヲ施スコトヲ任スルニ於テハ、横殺ニ逢ヒシ者ノ爲メ、十分ナル伸寃ノ所置ヲ責ムヘシ。

但、右處置ハ罪人ヲ相當ニ罰シ、横死ニ逢ヒシ遺族ノ者ニ若干ノ扶助金ヲ與ヘ、且、向後取締ヲ立、右ノ如キ暴逆ノ所業ナキコトヲ堅ク保セシムヘキ事。

一、清國政府ニ於テ、若シ政權ノ及ハサルヲ以テ之ヲ其所屬地トセスシテ右談判ヲ引受ケサルトキハ、之ヲ朕カ所置ニ任スヘシ。

一、清國政府ニ於テ、若シ臺灣全島ヲ屬地トナシ、事ヲ左右ニ託シ、其談判ヲ引受ケサルトキハ、清國政權ヲ失セル次第ヲ明辨シ、且生蕃人無道暴逆ノ罪ヲ論責シ、而テ服セサレハ此上ノ處置、朕カ意ニ任スヘシ。

一、右談判振、三條ノ外ニ出ル答アラハ、公法ヲ遵守シテ公權ヲ失ハサルヤウ審思注意シ、臨機ノ談判ヲ爲スヘシ。

右勅旨ノ件々、宣ク欽奉シテ愆ルコト勿ルヘシ。

明治六年三月九日

奉勅　　太政大臣從一位三條實美花押(2)

斯くて大使は四月廿日清國天津府に抵り、同三十日大學士李鴻章と日支修交條約を交換し、五月七日北京に着いた。最初大使は政策上謁帝問題に沒頭して、臺灣事件を提議しなかつたが、最後に六月廿一日に至り、「臣ニ非ズンバ恐ラクハ成ス處ナカラン」など丶豪語した大使は、疎漫にも隨員たる柳原、鄭の兩書記官を以て、彼の大[illegible]級と應接せしめ、然かも最も必要な文書回答を此際取らなかつたことは、他日の紛議を醸した所以である。此對清談判の手續不完全に就ては、大隈重信も「昔日譚」に於て、此際外交上の公文書を徵して置かなかつたことを千秋の遺憾とし、「口頭の明答を得て唯々として歸朝し、終に彼をして忽ち其前言を食み、容易ならざる紛擾を起さしむる餘地を存し、竟に今日の事變あるに至らしめしは、豈無限の憾事に非ずや」(3)と述べて居るが、當時副島大使としては、「生蕃ノ暴横ヲ制セサルハ我政敎ノ逮及セサル處ナリ」(4)と云ふ彼の豫期した通りの責任回避の言質を得たので、將來の紛議等は勿論之を豫想しなかつたばかりか、得意滿面で歸朝の途に就いたのである。又顧問ル將軍も、曩にローヴァー號事件に於て、支那側より文書回答を取るために、苦き經驗を有ちながらも、(5)蕃地所屬の問題に就ては、最初より疑義を有つて居らなかつたためか、敢て文書回答を徵せられよと大使に助言しなかつたやうである。併し彼は顧問たる以上は、大使を輔けて、十分將來の紛糾を豫防すべきである。然かも彼自身は文書回答に於て苦き經驗を有つて居るのに、何等此際活躍した形跡を發見することの出來ないのは、顧問として彼の責任なしとはしないのである。然れども或は當時大使は、重ねて之を追及し、復答の文書を得ようとすれば、徒に時日を經過し、遂に伐蕃の時機を失ふのを慮つたためではなからうか、とも忖度せられるが、之は結局、彼が支那人の民族性乃至其外交振りを理解して居らなかつたためで、確かに大使の失策である。當時の狀況を更に「副島大使適淸概略」によりて檢討すれば、その六月廿一日の條に、

彼曰ク、生蕃ノ暴横ヲ制セサルハ我政敎ノ逮及セサル處ナリ。然レドモ福建ノ總督琉民ヲ救護セシ奏報ノ書ナト猶ホ檢査シテ、他日復答スルヲ待タレヨ。

我曰ク、貴國ノ京報ニ據テ此奏ヲ看タレハ、我國之ヲ知ラサル者無シ。今我大臣歸心如箭。惟タ兩國ノ好ヲ思ヒ、一言告明シテ去ルノミ。何ソ他日ノ復答ヲ待ツニ暇アランヤト。話畢リテ乃チ別ル。

二十二日大使隨員に行李ヲ束裝セシム。(6)

本文の「我大臣」は副島種臣で、「彼曰ク」の彼は、淸國吏部尙書毛昶熙、戶部尙書董恂及び記名道孫士達で、「我曰ク」の我は、我外務大丞柳原前光、同少丞鄭永寧で、鄭は本文の筆者である。「我大臣歸心如箭」は憤慨の結果ではあるが、支那人相手の外交談判には最も禁物である。彼我國民性の相違、外交の巧拙が手際よ

く寫し出されて居る。

事實は前後するが、清帝謁見問題に就いては、副島大使は單獨拜謁を主張し、諸外國公使に先行しようとして努力し、遂に成功したのであるが、此事に關してはル將軍の勞苦を多とすべきである。先づ大使の北京着と同時に、各國公使をして大使に敬意を表せしめようとして、ル將軍は連日米國を初め、露國及び佛國公使館を訪問し、頻りに之を諷するも、彼等の應ずる所とならなかつた。是に於て彼は苦肉の策を案出し、大使に說くに英國の例を援き、非公式の微行で、先づ各國公使を訪問せられよ、さすれば各國公使は直に公式答禮をするであらう、と大使は彼の言に從つたので、果して各國使臣の答禮を受けた。其後大使は外務少丞平井希昌を伴ひ、日々各國使臣と往來し、胸襟を披いて語ることが出來、清帝への謁見も大使の希望通りになつた。雄心勃々たる自信力の强い、剛復な大使も、ル將軍の忠言を斯く快く之を容れたので、大使と列國使臣の關係が圓滑に行はれたのは、慶ふべきことであつた。

副島大使を初め、ル將軍等の一行は、七月廿六日に歸朝し、翌廿七日闕下に復命した。强硬論者は大に其外交の成功を賞し、京阪の富豪等は其財產數百萬圓を集めて伐蕃の擧を援け、蕃地の開拓に充てんことを願ひ、又有志報國の士は擧つて大使の驅使を聽俟せんとした、が一方朝議は朝鮮の尋交を以て生蕃の問罪よりも重しとなし、先づ朝鮮の事を決定するを可として征韓論沸騰し、其議協はないで、副島外務卿も辭職し、姑く生蕃問罪の議寢むに至つた。

之より先、副島大使が北京滯在中、小田縣民四名が臺灣東部蕃地に於て蕃人の刦掠に遭つたとの情報、我國に到達したので、當局に於ても臺灣蕃地處分問題の決して永久に放任せらるべきでないことを認め、同年十一月臺灣近海の測量を兼ね蕃界の樣子を探らしめるため、軍艦春日に巡航を命じ、又一方陸軍少佐樺山資紀を初め、水野遵、黑岡勇之丞、福島九成、兒玉平輔、田中綱常、成富清風等に臺灣視察の内命を下して、臺灣の南北各地を探檢せしめ、各々其所見を復命せしめて、頻りに征臺の畫策に沒頭した。

越えて翌七年一月、遂に岩倉具視は三條實美と謀りて生蕃問罪に決し、先づ大久保利通、大隈重信に之が擔當調査を命じ、更に二月六日、各大臣、參議を岩倉邸に集め、本件に關して會議を開催した。此時利通及び重信は臺灣處分要略九ヶ條を草して之を提出したが、其第四條に「清政府ヨク臺灣處分ニ付、論說ヲ來サハ、昨年ノ議ヲ確守シ、判然蕃地ニ政權不逮ノ證蹟ヲ集テ動カサヽルヘシ。若シ土地連境ノ故ニ付、論スヘキ者生セハ、和好ヲ以テ辨スヘシ。其事件至難ニ涉ラハ、是ヲ本邦政府ニ質シテ可ナラン。惟、推託シテ時日遷延ノ間ニ、卽事ヲ成シ、和ヲ失ハサルノ機謀、交際ノ一術ナリ。」とて征蕃の大方針を明かにし、又福島九成を厦門領事に任じ、尙前記渡臺の志士をして十分臺灣の地形偵察の重要任務に服せしめて之を利用せられたいと陳述した。(7)

是に於て征臺の議は略々決したのである。

註

1 鄭永寧編集、副島大使適淸概略。(明治文化全集。第六卷、外交篇。六五頁)
2 香川敬三總閱、多田好問編修、岩倉公實記。下卷。一一二四頁—一一二五頁
3 黑龍會編、西南記傳。上卷一。五七八頁
4 鄭永寧編集、副島大使適淸概略。(明治文化全集。第六卷、外交篇。七一頁)
5 Mr. Le Gendre's Report to the United States Minister at Peking. (J. W. Davidson: The Island of Formosa, Past and Present.) pp. 117—122.
6 鄭永寧編集、副島大使適淸概略。(明治文化全集。第六卷、外交篇。七一頁)
7 香川敬三總閱、多田好問編修、岩倉公實記。下卷一一二七頁—一一二九頁。

# 三　西郷都督の出征とル將軍の從軍中止事情

明治七年四月四日、陸軍大輔西郷從道を陸軍中將に任じて臺灣蕃地事務都督とし、又參議大隈重信を以て臺灣蕃地事務局長官に任じ、同八日ル將軍を臺灣蕃地事務局准二等出仕と爲して其謀議に與からしめた。

斯くて四月九日、西郷都督の軍は橫濱を發して征蕃の途に上つたが、其發するに臨み、四月五日勅旨三條及び特諭十款を賜はつた。特諭十款中の第七款に「李仙得ヲシテ輔翼タラシメシハ其考案ヲ諮ヒ、且土人ヲ懷服セシメ、又支那地方官或ハ他ノ各國領事ニ對シテ應接等ノ事ヲ掌ラシムル事」(1)とあるのは、外交上ル將軍の活躍を大に期待せられたからである。

之より先、ル將軍は同年三月、覺書を大隈重信に提出し、臺灣蕃地征討後は永遠に之を領有すべしと主張して居る。即ち「理蕃提要」に、「幸日本ノ兵其地ニ在ルガ故ニ之ヲ留メ置クベク、且全世界ノ資益ノ爲、臺灣島中土人ノ領スル地ハ、日本帝國之ヲ領スル旨ヲ公告スベシ」、と述べて我軍の出征前、既に斯く彼は臺灣蕃地の永久占領を獻策した。兎に角、彼は自己が常に抱懷して居る對蕃策を我國の勢力によりて實現し、其名を擧げようとして居たことは明かである。

又當時エドワード、ハウス(Edward House)が其著「征蕃記事」(The Japanese Expedition to Formosa)に於て述べて居ることは、我當局の云はんと欲する所を悉したものであるが、就中、左の一句は、大膽な告白である。曰く「北京政府が無能力であるから、日本が清國化外の地に討伐を加へるのであつて、全く之は自國人民のためのみでない。全世界の人道上賞揚すべき行動である」(2)。と斯樣に我國に於ては大に討蕃の氣勢の昂つて居た際、一方、清國政府は之に對して斷然異議を唱へ、駐日米國公使ビンガム(John A. Bingham)亦本國政府の名を以て、臺灣が清國の領土なることを認め、曩に副島大使が北京に於て清國政府と文書應對をじなかつたことを難じ、何等日支折衝の證據がないと論じ、四月十八日公使自身で、我外務省に外務卿寺島宗則を訪ねて左の問答をした。卽ち公使は一八六〇年、米國政府に於て中立規則を設け、同盟國と同盟國との戰爭には船舶及び人民を貸與することを禁止することゝなつた。余は職掌上、貴政府に我が米國の船舶及び人民を貸與することは、之を拒止しなければならぬ。と述べたに對し、外務卿は、這回我政府の擧は敢て清國に敵するものではない。と釋明したが、公使は、清國管轄地の人民に敵するは如何。と問ふたので、外務卿は、蕃地に於て我が漂流人は其横暴に遭つたので其罪を問ふのである。清國の管轄地に上陸するのではない。と答へ、公使が清國政府に於て、貴國が兵員を遣して生蕃の罪を問ふことを許諾しないときには、清國政府に於ては、自己の國に敵するものと認めるであらう。と述べても、外務卿は清國政府に於て自己の國に敵するものと認めても、我政府に於ては決して清國に敵するものではない。清國化外の民に對して其罪を問ふのである。と答へて、彼の言を一蹴したが、翌日復外務卿は左の文辭を以てヒンガムよりの書信に答へた。曰く

（前略）昨日御面晤之折モ委細申述置候通、向キニ生蕃ノ我國漂民ヲ暴害セシ罪ヲ問ヒ、後來我人民航海ノ安全保護ノ爲メ、相當ノ處置ヲ爲サンタメ、今般都督ヲ臺灣生蕃ノ地ニ遣シ候ニ付、萬一彼ヨリ暴動の振舞有之哉モ難計候ニ付テハ、保護兵添遣候儀ニテ、清國政府ニ對シ、敵對スルノ主意毫モ無之候。就テハ貴國船舶人民相雇候トモ全ク平穩ノ目的ニ有之候。左樣御承知有之度、此段御答申進候。敬具。

明治七年四月十九日

寺島外務卿

米國公使

ビンガム閣下

追伸、今般都督派出ニ付テモ、手續書御心得迄差進申候也。(3)

然るに此日、ビンガム又宗則に面晤して、「貴國の兵員臺灣に上陸すれば、恐らくは清國政府と貴國政府との間に大葛藤を生ずるであらう。因て我米國船「ニユーヨーク號を運送船に雇使することゝ、李仙得等の此役に關係することを拒止す」と口頭を以て述べた上に、更に書簡を以て其意を通じ、駐日英國公使パークス(Sir Harry Smith Parkes)も亦我出兵を批難し、露國公使も局外中立を宣したので、我朝議俄に一變し、權少内史金井之恭をして長崎に急行して、遠征中止の勅命を大隈長官に傳へ、雇傭せる外國人の出發を中止し、外國より傭入れた運送船を解約せしめることゝなつた。

是に於て大隈長官は旨を西郷都督に傳へ、其出發を延期せしめようとしたが、都督は出征中止の不可能なることを主張して聽かず、「若し強て出征を止むるものあらば、從道は御璽を鈐するの勅書を首に繫け、進んで生蕃の巣窟を屠り、斃れて而して後止まんのみ、又若し淸國異議を生ずるあらば、政府之に答ふるに脫艦海賊の徒を以てせよ、然らば累を政府に及ぼすことはないのであらう」。と意氣昻然、決心面に溢れて動かすことが出來なかつた。然かも卽夜、從道は急に兵士二百餘名を有功丸に載せ、領事福島九成をして同船に搭乘し、閩浙總督李鶴年に贈るべき征蕃理由を述べた公文を携へて一路淸國廈門に出發せしめた。[4] 又此時、西郷都督の發した內諭は蕃地開發を念として士卒の輕擧を戒めたもので、「夫れ一人の勤惰は全軍の成敗に關し、全軍の成敗は國家の興隆に係る云々」[5]と述べて居る。

此時に當り、顧問ル將軍は我が借用せる米國船ニューヨーク號の解纜を屢々督促したが、同船長は躊躇して之に應じなかつた。斯くて米國領事は令してニューヨーク號を港內に繫留せしめたので、重信も同船雇傭の約を解き、裝載の物品を卸下し、又英船ヨーグシュル號の約をも解いた。[6] ル將軍の如何に强硬であつたかは、彼が米國公使の高壓にも拘らず、米國より雇傭せるニューヨーク號の拔錨を屢々促したことによりても明白である。

次で內務卿大久保利通も五月三日長崎に着いて重信に政府の內旨を傳へたが、此時には既に先發隊が四月廿四日に出發した後で、ル將軍のみの從軍を中止し、征蕃軍の出征に就きては何等從道と論爭をしなかつた。空しく從軍中止を命せられたル將軍の胸中察するに足る。我軍も亦彼の出征中止によりて蕃界唯一の指針を失つた。

斯くして同五日、ル將軍は大久保內務卿と長崎福屋に於て會食し、翌六日、內務卿と俱に光運丸に搭乘して歸京の途に就いた。[1] 然るにキャッセル、ワッソン、ハウス等はビンガム公使の訓令に從はないで、先發の運送船有功丸に搭乘して出發したが、同船は厦門に寄港し、其處で同乘の我領事福島九成は、西鄕都督より閩浙總督李鶴年に寄せた公文書を渡した。之れ我國が問罪の師を臺灣蕃地に動かすことを清國政府に通知した最初のもので、有功丸は厦門碇泊二日の後、臺灣に向つて拔錨し、五月六日臺灣南部の瑯嶠灣に安着した。

註

1 香川敬三總閱、多田好問編修、岩倉公實記。下卷。一三三頁

2 E. H. House: The Japanese Expedition to Formosa. P. 4.

3 香川敬三總閲、多田好問編修、岩倉公實記。下卷。一四三頁—一四四頁
4 同書。一四四頁—一四七頁。
5 落合泰藏述、明治七年生蕃討伐回顧錄。六〇頁—六二頁。
6 香川敬三總閲。多田好問編修、岩倉公實記。下卷。一四七頁。
7 大久利通日記。下卷。二六七頁

## 四　ル將軍の福建遣使と厦門に於ける彼の拘留

ル將軍は歸京後柳原公使の渡支に就いて種々畫策する所があつた。「大久保利通日記」明治七年五月十八日の條に、「今朝李仙得氏平井同道入來、柳原公使明日就出發生蕃談判ノ事ニ付、種々及示談候」。(1)とあるやうに、彼は猶外交の帷幄に參し、征臺軍に對する當時の逆流に反抗して頻りに活躍し、七月二日彼は大久保內務卿と倶に參朝、蕃地處分の件に就いて御下問に奉答した。(2)次で七月廿一日彼が特例辨務使を命ぜられて東京を發し、福建總督と協議の使命を帶びて渡支したのは、曩に五月十九日東京を發して上海に向つた柳原駐支公使と相應じて、閩浙總督李鶴年、福建將軍文煜等と樽俎折衝のためであつた。卽ち柳原公

使は彼の渡支を希望して居たが、(3) 同公使が三條太政大臣、島津左大臣、岩倉右大臣より受取つた清國政府談判心得書第九條に、「今者李仙得ヲ派シ、福建地方ニ往カシメ、總督其他ノ官員ニ遊説セシメ、周旋勸事ノ任ヲ授ク。就テハ雙方ノ事情隔閡不通ハ、必互ニ參差ヲ生センヲ恐ル。依テ兩間實地ノ形況ハ、每ニ相電報シテ氣脈ノ相通スルコトヲ要スヘシ」(4)。とあつて、柳原公使の希望は達せられた。然るにル將軍が厦門に着くや否や、直に厦門駐在米國領事ヘンダーソン(Henderson)のために逮捕せられて彼は上海に護送られたのは何故であるかと云へば、之れ曩に、閩浙總督が外交儀禮を無視した言辭を以て、書を同領事に贈り「米國がル將軍を始め、カッセル等の米國人の日本に活躍するを放任し、清國を不利に陷るゝは、明かに一八五八年の米支和親條約第十一條に違反する。米國は速かに米國人を日本政府より解放するやう取計はれたい」(5)。と述べて居たからである。加之、同領事は駐支總領事シーウォード(Seward)より、在支米國人は此際中立を守るやうにとの訓令をも受取つて居たから、之を曲解してル將軍が厦門に着くや否や、碇泊中の米艦ヤンテック號(The Yantic)の士官及び水兵の援助を求め、直に彼を逮捕したのである。併し彼は一八六〇年の米國條例によ

りて、間もなく釋放せられ、ヘンダーソン領事の行動は華盛頓政府によりて不法不當なりとせられた。(6)

ル將軍渡支の目的に就ては前述の通りであるが、七月廿三日附大久保利通より西鄕從道宛の書簡の一節にも、「李仙得モ福建ヘ出張、内ヲ搔キマゼ候見込モ有之、一昨日出帆相成候、尤其地ヘモ是非來リ候」(7)とあるやうに、支那に於て「搔きまぜ」の目的で、又彼は臺灣蕃地へも渡る豫定であつたのは、西鄕都督より電報でル將軍の渡臺を願出でゝ居たからである。(8)蕃通を以て自ら任ずるル將軍が、此機會に臺灣蕃地に渡航して、活躍の好機を捉へようと思つて、勇躍して其行に上つたのは尤もである。然るに事茲に齟齬して、捕縛抑留せられたのであるから、大に憤慨したのも當然で、此際彼が提出した抗辯書は理義明白である。曰く。

予日本政府ノ選ヲ以テ使人トナリ、南支那ニ至リテ平和ノ策ヲナサントセシニ、豈圖ランヤ、我合衆國ノ官人我自由ヲ妨ケ、我意志ニ逆ツテ强テ予ヲ繫獄スト雖モ、予嘗テ律面ニ背クノ罪條アルヲ知ラス、因テ今之カ辯解ヲナサヾルヲ得ス、抑合衆國人タル予カ、自身竝セテ日本政府ノ爲ニ臺灣事件ヲ所置セントスル予カ關係兩ナカラ、此地領事官ノ爲ニ呼出サル、所以ナシ。然ルニ今却テ予ヲ逮捕ス、恐ラクハ日本ニ對シテ不親情ノ所置ニシテ其歡心ヲ失ヒ、後、我國必ス之ヲ悔ルニ至ラン、予ハ日本ノ公吏トシ見レハ、予固ヨリ予カ合衆國ニ受クル罪科ヲ抗論スルノ權アリ。又合衆國人トシテ見レハ、此煩累ヲ致スニ至リシハ、我深ク歎スル所ナリ。今予ヲ以テ日本ノ官人、合衆國ノ人民ト兩般ノ身分トシ見レハ、事始テ明了ナリ。偕、予カ臺灣事件ノ起ラサル以前ヨリ、日本政府ニ關係セシコトヲ知ラサルヘカラス。千八百五十八年、合衆國ト日本トノ條約書ニ曰、日本ハ海陸軍共ニ軍陣使用ニ米人ヲ用ユルヲ得ヘシ。但シ日本ニテ合衆國ト親昵ノ國ト爭戰アル時ハ、此限ニアラスト。此條約ハ未ダ爭戰ノ起ラサル以前ヨリ、海陸軍ニ使用セル米國人ヲ、本國ヨリ日本ニ禁止シ得ルトハ予更ニ思ハサルナリ。其後千八百六十年ニ定メタル所モ、合衆國ト親昵ノ國ト爭戰ノ時ハ、雙方共ニ其海陸軍用ニ供スルヲ得ス。又一國中二部ニ分レテ事アル時ハ其一方ヲ援クルヲ得ス。然リト雖モ、是レハ唯爭戰ノ起リシ初ニ當リテノコトニ適シ得ルノミニシテ、固ヨリ合衆國人ノ法律ナレトモ、千八百五十八年ノ條約モ亦合衆國ノ法律ナリ、千八百五十八年ノ條約ニ因テ見レハ、既ニ其國ノ使用トナルノ後ニ、爭戰始マル時ハ、合衆國人タリトテ、合衆國議院ニ於テ、之ヲ防止スルノ權アランヤ。サレハ日本ニ於テ其權義ヲ主張シ得ヘキハ言ヲ待タサルナリ。然ルニ今、日本使用ノ合衆國人ヲ奪ハヾ、兩國共ニ自由ノ權ニ虧ル所アリ。又若シ此法令ハ始ヨリ日本政府ニ告知セシコトナケレハ、今ニシテ之ヲ行フヲ得ンヤ。今思フニ、千八百六十年ノ法令ハ、無行ノ合衆國人ヲ抑制センカ爲ニ設クル所ナリ。乃チソード及ビホルセビン等ガ、支那政府ト太平王亂ノ間ニ在リテ雙方ノ累ヲナセシ如キヲ以テ、議院ハ此等ノ事ノ支那ノミナラス、亦外國ニ於テ起ルコトヲ恐レテ、之ヲ防カン爲ニ、心ヲ用ヒシナリ。然レトモ此律令ハ内亂等ノ場合ニ適シ得ルノミニシテ、今度ノ事件ニ此律ヲ主張スルヲ得ヘカラス。且又千八百五十八年後、新ニ日本政府ト條約改正アリシカヲ知ラスト雖トモ、日本政府諾セスシテ其條約ヲ變スルヲ得ス。而モ今日ノ實情ノ千八百六十年ノ律ト相合サルヲ見レハ、日本人ノ承知セサリシハ知ルヘシ。且又千八百五十八年ノ條約ニ依レハ、前ニモ云ヘル如ク、合衆國人等日本ノ支那ト未

タ爭戰ノ布告アラサル前ニ、臺灣使命ヲ奉シテ日本ニ使用セラル、ハ何カ妨アラン。至ル所其權義ヲ主張シ得ヘキナリ。(9)

と斯く彼は斷乎として其所信を述べ、米國政府より何等の拘束を受くべきでないことを主張して居る。

當時ル將軍が厦門駐在米國領事に捕はれ、間もなく釋放せられたことについては、大久保全權大臣は八月廿一日附で、自己の上海安着と支那の近況とを三條、島津、岩倉の三大臣及び參議に宛てゝ報告した書簡中にも之を述べて居る。曰く

李仙得儀、北京駐箚米公使之命に依り、在厦門同國領事より、海軍兵士を以、捕縛被致候處、同人儀、素より犯罪之覺無之云々を以、強辯不屈、然る處、我日進艦長大に論破盡力、遂に領事も語塞り候次第、終に同氏友人より連署之請合證書等有之、旁以其危を免れ、隨而上海行致し候處、同所總領事船迄訪問、北京公使より嫌疑氷解之旨、申來候由を被告候由、拙官之着滬を待受、縷々陳述致し候。就而者、自今何等之事故關係も無之に付、拙官發航後、郵船を以北京へ出發之都合申含置候。同人厦門事件之書類者、

大隈參議殿へ差立候由に付、定而御承知之事與存、右之概略而已申入候。尤右事件に付而者、先便柳原公使へ申遣し置候條、米公使談判之都合等者、着京之上詳悉相分り可申存候。(10)

實際ル將軍の拘留は、豫め米國政府より駐支米國公使への紹介の不備より惹起された事件で、交渉不徹底のために生じたものであることを、柳原駐支公使は、八月廿四日附の書信で、外務少丞森山茂に宛てゝ報じて居る。卽ち

(前略)李仙得を福建へ派遣之儀有之候得共、同人再派前、彼國にて米公使へ引合せの手落より、厦門にて米國軍艦に被阻止候由に候。是等の情實、今日施行之儀相違致居候。(11) (下略)

兎に角、ル將軍の拘留は、厦門駐在米國領事の側に誤解のあつたことは、明白である。又一方我國に於ても、對淸談判の進捗上最初の豫定は變更せられ、ル將軍の渡臺も行はれなくなり、彼は大久保全權の隨員として北上することゝなつた。

註

1 大久保利通日記。下卷。二七〇頁。

2 同書。二八四頁。
3 臺灣始末。第廿五卷。
4 香川敬三總閲、多田好問編修、岩倉公實記。下卷。一八二頁。
5 The Viceroy of Fokien to Consul Henderson, June 1874 (J. W. Davidson: The Island of Formosa, Past and Present. p. 157)
6 J. W. Davidson. pp. 159—160
7 大久保利通文書。第六。卷二九。九〇八號、一三頁。
8 臺灣始末。第廿五卷。
9 多田直細輯、日本支那談判始末。上卷。一六枚—一九枚。
10 大久保利通文書。第六。卷二九。九一九號、五〇頁—五一頁。
11 黑龍會編、西南記傳。上卷一。六一九頁

## 五　大久保全權の折衝とル將軍の隨行

是より先淸國總理衙門は、我出兵の不當を鳴らして柳原公使との談判其要領を得ないので、更に大久保利通が全權辨理大臣として渡淸することゝなつた。其發するに臨み、八月二日、明治天皇陛下は同全權へ左の件々を御委任あらせられた。

一、全權公使柳原前光ヘ內勅ノ次第、及ヒ田邊太一ヲ以テ被仰遣候件々、綱領不動ノ要旨ニ候ヘトモ、實際不得已ノ都合ニ寄リテハ、便宜取捨談決スルノ權ヲ有スル事。

一、談判ハ兩國懇親ヲ保全スルヲ以テ主トストイヘトモ、不得止ニ出ツレハ、和戰ヲ決スルノ權ヲ有スル事。

一、時宜ニヨリ、在清國ノ諸官員以下一切指揮進退スルノ權ヲ有スル事。

一、事實不得止トキハ、武官トイヘトモ指揮進退スルノ權ヲ有スル事。

一、李仙得ヘ御委任ノ次第有之トイヘトモ、便宜進退使令スルノ權ヲ有スル事。(1)

以上の勅旨に徵すれば、大久保全權は曩に特例辨務使として渡淸して居るル將軍を便宜自由に使令してもよいと云ふ勅許を得たわけで、八月六日全權は橫濱發航、同十六日龍驤艦に乘じ、長崎を發して渡淸の途につき、八月十九日前述の如く上海に於て既に釋放せられたル將軍と會見した。其後ル將軍は、九月三日全權と復天津に會ひ、次で同十日全權一行の北京着以來、彼は全權の顧問として畫策奔走した。(2)

先づ大久保全權は淸國政府に問ふに次の二ヶ條を以てした。第一條は生番の地を以て版圖と言へば官を設けて之を化導しなければならぬ。然るに生番に幾ばくの政敎を施したか。第二條は萬國互に往來し各國皆航海者を保護しない者はない。然るに生蕃屢々漂民を害するも之を度外に置いて曾て懲辨したことがない。他國の人民を憐まないで唯生蕃の殘暴心を養ふの道理があるか。(3)と云ふのである。之に對して淸國政府は第一條の問は事實に反する。卽ち臺灣蕃地に全然政令を布かぬと云ふことはない。其證據には生蕃は社餉なる租稅を納めて居り、蕃童の秀良なる者は社學に入らしめて居る。又第二條の問に關しては、若し土蕃が兇行を演じたならば、各國大臣、領事よりの照會に基いて之を處罰する。今回の事件も日本より照會があつたならば、之を査辨する筈であつて、從來決して放置したことはない。臺灣に對しても法を作り官を設けて之を分轄し、中國自主の權を盡すのであるから、無用の干涉は御免を蒙りたい、と云ふ意味の囘答(4)であつて、第一條の質問に對しては、「臺灣府志」或は「戸部冊籍」卽ち收稅簿によりて明瞭である、と頻りに論辯に努めたが、我全權の反駁に遇つて、結局、彼は我出兵を目して條約違反とか、或は領土侵略とかと云ふことにしようとし、我は萬國公法を引用して、「一國新に曠地を占有するも、其國實際に之を領し、且つ其地に館司を建設して實益を獲るに非ざれば、公法其主權を認めない」とか、或は「一國邦土を掌管するの名あるも、其實なき者は他國之を取るも公法を犯すと爲さず(5)。」等と述べ、彼我の間は徒に論難にのみ時日を經過した。

北京總理衙門に於ける此對清談判に於て、我は主として我雇顧問たる佛國法學者ボアソナード(Gustave E. Boissonade)に就て國際公法上の疑義を諮ねた(6)。

十月九日大久保全權の隨員中に、和戰兩樣の論議盛に鬪はされ、全權はその何れに決すべきかに就て大に迷つた。「今晩李仙得氏見込書參ル、吉原ヨリ大意ヲ聞ク(7)」と全權が其日記にしるして居るのは此時のことで、吉原とは隨員吉原重俊で、ル將軍は勿論開戰論者であつた。彼の意見は、彼が一八七四年(明治七年)上海に於て匿名で出版した著書「臺灣蕃地は支那帝國の一部なりや」("Is Aboriginal Formosa a Part of the Chinese Empire?")、即ち「蕃地所屬論」に記述して居る通りである。

斯くして一方大久保全權は、清國政府に對し、曾て同政府が米船ローヴァー號事件の際に當時厦門駐在米國領事であつたル將軍に送つた公文書のことを述べ、更に論難を續けたが、**遂に我は蕃地を以て無主の地であると斷じ**、彼は我より無主であると答へた事曾てなしと强辯し、全權の歸國も駐むる所でない(8)と答へたので、玆に全權は十月廿六日を期して北京を發し、歸朝することに決し、愈々兩國間に暗雲低迷した。

彼の匿名の著書「蕃地所屬論」に於て彼は臺灣の沿革、ローヴァー號事件等を引證し遂に次の如き結論(9)に到達した。「(一)、支那は蕃地に對して何等の權利を持たない。(二)、假令支那が從前其權利を得たことがあつても、蕃地が開發せられざる間は其權利は完全でない。即ち只一時的のものである。何となれば、曩に支那が此地に政權を施すに當て、約束した義務を遂行する意志及能力如何に係るものであるからである。(三)、前條の約束上に於て得た支那の權利は、生蕃に對して其義務遂行を怠つた日より消失する。即ち總て放任未開の土地管轄の主權は自ら消失する。是れ文明國に於て借地人が其借地料を納めないか、或は借地證文の條項中に掲げられた借地人の爲すべき義務を怠つた時は、地主に於て借地人を放逐するのと其道理は同樣である。(四)、先人が全く放棄したことを完成しようとして、無主の地に最初に着手した文明國に、其土地を授與しなければならぬ。日本が臺灣蕃地を占領し、蕃人開發事業に着手するに於ては、其土地を請求する充分の權利がある。」と云ふのである。「然かも蕃地が日本軍の占領に歸した以上は、他國の領土を讓り受けると同様の順序をなし、相當の償金を出して和解の策に及ぶべきである。萬事は大久保全權の談判によつて判明するであらうが、余は日支兩國間の往復文書兩三通を熟見するに、日本は臺灣に出兵して支那と爭端を開くの意志の決してなかつたことは敢て疑を容れない。此事は柳原公使の迅速な交渉によりて明かである。」と日本に有利な斷案を下した後、更に彼は論鋒を進めて曰く、「日本が當然の責務を盡して居るのに、支那が日本の今回の擧を不當として、懇篤な協議を斥け、却て日本を襲はうとするならば、日本は敢て支那との開戰を辭するものではない。若し一度開戰となれば、日本豈に祖先の勇名を墜すものであらうか。」と日本人のために大に辯じて居る。併し大久保全權は猶飽く迄自重して無名の師たるを避け、伐蕃を義擧であると認めさせることを以て談判の第一義とし、柳原公使等の不平を抑へ、償金の額を眼中に置かなかつた。(10)が遂に英國公使ウェード(Sir Thomas Francis Wade)の斡旋により、急轉直下、和議成立して、十月三十一日には條約文交換の事全く終了した。

ウェード公使の斡旋は、表面國際平和の立脚點より發して居るが、裏面には清國より屢々之が曲直の判定を問はれたのと[11]、英國の商業上の利害關係とを顧慮してのことである。卽ち日清兩國が開戰することゝなれば、英國の失ふ商業上の損失甚大であることを痛感したからであることは、彼が當時本國へ送つた報文に徵しても明かである。[12] 又「使清辨理始末」第廿一號中、九月廿六日我辨理大臣と英國公使との對話中に、英國公使の言に、「我國民ノ商社、此地ニアル者二百有餘、一ケ年ノ貿易四億金ニ至ル。若シ兩國間交戰スルニ至リテハ、是等各人ノ利益保護セサルヲ得ス。故ニ十日ノ後上海ニ至リ、我水師提督ト面商シ、諸事設備ヲ爲サント欲ス。前件(日本軍ノ臺灣ヨリ撤退)ヲ聞ク所ノ者ハ、我カ一己ノ事ニ非ス、卽チ人民の利益に係ル所ナリ」[13]。とあるによりても當時英國公使の考慮の那邊にあつたかは、之を察知することが出來る。

條約文は條款(條約のこと)と憑單(契約のこと)との兩者より成り、條款は

理藩院右侍郎成
工部尙書崇
戶部尙書董
軍機大臣協辨大學士吏部尙書寶

大清欽命總理各國事務

和碩恭親王

軍機大臣大學士管理工部事務文

吏部尚書毛

軍機大臣兵部尚書沈

頭品頂戴兵部左侍郎崇

三品頂戴通政使司副使夏

爲

大日本全權辨理大臣參議兼內務卿大久保

會議條款。互立辨法文據事。照得各國人民有應保護不致受害之處。應由各國自行設法保全。如在何國有事。應由何國自行查辨。茲以臺灣生蕃曾將日本屬民等妄爲加害。日本國本意爲該蕃是問。遂遣兵往彼。向該生蕃等詰責。今與中國議明退兵並善後辨法開列三條于後。

一日本國此次所辨。原爲保民義擧起見。中國不指以爲不是。

二前次所有遇害難民之家。中國定給撫恤銀兩。日本所有在該處脩道建房等件。中國願留自用。先行議定籌補銀兩。別有議辨之據。

三所有此事。兩國一切來往公文彼此撤回註銷。永爲罷論。至於該處生番。
中國自宜設法。妥爲約束。以期永保航客。不能再受兇害。

衙門諸大臣
同治十三年九月二十二　花押　日
大久保大臣
明治七年十月三十一　花押　日
柳原公使
花押

先づ初めに各自國内保護の責任の歸着を明瞭ならしめ、次に日本國民たる琉球人が生番のために加害せられたから、該生蕃詰責のために日本は出兵したもので、敢て日本が清國領土を侵略するの意志のなかつたことを明かにし、更に撤兵と善後策三ヶ條とを擧げた。(一)、日本國の今回の擧を義擧として承認すること。(二)、琉球の遭難者遺族には撫恤の銀兩を給し、日本軍が今回臺灣に於て道路を修理し、家屋を建造したことに關しては、清國に於て之を引受け、之が諸費用は別に協定すること。(三)、今回の事件に關する一切の公文書は悉く之を撤回駐銷して論議を罷め、生蕃に對しては清國自ら法を設けて將來航海者の安全を期すること。等で、之れ悉く大久保全權大臣の要求通りである。

又憑單は

大清欽命總理各國事務衙門諸大臣名同前

大日本全權辨理大臣參議兼內務卿大久保　爲

會議憑單事。臺蕃一事現在業經英國威大臣同兩國議明。並本日互立辨法文據。日本國從前被害難民之家。中國先准給撫卹銀十萬兩。又日本退兵。在臺地所有脩道建房等件。中國願留自用。准給費銀四十萬兩。亦經議定。准於

日本（中國）國明治七（同治十三）年十二（十一）月二十（十二）日

日本（中國）國全行退兵（全數付給）均不得愆期。日本國兵未經全數退盡之時。中國銀兩亦不全數付給。立此爲據。彼此各執一紙存照。

同治十三年九月二十二　花押同前　日

明治七年十月三十一　花押同前　日

卽ち英國公使ウェードの調停により、臺灣事件處理の契約として、(一)、琉球遭難者遺族に對して淸國より撫卹銀十萬兩を支給すること。(二)、臺灣に於ける日本の修道、建家に對して其費銀四十萬兩を支出すること。(三)、日本軍の撤兵期を明治七年十二月廿日(同治十三年十一月十二日)とし、全軍撤退後、右金額を支給すること。等を契約した。

註

1 金井之恭編、使淸辨理始末。第二號。(明治文化全集、第六卷、外交篇。八二頁)
2 多田直繩輯、日本支那談判始末。上卷。
3 金井之恭編、使淸辨理始末。第七號。(明治文化全集、第六卷、外交篇。八七頁)
4 同書。第廿號。(同九八頁—一〇〇頁)
5 同書。第廿四號(同一〇三頁)
6 大久保利通日記。下卷。三一二頁—三一七頁。
7 同書。三一七頁。
8 金井之恭編、使淸辨理始末。第廿九號。(明治文化全集、第六卷、外交篇。一〇七頁—一一〇頁)
9 Is Aboriginal Formosa a part of the Chinese Empire? An Unbiassed Statement of the Question, with Eight Maps of Formosa. Lane, Crawford & Co., Shanghai, Hongkong and Yokohama. 1874. pp. 19—20.
立嘉度譯本多政辰編、蕃地所屬論。下卷。三一枚—三五枚。

10 大久保利通日記。下卷。三三一頁—三三二頁。

11 金井之恭編、使淸辨理始末。第廿一號（明治文化全集、第六卷、外交篇。一〇〇）

12 Correspondence respecting the Settlement of the Difficulty between China and Japan in regard to the Island of Formosa. Presented to Both Houses of Parliament by Command of Her Majesty, 1875. London 1875.

13 金井之恭編、使淸辨理始末。第廿一號。（明治文化全集。第六卷、外交篇。一〇〇頁—一〇一頁）

## 六　征臺之役の結末と大久保全權及びル將軍の歸朝

日淸兩國全權が、九月十四日第一回の應接を總理衙門に於て開始してから、回を重ぬること七回、約五十日間、互に論難を續けた伐蕃事件の談判も、略々我全權の要求通り急速に成立したので、大久保全權はル將軍等と共に、十一月一日北京を發して歸朝の途に就き、全權は芝罘より十一月五日附で、我政府當局に宛てゝ左記の書信を發した。

（前略）李仙得義、當港迄同船ノ處、最早ヤ御用モ無之ニ付、玄武丸ニテ歸朝義相達申候、本月三日ハ天長ノ佳節ニ付、隨員輩ト觴ヲ擧ケ相祝シ申候。

異邦ニ於テ佳辰ニ會シ、別段ノ情味ヲ覺申候。先ハ前條申進度、船中亂筆如此候也。(1)

かくしてル將軍は此書狀通り芝罘で大久保全權と別れ、玄武丸に搭乘して歸朝の途に上つたが、全權は上海、厦門を經て、十一月十六日臺灣瑯嶠灣着、龜山本營に入り、西鄕都督に對して本問題に關する經過を告げ、日清の和約三箇條は書面を以て之を示達した。此際全權が都督に其苦衷を披攊した心事は、大に諒とすべきものがある。全權の日記、十月三十一日の條に、「今日和議成、條約調印相濟ミ、實ニ安心無此上、且、聊使命ヲ全フスルヲ得、只々國家ノ爲可賀之至、是迄焦思苦心、言語ノ盡ス所ニアラス、生涯又如此ノコトアラサルベシ。顚末ハ「辨理始末」ニ明カナレハ不記、此日終世不可忘ナリ」。(2)と記し、又「辨理始末」に、

(前略)且ツ其和議調整ノ結末ニ至リ、彼償フ所ノ金、其額、僅少、我欲スル所ニ適セスト云フト雖モ、金額多少ノ論ヨリシテ議破ルヽニ至リテハ、我カ義擧タルノ本旨ヲ失フニ似タリ。是レ我カ名聲ヲ損セス、國權ヲ失ハサルヲ重シトシ、一刀兩斷、專決シテ疑ハサル所以ノモノナリ。然リト雖モ、

我政府許多ノ財ヲ糜シ、陸海二軍ノ整備ヲ爲シ、其獲ル所之レヲ償フニ至ラス、加フルニ擧國人心皆義ニ奮ヒ、戰ニ死シ、乃チ出軍將士ニ至リテハ、艱ヲ踐シ、苦ヲ甞メ、誓ッテ其憤リヲ洩サンコトヲ欲ス。實ニ其兵勢ノ强弱、勝負ノ得失、誰カ和ヲ以テ是トシ、戰ヲ以テ非トセン。唯余ノ決スル所以ノ目的ハ固トニ强弱得失ノ外ニ在リ。然リト雖モ、不肖謭劣ニシテ實ニ其任ヲ辱メタリ。朝廷若シ譴責スル所アラハ、固ヨリ甘ンシテ受クル所ナリ(3)。

とあるやうに、和戰兩様の意見を有する隨員を統率した大久保全權は、結局、最善の努力を盡したものである。

最初征蕃問題に關して全然大久保利通と其意見を異にし、遂に職を抛つて鄕里山口に閑居した木戸孝允は、十一月十八日の日記中に、

伊藤博文井上馨ヨリ書狀到來、臺灣一條遂ニ平和ニ歸シ、支那ヨリ五十萬テールノ償ヲ出セリ。臺灣一條ノ費格ニ比スルトキハ、十分ノ九ノ不足ヲ出シ、纔十分一ノ償ナリシト雖モ、一端開釁ノトキハ、幾千萬ノ費ニ至ルヲ知ラス、人民ノ大不幸、實ニ可患、幸ニシテ歸平和、人民ノ大幸、實ニ

可悦、可悦々々。可憐ハ臺灣ニテ時候不順、病死スルモノ數百人ナリ。(4)

と記して居るのも、亦以て反對側の意見を知るに足る。實際征蕃の役の兵數三千六百五十八人で、內將校、下士官七百八十一人、軍屬百七十二人、兵卒二千六百四十三人、從僕六十二人、軍艦五隻、運送船十三隻、內買入船七隻、雇船四隻、外國雇船英佛各一隻、死者五百七十三人、內戰死者十二人、病死者五百六十一人、負傷者十七人、征討軍資三百六十一萬八千五十九圓、猶船舶買入費等を算すれば、七百七十一萬餘圓に達した。然るに淸國政府の賠償金は五十萬兩、卽ち我七十八萬圓に過ぎなかつたから、此役や費用の點より云へば全く得失相償はないものであつた。(5)

併し此役に於て、「淸國は間接に琉球人が日本の臣民にして、隨て琉球群島は日本の領土たることを認めたるのみならず、各外國は、我が兵力の有效なるを認めたる結果として、英佛二國は、幕末の外人迫害以來、橫濱に駐在せしめたる兵を撤したるに因り、明治外交の上に受けたる間接の利益は甚だ大なりき」(6)と大隈重信は「開國大勢史」に於て論斷して居るが全く其通りである。

征臺の役が當時我國內事情よりしては已むを得ない外征であつたことは、所謂征韓論と關係があるからである。煩雑ではあるが、我征韓論の顛末を少しく述べよう。

是より先、朝鮮國政府は我大政維新の通報書を峻拒して受けず、又草梁公館門將小通事に傳令する所の書にも大に我國を侮辱する語があつたので、陸海軍を朝鮮に派遣して我居留民を保護し、且つ國使を派遣して之を詰問せよとの廟議が起り、西鄕隆盛は陸海軍の派遣前先づ全權使節を遣して公理公道を以て彼を諭し、彼をして自ら悔悟せしめるに若かないと主張し、自ら其使節に任ぜられたいと請ふた。又桐野利秋も之を聞き、自ら其副使たらんことを望み、參議板垣正形、後藤象次郎、江藤新平等何れも遣使に贊成した。併し太政大臣三條實美は事の重大であるのを以て可否を決しなかつたが、隆盛が切に請ふので、遂に御宸斷を仰ぎ、外國視察中の岩倉具視の歸朝後に之を決することゝなつた。具視歸朝後之を聽き、更に大久保をして內閣に列せしめ、木戶と共に其議に參與せしめることの可なるを主張し、之が決裁を遷延したが、隆盛は飽く迄朝鮮遣使を主張し、正形、象次郎、種臣、新平等復之を贊し、一方、具視、利通、大隈重信、大木喬任等は其不可を論爭した。併し實美は遂に隆盛の說に左袒したので、具視は病と稱して朝せず、利通は實行不可能を唱へて辭官、孝允も病氣の故を以て辭官を申出でたから實美は敢て遣使の議を奏聞しなかつた。

斯くするうちに實美も亦劇疾を發して臥床するやうになつたので、明治六年十月具視代りて大命を拜し實美の代理となつた。實に此時は内外多事、一方征臺の懸案もあつて、全く重大な國務紛糾の秋であつた。十月廿二日隆盛具視の邸を訪ね、直に朝鮮遣使の議を奏せられたいと請ふたが、元來反對派である具視は猶聽かなかつた。「岩倉公實記」の一節に「隆盛等辭色激昂、抗論已ム無シ、利秋臂ヲ攘ケ劍ヲ撫スルコト再三四ナリ。具視衆論ヲ排シテ曰ク、予カ眼睛ノ黑キ間ハ卿等ノ欲スル所ヲ行ハント欲スルモ得ンヤ。隆盛曰ク、閤下ノ意既ニ決ス、某等奈何トモスル無シ、衆皆座ヲ起チ辭シテ去ル、隆盛他ヲ顧テ曰ク、右大臣克ク蹈張タト、蓋シ具視ノ動カサルヲ嗟嘆スルナリ」(7)。とあるやうに當時隆盛一派の憤激の如何に强かつたかを知るに足る。

翌廿三日具視參朝して實美、隆盛等の論旨を奏し、自己の意見書を以て朝鮮遣使の不可と、國政の整備、民力涵養の急務であることを附加して御宸斷を仰いだ。廿四日具視の奏狀は嘉納あらせられたが、隆盛は既に前日の廿三日病と稱して參議、大將、都督等を辭するの表を上り、次で正形、象次郎、新平、種臣等も亦辭官の表を上つた。廿五日に至り何れも願に依り參議を免せられ、隆盛の陸軍大將のみは故の如しと云ふことであつて、所謂征韓論の閣議は決定したが、國内の風雲は決して穩かではなかつた。卽ち七年一月には岩倉公要擊事件があり、二月には佐賀の暴動が起り、鹿兒島へ隱退した隆盛一派は時機の到來を待つと云ふ有樣で、此際國內不平の分子に强壓を加へることは極めて危險であつたので、寧ろ國民の注意を他に轉せしめるために、懸案となつて居る征臺の役實行の已むを得ないことを具視、利通は痛感したのである。併し之には復々反對分子卽ち非戰派の巨頭木戶孝允が居たので、政府は一難去つて一難來るの狀で頗る苦慮した。

斯くて征韓論に於ては薩州派が退き、征臺論に於ては長州派が退くと云ふ奇觀を呈して、長州出身の山田顯義、鳥尾小彌太、三浦梧樓の各少將は何れも官を辭した。唯當時木戶派の大隈重信、伊藤博文等は利通に味方して政府に留まつたので、政府は巧に征臺論を處理して隆盛一派の不平を鎭め、人心の轉向を圖らうとし、一入ル將軍の活躍も期待せられた。是に於て征臺軍の募兵も隆盛に依頼して鹿兒島に於て之を行ひ、薩藩の壯丁八百名を之に加はらしめたと云ふ事實に徴しても、此役は當時我國としては已むを得なかつたことであるから、之を意義あらしめるために、義擧として支那に承認せしめようとしての利通の苦心は一通りではなかつた。幸に最後に彼の承認する所となつたが、我征臺の役當時、打狗(今日の高雄)駐在清國海關事務取扱の英人ヘンリー、エッガー(Henry Edgar)は、此役は日本が衷心より臺灣島の開發を考慮したもので、日本軍の牡丹社蕃討伐は、結局、人道上遂行せられねばならぬ當然の處置であると見ることが出來る。(8)と述べて居るのは、恰もエドワード、ハウス(Edward House)が「征臺記事」に於て記して居る所と同一で、當時外人は何れも蕃害に對して憤慨して居た際であつたから、我軍の行動を斯く是認したものである。(9)

英艦ドワーフ(The Dwarf)の艦長バックス(Captain B. W. Bax)は、恰も此頃支那、日本、臺灣の近海を巡航中であつたが、偶々我征臺の役に遭遇したので、彼は廊嶠に上陸して西鄕提督に面會し、又蕃人にも親しく會つた。此時彼は蕃人等が日本軍の上陸以來其秩序整然となつたことを賞揚し、又彼等が日本の稜威に順つた證據として與へられた日本の國旗を何れも大切に保管して、日本國の保護下にあることを喜んで居る。(一〇)と述べて居るのは、全く我義擧たることを裏書したものである。加之、バックス艦長は其巡航記「東海」に於て此役を評して、「政教が逮及しないから責任がないと云ふ答辯に顧慮する所なく、清國領土に斯様に大軍を送つたことの是非、善惡を余はこゝに述べることを差控へるが、此擧は、事實上、東洋貿易に關係ある諸國には、頗る恩惠的のものである。何となれば、之がために清國をして軍艦及び將兵を臺灣蕃地に派遣し、將來難破船のあつた際には、親切であるやうに各蕃目に對して自覺せしめたからである。(一一)」と結んで居るのは、蕃地が清國領土であるか否かは別として、確かに清國をして覺醒せしめ、蕃人をして刦掠の非を悟らしめたもので、我軍の今囘の伐蕃が、將來各國の難破船員に與へる恩惠の多大であることを認めたものである。

遣清大久保全權大臣の一行は、十一月廿六日夜横濱着、翌廿七日上陸、歸京後、上陛下を始め、一般人士より多大の滿足を以て歡迎せられたが、殊に利通に對しては優渥なる勅語を賜はつた。曰く、

汝利通、臺灣蕃地ノ擧アルヤ、清國ト大ニ葛藤ヲ生スルニ方リ、辨理大臣ノ重任ヲ奉シ往テ其事ヲ理セシム、汝克ク朕カ旨ヲ體シ、反覆辯論、遂ニ

能ク國權ヲ全フシ、交誼ヲ保存セシム。是一ニ汝カ誠心ヲ竭シ、義ヲ執テ撓マサルノ致ス所ナリ。啻ニ朕カ心ヲ安ンスルノミナラス、實ニ兆庶ノ慶福タリ、其功大ナリト謂フ可シ。朕深ク之ヲ嘉尚ス。(12)

加之、利通は陛下に拜謁後、更に御慰勞の思召を以て酒饌をも賜はつた。彼は歸朝匆々のことゝて極めて多忙であつたが、十二月廿一日午後三時より、延遼館に於て、ル將軍以下清國派遣の隨員を招き、慰勞の宴を催し、大に祝盃を傾けた。(13)

次で翌八年一月九日、太政大臣、左、右大臣の三公は、大久保全權の隨員一同を遠遼館に會して、慰勞の饗宴を張つた。此席上、ル將軍の答辭は我陸海軍の功勳を讚美し、外交の勝利を謳ひ、平和克復後の覺悟を述べたもので、(14)流石に外交官出身であることが頷づかれる。

ル將軍はローヴァー號事件よりして、前述の如く、臺灣の南端、南岬に燈臺建設のことを清國政府に要求したが、清國は事に託して之を實行しなかつたのを、間もなく我琉球藩民の遭難事件を惹起したので、更に彼は我外務省に忠告して、强硬に清國に迫らしめたので、遂に清國は一八七五年(明治八年、光緒元年)、歐式燈臺を、最初工費七萬兩の豫算で、鵞鑾鼻に起工することゝなり、翌年より英人技師の設計、米人の受負を以て工事を進め、結局、二十萬兩を費し、一八八二年(明治十五年光緒八年)に其竣工を見るに至つた。(15)

要するに、ル將軍の對蕃策は、幸に我發展論者副島外務卿の所見に一致したので、直に採用せられて臺灣事件を惹起し、幸運にも彼は、我外務省顧問として重用せられ、我外交の帷幄に參與するやうになつた。蓋し當時、我國は外國の新智識を得るに汲々たる際で、然かも白人に對しては相當な敬意を拂つた時代に、公法學者と稱せらるゝ彼が、曩に厦門領事在任中、米船ローヴァー號事件處理の經驗を有する蕃通として、我に征臺を慫慂したのであるから、我發展論者が、彼を放任し置くべき筈はなかつた。又彼としては、彼の抱負や行動が、當時の駐支米國公使に容れられなかつたので、米國の對支政策に對しては不滿で、稍々反抗的氣分になつて居たのに、偶々彼の意見が、却て我國の當局者によりて滿腔の熱意を以て迎へられ、身は破格の待遇を蒙るやうになつたのであるから、茲に彼は國境を超越し、意氣昂然として彼の抱懷した對蕃策實現のために邁進活躍したものである。假令、彼の臺灣蕃地所屬の議論が、國際法上疑義があり、又彼の根本動機が、冒險的企業的分子を含み、所謂山師的のもので、幾分誇張的獨斷的言辭があつても、彼が徹頭徹尾、蕃地を無主と斷じて之が占有を主張し、副島大使及び大久保全權を輔けて畫策奔走し、遂に清國をして我軍の行動を義擧として承認せしめるやうになつた迄の彼の努力に對しては、吾人は其勢を多とするものである。

註

1 大久保利通文書。第六。巻三十一、九四〇號、一七二頁。
2 大久保利通日記。下卷。三三六頁—三三七頁。
3 金井之恭編、使淸辨理始末。(明治文化全集。第六卷、外交篇附錄。一五二頁)
4 松菊木戸公傳。下卷。一七七九頁—一七八〇頁。
5 黑龍會編、西南紀傳。上卷一。七八二頁。
6 大隈重信著、開國大勢史。一二一六頁。
7 香川敬三總閲、多田好問編修、岩倉公實記。下卷。七五頁。
8 J. W. Davidson. p. 169.
9 E. H. House. p. 4.
10 Captain B. W. Bax: The Eastern Seas. pp. 262—263.
11 Ibid. pp. 273—274.

12 香川敬三總閲、多田好問編修、岩倉公實記。下卷。三一〇頁。

13 大久保利通日記。下卷。三六三頁。

14 多田直繩輯、日本支那談判始末。下卷。二〇枚。

15 陳衍篇、福建通紀。卷十八。一六枚。

伊能嘉矩著、臺灣文化志。中卷。九六一頁—九六三頁。

J. W. Davidson p. 214.

附記。本稿英國關係の文書は岩生助教授より借覽することを得たことを感謝する。

# 臺灣パイワン族に行はれる五年祭に就て

宮本延人

# 臺灣パイワン族に行はれる五年祭に就て

宮本延人

## 一 緒言

臺灣南部の高砂族パイワン族に土名 Muluvoq と稱する祭祀が行はれる。五年に一回行はれるの故を以て、五年祭と俗稱されてゐる。この祭祀は單に土俗學上から、又宗教學上から、或は社會學上からの資料としてのみに止らず、次の三點の上から重要な意味を持つて來るのである。卽ち一、本祭祀が殆パイワン族全部族に亘つて行はれる事、二、この祭祀が部落から部落に送り渡されてそれがパイワン族の移動の歷史に關係がある事、三、この祭祀は五年に一回繰返され、祭祀の行事は殆ど前後一ヶ年を費す程大掛りな事で、高砂族中にもその規模に於て比を見ないのである。

この祭祀は既に古く乾隆初年の黄琡敬の臺海使搓錄にも記され、同書番俗六考南路鳳山傀儡番二の項に

山前山後諸社例於五年土官暨衆番百十圍繞各執長竹竿一人以藤毬上擲競以長竿刺之中者爲勝番衆捧酒爲賀

とあり、又詳細な報告が總督府の番族慣習調査報告第五卷の三及其他一二の誌上に記されてあるが、その重要な諸點に不備な點があり、種々な關係上本大學土俗學研究室では實地調査の必要を感ずる所があり、その調査方を余に命ずる所があつた。余は昭和九年一月二日より七日まで、この祭祀の最も盛に行はれる高雄州潮州郡內文社に於て實地調査、その主要なる行事の行程を十六ミリ映畫五百呎に撮影、寫眞三十六葉を寫して記錄の補助とした。本文はこの內文社に於ける五年祭の實地調査の報告を主眼としたもので、實地見學の機を得なかつた行事は蕃人の口述に基いた。五年祭の行事そのものは、その部落によつて多少づゝの差異はあるが、骨子とする所は略同一で、最も盛大なりと云はれるこの內文社の行事を以てその全班を窺ふの資とするを得やう。

## 二　五年祭の行はれる範圍

前述の如く此の祭祀はパイワン族の殆全部落に亘るもので、即ち高雄州屏東郡の南部、潮州郡の全部、恒春郡の殆ど全部、臺東廳太麻里支廳、大武支廳下を含み、その祭祀の行はれる最初は Paumaumaq の地方であると云ひ、その祭神たる祖靈は、大武山（Kavorongan と稱し高雄州潮州郡にあり、海拔三千二百餘米）から來ると云はれてゐるのである。即ち Paumaumaq とは故地の意味で、この地方に始められた祭は漸次略一ヶ月、或は二ヶ箇月位の間隔を置いて次の祭の場所に行はれ、漸次移動されて行く、この移されて行く經路の最も明瞭に見られるのが潮州郡のリキリキ社以南の地方で、本家たる Paumaumaq の地では却つてその祭が流されて行く事にはあまり關心を持つてゐない。殊に北部のパイワン族にあつては既に廢止されてゐる所が少くない。元來パイワン族はその發展の故地は所謂 Paumammaq で、（即ち、潮州郡ブンテイ(Pulti)、クワルス(Kuralts)、カピヤン(Kabiyangan)、クナナオ(Kulalao)、ライ(Cara-abus)等の諸社を莫然とさす）、潮州郡の南部、恒春部、臺東廳下のパイワン族の各社は殖民地なのである。（上山元總督記念事業「高砂族系統所屬の研究」のパイワン族の項參照）、祭祀は略ゝ移住の順によつて行はれて行くのである。潮州郡南部地方はその祭は、カピヤン社、ライ社に發して移り來るものと稱され、その經路は略次の樣である。

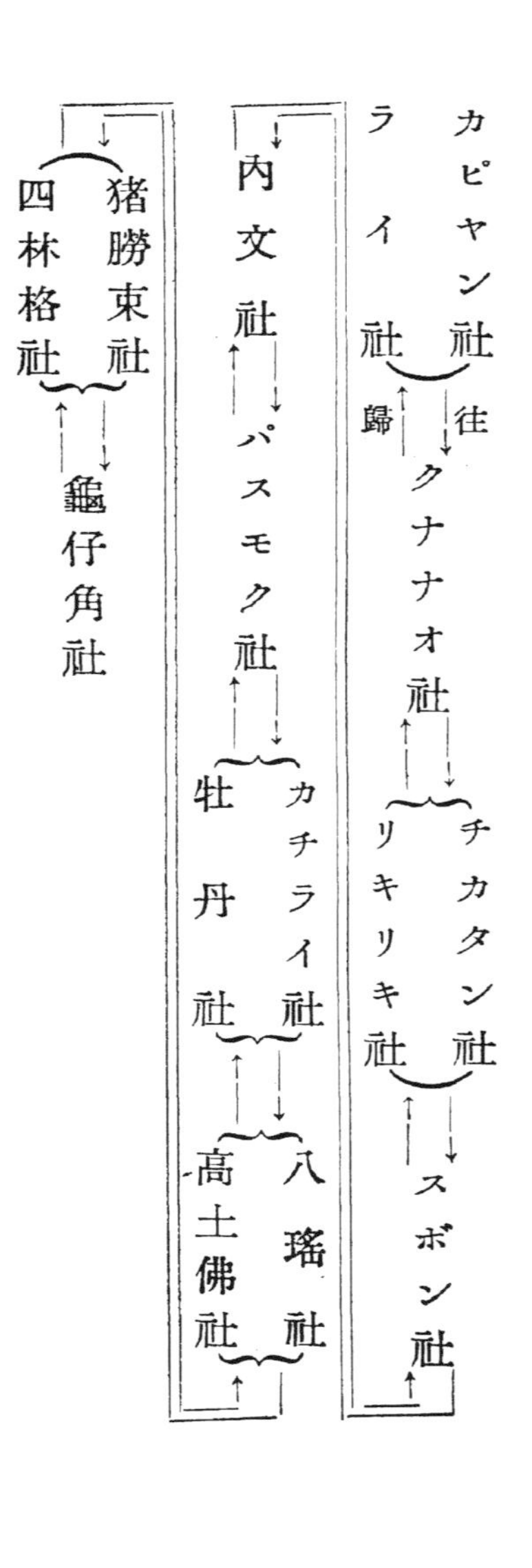


パウマウマックの地の五年祭はボンガリー社の傳承によれば（馬淵東一氏調査による）その行はれる最初は不明であるがその順序は

クナナオ社→ボンガリー社→ライ社→リキリキ社

の順で、プツンロク社、パイルス社等はボンガリーの後に行ひ、リキリキ社以南の事は知らぬと稱されてゐるがこれは前に記した樣に南に移つて行くのである。

臺東廳大武支廳下の大竹高溪沿岸地方の五年祭の移動は（馬淵東一氏調査による）

大武山→プンテイ社→ライ社→クナナオ社→タリリク社(Carilik)→

→パリブガイ社(Paribiugai)→

→トアカウ社(Caaqau)

→コアルン社(Kovarun)

→カツリン社(Qutsurin)→カナピ社(Qalapic)

→トコボリ社(Cokovol)→大竹高社 Coacoqo (含 Jaqop)→大鳥社(Pacaval)

ラリバク社(Larupaq)

(含Coavanaq)

と云ひ、或は又

大武山→プンテイ社→ライ社→クナナオ社→タリリク社→パリブガイ社→コアルン社→カツリン社→カナピ社→大鳥社

と稱されてゐるがこの順には幾分の疑がある。

而してクナナオで行はれた翌月にタリリク、パリブガイが行ひ、一ヶ月又は二ヶ月後にカツリン、カナピ、トアカウの諸社が行ひ、コアルン社は稍これに遲れ、同じ頃に大鳥社が行ふ。この時にCoavangasはタリリク社で、Coakakulaiはコアルン社で同時に行ふ。

然して祖靈が大武山を發して大鳥社まで行くのに五年を要し、大鳥社から戻ればよ次の祖靈が交替して又大武山を發すると云ふ。各社の祖靈は共に故地を發して各その社の供物を受け、共に又大武山に歸る。その時頭目家の祖靈は社内に入り、蕃丁の祖靈は入るを得ないと云ふ。又、變死者の靈も社内に入れず、入口に一日だけ止るを得るのみであると云ふ。

又　臺東廳大武溪のチャラガトアン社(Calangatoan)の説では(馬淵氏調査による)

カピャン社→ライ社→クナナオ社→リキリキ社→チャラガトアン社

の順で行はれてゐると云ふ。

太麻里溪沿岸地方のトリトリ社(Coricorik)マリドップ社(Marudup)、Cinparan、カラタラン社(Kalacaran)等では今はカラタラン社のみで行はれてゐるが、昔は各箇別々に夢占によつて日を定めて行ひ、その靈は大武山或は他の禁忌の場所から來るとされてゐる。

この祭祀の行はれる所は何れも多くの配下を有する頭目の所在地で、その支配下の社人はその頭日の庭に集つて祭るのである。

既述の如くこの祭の本體と考へられてゐるのは祖先の靈であり、この靈は大武山から來ると云はれてゐる。即ちパイワン族は死すればその靈は大武山に行くものとされてゐて、五年祭はこの大武山から祖靈を呼んでその靈を慰め、穀物の豐穰を祈るものであると考へられてゐるのである。而してこの祭がパウマウマックの地を發して南進して遂に最南端に至れば逆行してその舊の經路を經て再びパウマウマックの地に歸る。この間約一年乃至五年を要するのである。

## 三　內文社の概要

內文社は所謂土名チャオボオボ(Caoboobol)で既述の如く高雄州潮州郡の山地、海拔八〇〇米の北向の斜面に建てられた蕃社で、古く漢籍には鑑文を以て記されてゐる。戶數四四戶、人口二七〇人(昭和八年十二月末現在總督府理蕃課蕃社戶口による)で部落としては寧ろ小さい蕃社であるが、その勢力は附近に比なく大いのである。

この社にはロバニアウ家(Lobaniyau)とチョロン家(Cholon)の二つの頭目家があつて、所謂チャオボオボ蕃と稱せられる附近一帶の諸部落は何れもこの兩者の何れかの配下となつてゐるのである。今その支配關係を示せば次の通りである。

ロ-バニヤウ家の支配蕃社

マジガオ

ブリイツ

アスボンの一部

中文の一部

キナジャン

內文の一部

阿塱衞

チカタンの一部

クナナウの一部

リキリキの一部

チヨロン家の支配蕃社

草山

チヨコマレス

ボンブラン
内獅頭
アス・ホンの一部
中文の一部
中マレソパ
外マレノパ
内カチライ
カチライ
外カチライ
内マレッパ
クラユ
アッビス
タカリヤウ
中心崙
竹坑

丁的
スボン
クナナオの一部
南平の一部
リキリキの一部
チカタン、の一部
クララガオの一部
外獅頭

この兩頭目家は日は同じであるが各自別々に祭禮を行ふ。即ち同一社內二箇所で祭禮が行はれ、各支配關係の社人は各その首領の所に集るのである。

この兩家はその祖先の地が異るとされ、祭の移動の系統が異るとされてゐる。即ちチヨロンはその祖地はカピヤン社で、ロバニヤウはライ社である。即ちチヨロン家の祭は、カピヤンを發して、クナナ社に行き、チカタン、スボンを經て內文社に來る。これはクナナオ社の頭目ゲルン家(Gerun)がチヨロン家の本家であり、祖靈はゲルン家を經て來るものとされてゐる。一方ロバニアウ家はライ社から直接內文社に來たもので、その祖靈も直接に來るものとされてゐる。卽ちチヨロン家はクナナオ、チカタン、スボンを經由して內文に來、一方ロバニアウはライ社から直ちに內文に來て同日に祭祠が行はれる。內文から南は旣に記した樣な順序で兩者合體一つとなつて送られて行くのである。

尙內文社には右兩家の他にアンヤンヤハン(Ajajaban)と稱する頭目家があり、現在は勢力甚た微弱であるが、家はロバニアウ、チヨロンの兩家の中間に位置してゐて甚た貧弱ながら形式だけ獨立の祭禮を行ふ事になつてゐる。

## 五　祭の順序と司祭

祭は本祭の六ケ月位前から本祭の七ケ月位後の約一ケ年に亘るのであるが、三大別して準備の祭と、本祭と、後祭になる。祭の主要な行事は、供物を奉つて祖靈を迎へる事と、カプルン(Kaplun)と稱する想思樹の皮で作つた球(寫眞十八)を空高く投げ上げて、下で竹槍で突止める遊戲で、この祭を司るものがパライジヤイ(Parajai)とプリガオ(Puringao)である。パライシアイは世襲の男子で五年祭の時にのみ必要なもの、プリガオは日常にも事を行ふ巫女である。ロバニアウ、チョロン各三人づゝのパラアジャイがあつたが今は二人づゝとなつてゐる。プリガオはチョロン家に屬するが兩家兼任である。即ち今回の時の祭の司祭者は次の樣であつた。

△ロバニアウ家

パライジャイー{ Baajai Ulyu（アヅブン社）
　　　　　　　　Tokon Ulyu（内文社）

プリガオ——Taupele Cho（内文社）

△チョロン家

パラアジャイ{ Lupilian Ulyu（内カチライ社）
　　　　　　　Alalaban Ulyu（内文社）

プリガオ——Taupele Cho（内文社）

## 六　準備の祭祀

祭は先づ本祭の六ヶ月位前から行はれる。今回は昭和八年八月を以て始められた。今此處に順を追ふて記すると次の樣である。

(1) **Muribolok**

八月の滿月に行はれた。これは毬投げに用ふる竹槍を持ち來る儀式で、この竹槍は Balok と云ひ三本の竹を繼いで長きは三十五米に達し、一番先の部分は火を以て焼き尖らせて丈夫に鋭くして毬を突刺すに便してゐる。この先の部を jajuju と稱して居て、次の部を karo と云ふ。竹の下部(abayan)は直徑十五糎にも達するものを要するのでこれを得るには中々容易ではないさうである。上部二本を繼だ部分は手頃の竹槍でこれを太い竹の上に繼ぐのである。この日は竹を平地に行つて選定する。これはパライジャイ、プリガオの役目で、選定された竹はその場で呪術を施され、切り倒して置くのである。この竹槍は兩頭目家がそれぞれ數が定められて居る。卽ち兩家の支配下の各社の小頭目は各一本或は二本の竹槍を用意するもので、その數は支配下の頭目家の數によつて異るのである。

ロバニヤウ系は

| | | |
|---|---|---|
| Lobaniyau | (內文社) | 三本 |
| Tokon | (內文社) | 一本 |
| Taupere | (內文社) | 一本 |

| | | |
|---|---|---|
| Pajajai | （アツブン社） | 一本 |
| Kaplun | （內獅頭社） | 一本 |
| Kakoagan | （キナジヤン社） | 二本 |
| 合計 | | 九本 |

チヨロン系

| | | |
|---|---|---|
| Cholon | （內文社） | 四本 |
| Ajajaban | （內文社） | 二本 |
| Paregol (Plolog) | | 一本 |
| Jajasupnl | | 一本 |
| T'soligao | （內獅頭社） | 一本 |
| Solinon | （外マレソパ社） | 一本 |
| Garujuguju | （クラユ社） | 一本 |
| Patarag | （外カチライ社） | 一本 |
| Kaloan | （內文社） | 一本 |
| 合計 | | 十三本 |

右の中、ロバニアウの三本或はチョロンの四本等は、何れも合併せられ或は他に分出して歸つて祭の出來ぬ一族の頭目の槍を代表するものである。ロバニアウ頭目の中一本は特に長いものがあり、Parisianと稱してゐる。チョロン家の一本には先に七ツの小枝の穗が附いてゐるのがある。これも且ては一本づゝであつたものを略したものと稱してゐる。

(2) **Pas-bolok**

九月の滿月に行はれた。前に切り倒した槍を「持ち來る」の意味で、この日パライジヤイは蕃丁共と共に行つて呪術を行ひ槍を運んで來て、Pas-sasubutsanに置く、Pas-Sasubutsanは槍を眞直にする所の意味で、こゝに持ち來れば又呪術をプリガオが行ふ。祖靈に向ひ、「五年祭は近いた。槍は定られたからこれから眞直にする」との意味を述べ、豚の脂を想思樹の葉に附けて塗り、槍の眞直になるやうに祈ると云ふ。この日槍を立てゝ毬投げの練習を試みる。而して又倒して一月の間、或は石の重しを載せ、又は棒を土に立ゝて、その間にはさみ、或は火にあぶりなぞして竹の曲りを直すのである。

(3) **Pas-tsatsabaji**

十月の滿月に行はれた。Pas-sastoutsan から tsatsabaji と稱する蕃社の入口に持ち來すの行事で、この日配下の頭目の槍は兩頭目家のそれ〴〵の Tatsabaji に持ち來るのである。この日プリガオは祖靈に向ひ、槍の折れぬ樣に叉五穀豐穰蕃社の幸福を祈願する。

右が終つて、槍を立て毬をなげる。この日は最初に毬を投げ上げる者をBayakと稱する。今内文社でこの役を勤めるものはマレッパ社の Solonon-Ulyu（チョロン系）及内獅頭社の Pabobuun-Ulyu（ロバニアウ系）の兩人で、世襲であり、何れも頭目家の緣續きである。最初に投げる毬は Pinn-parisian と稱し、その毬の中には幸福が入つてゐると云ふ。これを三箇用意し、バヤックは先づ豚の脂を想思樹の葉につけて、幸運を祈願し、三箇の毬を空に投げ上げる。勿論これは野球の始球式の樣なもので頂上までは屆かぬが、これに續いて若者は一齊に澤山の毬を投げ、槍を持つものはこれを受け止めんとし、首尾よく突刺されば「オーイ」と一同歡聲をあげる。

(4) **Pas-umak**

十一月の滿月に行はれた。Pas-tsatsubaji から祭の行はれる最近くの地に運ばれる儀である。行事はPas-tsatsubajiと同樣である。

## 七 本祭祀

今回は一月三日から開始された。滿月の日から行はれるので元來ならば一月一日が丁度その日に當つたのださうであるが、丁度元旦であるため監督の便宜を考慮し駐在所と頭目の相談の上特に三日からにしたのださうである。

**第一日。**

この日は道作り、蕃社掃除の日で、社人總出で祖靈の通過する路を新しく草木を伐採して作る。これは常人の通る道ではないのである。この道はJalana-tsu-masと稱され社を貫いて端から端に至る。(寫眞一)又現在用ひぬ往古の路を修理して、祭の行列の通る路を開ける。この二三日前から、內文社から分れて他地方に移住したものは內文社に歸り來つて舊家屋を修理し、又舊屋のないものは形ばかりの小屋を作つて祭の用意をする。又この日に毬投の槍持の坐る腰掛の櫓を作る。この腰掛はNaqamajiと稱し、ロバニアウ家はその舊屋前の首棚の上、チヨロン家は舊屋の前に作る。これは主に晩に作るものであると云ふ。(寫眞四)

この朝早くプリガオは社内各戸に到つて祈禱を行ふ。即ち家内安全を祈るのである。(寫眞十七)尚この日各戸の家財にプリガオが呪術を行ふ。これを Paris—tosiausai と云ふ。

**第二日。**

いよいよ本祭の行はれる日て、本年は一月四日に當り、この日の行事を Mi-boak と稱する。

先づ早朝社の入口に竹槍を並べ、プリガオが至つて呪術を行ふ。豚肉の脂を右手の刀で小さく切つて竹に塗る。(寫眞三)終つて槍を祭場に運んで立てるのである。櫓の上に腰掛けた男がこの槍を持つ。槍の位置は昔から規定があつて中々に格式が嚴格である。(挿繪十九、二〇)立てられた竹槍にはプリガオが順次廻つて酒を少しづゝ注ぐ。神靈に供へると云ふ。又プリガオより分け與へられた豚肉の脂をパライジイヤが各槍に塗つて歩く。又豚の骨片を槍の下部の下から六七尺位の所に結び付ける。この骨はPakelonと云ひ、神の食料であり、三ケ月前に準備して置く、やがてパライジャイの老ひたものは毬を三度先づ投げ上げ、一同はこれに從つて毬を投げる。

午后に至れは祖靈を迎へる式が開始される。（寫眞七、八、十、十一）これは Ajubujubun と稱する頭目の家の前庭のスレートを積み重ねたプラット・フォームの上で行はれるので、二人のパライジャイ、一人のプリガオによつて行はれる。

神に供へる供物がスレートの上に並べられる。主に豚肉と、骨で想思樹の皮を長さ一寸幅七八分位に切つて供へる皿を表はし、又その皮を三四寸にして結び目を二つ作つて逵盃を意味させ、祖先の數だけの供物の容器を整へる。

パライジャイ二人はアヂュブジュブンの端、大榕樹の下に立ち、北の方大武山に向つて「余等は今豚を供へて神を待つにより、來れ」の意味を長々と唱へ、老ひたる一人が左手に小豚を下げ、右手の蕃刀を振つて豚の喉を切る。と共に大聲を以て「オーイ」と呼ぶ。この間プリガオは傍で呪文を唱へて居る。（寫眞七）これで神は降りたのである。この犧牲の豚肉は三頭目家に分配される。卽ち右足、二本はロバニアウ家、左の前足はアヂャヂャバン家、後足の左をチョロン家で、分けた肉は籠に入て榕樹の木に吊して置く。この神を呼ぶ儀式は先づロバニアウ家で行ひ、同〃の式（但し豚は殺さず）をアヂャヂャバン、チョロンの二家で順次行ふ。

この時の靈は Simililao と云ふ涯(コロコロ山蕃稱 Shajulumujun 內文社の向ひに時められる)の中腹を經て來ると云ふ。

この祖靈が降りてしまふと、チョロン家の槍の Ajajaban, Paregol, Kaloan, Jajasupul の四家四本の槍がロバニアウ家を訪問する。卽ちこの四本がロバニアウ家の毬投の眞中に來て一同がこれに投げるのである。

右が終つてパライジャイ、プリガオが歸る時、パライジャイの一人は粟の莖に火をつけて投げる。これは不幸を避けるためと云つてゐる。これを Patsubun sopui と稱する。

**第三日。**

一月五日で、矢張 Miboak と稱し、朝から毬投をする。この日はロバニアウ家の槍の Tokon, Taupele, Kakoagan 及其他一本の四本がチョロン家を訪問する。兩家相共に毬投げを行ふのである。その途中槍はアジャジャバン家を訪問する事となつてゐる。

この日の午後には Isanio と稱する行事が行はれる。これはチョロン家の女達が正裝してチョロン家に集り、行列を作つて豫め作つた Julana-Sinikjin (昔の路の意)を通つてロバニアウ家に至る。(寫眞十二)そしてその舊屋の中に入り、檳榔の實と酒の饗應を受ける。(寫眞十三)この時家の中には男が入るを許されず、饗應するものもロバニアウ家の女である。一同は中で歌を唱ふ。こゝを出て行列はカコアガン家を訪問する。これはその舊家であるからと稱されてゐる。

**第四日。**

一月六日でSumaoと稱し、靈を送る儀式の意である。

この日は正午までで毬投を中止する。この日には一旦刺さつた毬は槍の上にそのまゝとし、槍を櫓にしばつて立ててそのまゝにして置く。全部の槍に毬が刺さるまで行ひ、全部揃へば一同歡聲を上げて中止する。

午後は再びイサニオで、今度はロバニアウ家の女達がチョロン家を訪問し、その舊家屋で饗應を受ける。イサニオが終るとSumaoで、祖靈を送り返へす式である。プリガオは先づ家の中で呪術を行ひ、軒に想思樹の葉をはさむ、後酒を汲んで先づアジユブジユブンの石柱に注ぎ、庭を巡つて各槍にかける。パライジヤイ、プリガオはアヂヤブジヤブンに坐して板の上に想思樹の皮その他の供物の容器を整へる。數は十箇と云ふ。プリガオは豚の皮を切つてこの容器に分配し、豚の骨を砕いて又分配して載せる。後、三人のパラアジヤイはアヂヤブジヤバンの端の迎神の時の場所に並び一人聲を上げれば他はこれに和する。かくする事三度で止める。その間プリガオは呪文を唱ふ。後に再び酒を供物の盃と石柱に注ぐのである。かくて靈は送られたのである。

次に Mulilabolabo と稱する事が行はれる。この日は既に薄暮となつてしまつて、カメラに收るを得なかつたのは殘念である。この行事は Tokon 家にロバニアウ、チヨロン兩家の若者全部が盛裝して集り、ヂヤラナ・ツマス(昔の通)を通つて Chajilabal, Paregol, Garujuguji 等の舊家を順次に訪問し、歌を唱つて酒を饗ける。この日は大いに飲み唱ふのである。

次に Isopasulun(供物を止めるの意)となり、プリガオ、パラアヂヤイが兩頭目家に至り、呪術を施して幸福と豐穰を祈る。

祭の一日から三日頃までは酒宴は少いがこの日から大いに飲む事、男も女も同樣である。Mulilabolabo の酒は踊となり、續いてチヨロン、ロバニアウの兩家では盛な酒宴となり、男女の踊が始まる。この踊りは夜を徹する。

**第五日。**

一月七日であつた。この日をMabusaanと稱し、昨日立てた儘となつてゐる竹を倒し、チョロン系のボンブラン社の頭目は蕃刀を振つて長い槍の先の部を適當に切り、(一番の尖端は用ひず尖端より稍下部を用ふ)手頃な竹槍とする。ボンブラン社の頭目の妻はこれに呪術を行ふ。卽ち竹に豚の脂を塗り、火を以て呪ふのである。これは首棚の前で行はれる。次にチョロン家の青年達はこの竹槍を携へ一齊に蕃社の外の叢間に走る。叢間にはかねて草を束ねて人形を作つて置き、青年の一人はこの人形の首を切つてやがて首棚の前に戻り、前の呪術をした女の周圍を三四回巡つて人形の首を首棚に納める。女は火を以てこれを祓ふ。この人形の首狩はチョロン家に限られて居て、ロバニアウ家の祖先は女であると云ふ理由の下に行はれない。竹は切つて擔ぎ棒や、水汲筒にすると云ふ。昔はこの日首狩に出たと云ふが今は勿論これは行はれない。この日も酒宴は盛の樣である。

**第六日。**

一月八日、この日は狩獵に出る日で、各頭目家は各狩獵區に出かける。

以上で本祭祠を終り、遠方から集つた各社の社人はそれぞれ歸宅するのである。

## 八　後　祭

本祭祀より七ヶ月目に行はれる。卽ち南のサブテク蕃の次に行はれるもので、この祭祀は余は實地調查する豫定であつたかその機を逸したため殘念であるが簡單ながら左に略記する。

第一日はバライジヤイ、プリガオが兩頭目家に集り呪術を行ひ、兩家のイサニオ(女の行列)及、Mullabolabo (男の行列)が行はれる。第二日にアチュブチュブンなる祭場で供物を供へ、バライジヤイ、プリガオが、「五年祭も終りたれば神よ、舊地に歸れ」の意味を述べて送る。

この祭祀には毬投は行はれぬ。

## 九　雜　錄

(A)　本祭祀の第一日、卽ち一月三日早朝各戶で行はれた呪術。――余の實見したものは被呪術者は母と幼兒であつた。プリガオは板(teju)の上に豚の骨(aniputs)、豚の脂の皮(Kalpu)、想思樹の小枝(tsukul)、茅のやうな草(paidai)を並べ、左手に想思樹の枝をとり、右手で傍の母子の頭を撫で、豚の皮を小刀(sikono)で切つて捨て、又想思樹の葉をちぎつて捨てつゝ口中に呪文を唱へる。やがて戶外に立ち出て外に向つて想思樹の葉を投げ、又振り向いて軒にその葉をはさみ、口に何事か唱へる。かくの如き行事を數回繰かへす。(寫眞十七)

(B) Kumauho ―― 內文から分社した各戶は元來全部祭には舊家跡に來るのであるが遠路その他の都合で來られぬものは來るものに供物を托してその代りを賴む。この連中は第一日に舊家を修理し、或は形ばかりの小屋を作りなぞして祭の終るまでこゝに居る。供物は瓢(Kaucho)の破片を、たのまれて祭をする家の數だけ平な笊に並べ、肉その他の供物を分けて載せる。日に三度づゝ供物を供へ、終ればその都度犬に喰はれぬ樣に木に吊つて置く。かくして死者を追憶して號泣する。これは眞實に號泣するのであつて數人集つて廢屋の中に涙を流し、聲を揚げて泣く有樣は異樣なものである。(寫眞十五)

(C) 祭中の家庭の料理。―― 各家庭では澤山の御馳走をして訪問した親類の者に振舞ふ。余の招待された一家庭の料理を參考に記する。

1. Tausi (Tausi Jamujau) ── 醬油粕と生薑の煮たもの、
2. Bifun ── 米粉
3. Latsun ── 大根葉を煮て落花生をつぶしてまぜる。落花生あへ、
4. Patsau-a-chinala ── 落花生を煎つたもの、
5. 木瓜
6. Pok ── 木豆を油でいためる。
7. Latsun ── 菜を煮て鹽味をつけたもの
8. Ryolon ── 鰡の鹽漬をゆでたもの
9. Kalm Kinatiyan ── 豚肉の鹽漬(非常な珍味とされて居るが臭氣甚强く、且硬くて吾人の口には中々に入れ難い)
10 Bakawa-Wawa ── 粟酒

(D) 最後の夜、踊りながら唱ふ歌は、卽興的のものが多い。問に當る部分と答に當る部分に分れ、頭目が問へば蕃丁一同が答へると云ふ仕組で言外の意味を含めた卽興的のもので、頭目が音頭を取つて先づ唱ひ、次に一同が和して唱ひ蕃丁の一人が唱つて蕃丁一同が和しつゝ手を組み圓輪を作つて踊りつゝ

廻る。當夜唱はれた歌の一部を意譯して見ると左の通りである。大部分は社の治安に關するもので言外に含まれた意味は中々に多い。aは問、bは答である。

1. a. 吾々の昔からの習慣に從つて祭をしやう。
b. 昔の吾々の祖先の命令はこの通りである。
2. a. 何の益もなくて舊慣による祭をするのは無意義ぢやないか。
b. 然しかうして一所に唱ふと云ふ事は愉快だよ。
3. a. 若し私が一歩遲れて行つても、負惜しみはしない。(問題は起さない。)
b. こゝに今見えてゐる巡査部長さんが指導監督してくれるから心配しなくても宜い。
4. a. 昔からの陋習はもう現代では止さう。
b. 吾々一同は愉快にやつて行かうぢやないか。
5. a. 人格をよくすれば間違はなくなる。つまらぬ事はせぬ様にしやう。
b. 兩頭目配下のものはあの間違(大正三年駐在所襲撃の大事件、多數の警察官の犧牲者を出した)を再びしないやうにしやう。

6. a. 實際にかうなればつまらぬ事はあきらめやう。
b. 兩頭目の法式はよく相協力して居る。だからよく命令を傳へて下さい。

7. a. 決して間違はせぬ樣にしやう。どん〱命令するから。
b. あなたがよい命令をしてくれれば一同それに從ひます。どん〱お願ひいたします。

(E) 五年祭に唱はれる歌曲は種々あるが全部を採錄する間がなかつた、左の一曲はその一つであり、試みに余が譜に記したもの、不充分ながら參考とする。

**Lubukuno Sinai**

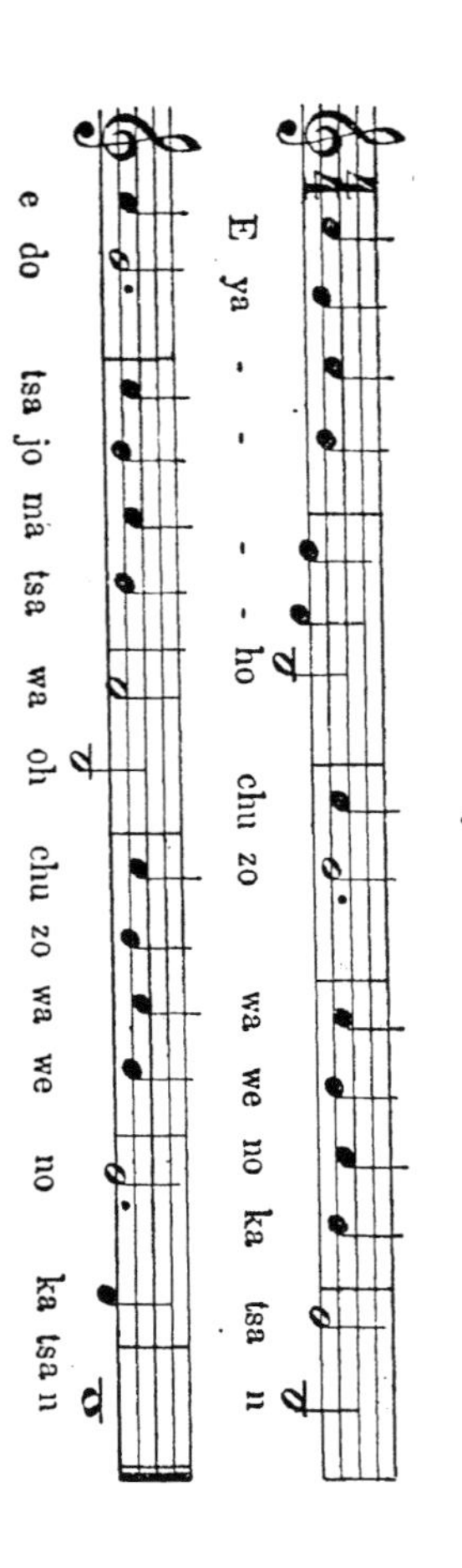


この祭祀調査に當つては總督府理蕃當局、現地の西浦警部補、長田巡査部長、高橋向井兩巡査其他の駐在所職員、通譯の勞をとられたパイワン族出身の桐山氏等の御好意と御盡力による所多いと共に、未調査部分の資料を提供せられ指導を賜りたる移川教授、馬淵東一氏に謝意を表す。

一　祖靈の通る道（向て左の小路、向て右は普通の路）

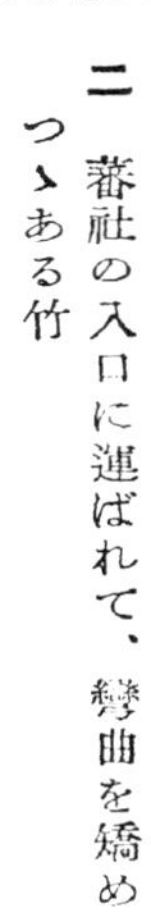

二　蕃社の入口に運ばれて、彎曲を矯めつゝある竹

三　蕃社の入口で竹にプリガオが呪術を施す（竹の上に手を差伸べて居る女がプリガオ）

四　ロバニヤウ家祭場の首棚の上に作られた槍持の坐る櫓

五　チョロン家の前庭の毬投げ

六　チョロン家の毬投

七　豚を殺して神靈を呼ぶ（ロバニヤウ家）

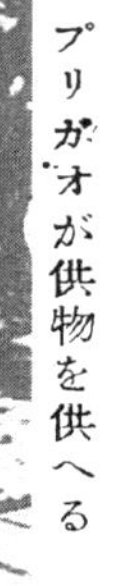

八　プリガオが供物を供へる

九　祖靈の通過して來ると云ふ山（黒く見える涯のやうな所を通ると云ふ）

一〇　アジャジャバン家の前庭にて行はれる祖靈を迎へる儀式

一一　パライジャイが供物を供へる所

一二　イサニオの女達

一三　ロバニヤウ家イサニオの女達がチョロン家で饗應を受けてゐる所

一四　當日のイサニオに第一の美人とされたチョロンの娘

一五　Kumauho（分社したものが舊家屋跡で祭をする所）

一六　ロバニヤウ家の家寶の壺（この祭だけに戸外に持ち出す）

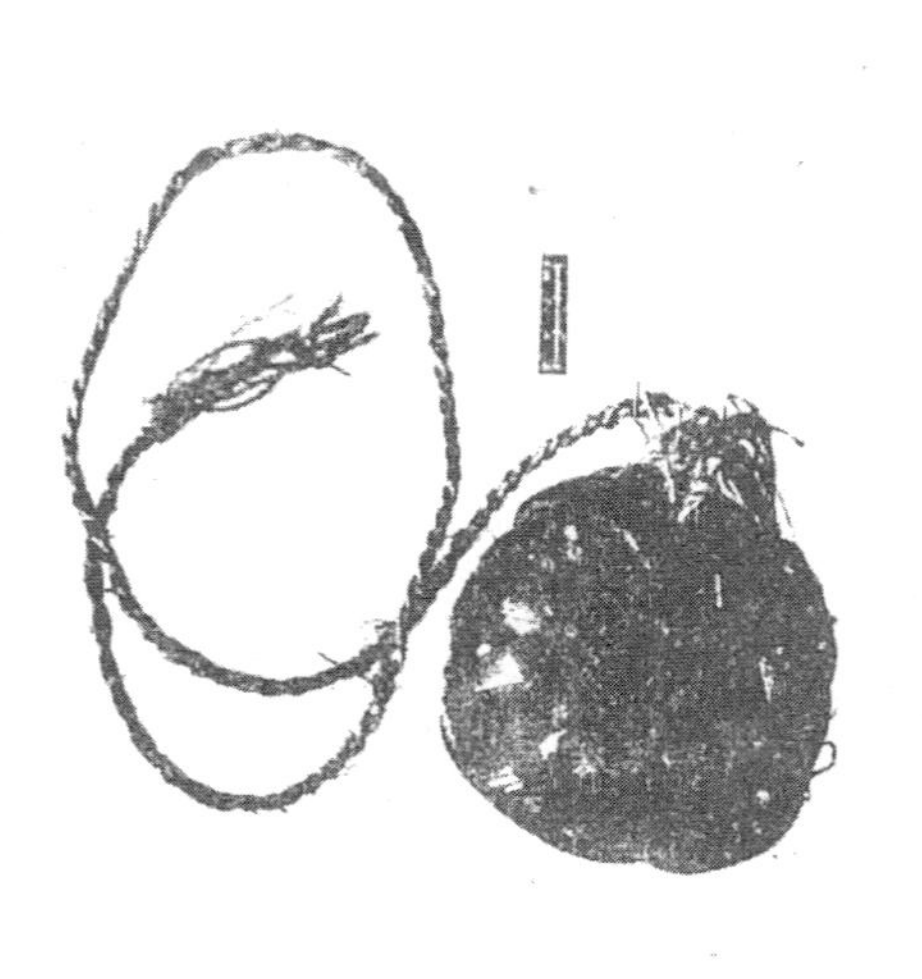

一八　想思樹の皮で編んだ毬 Kaplun

一七　第一日早朝、各戸で行ふプリガオの呪術

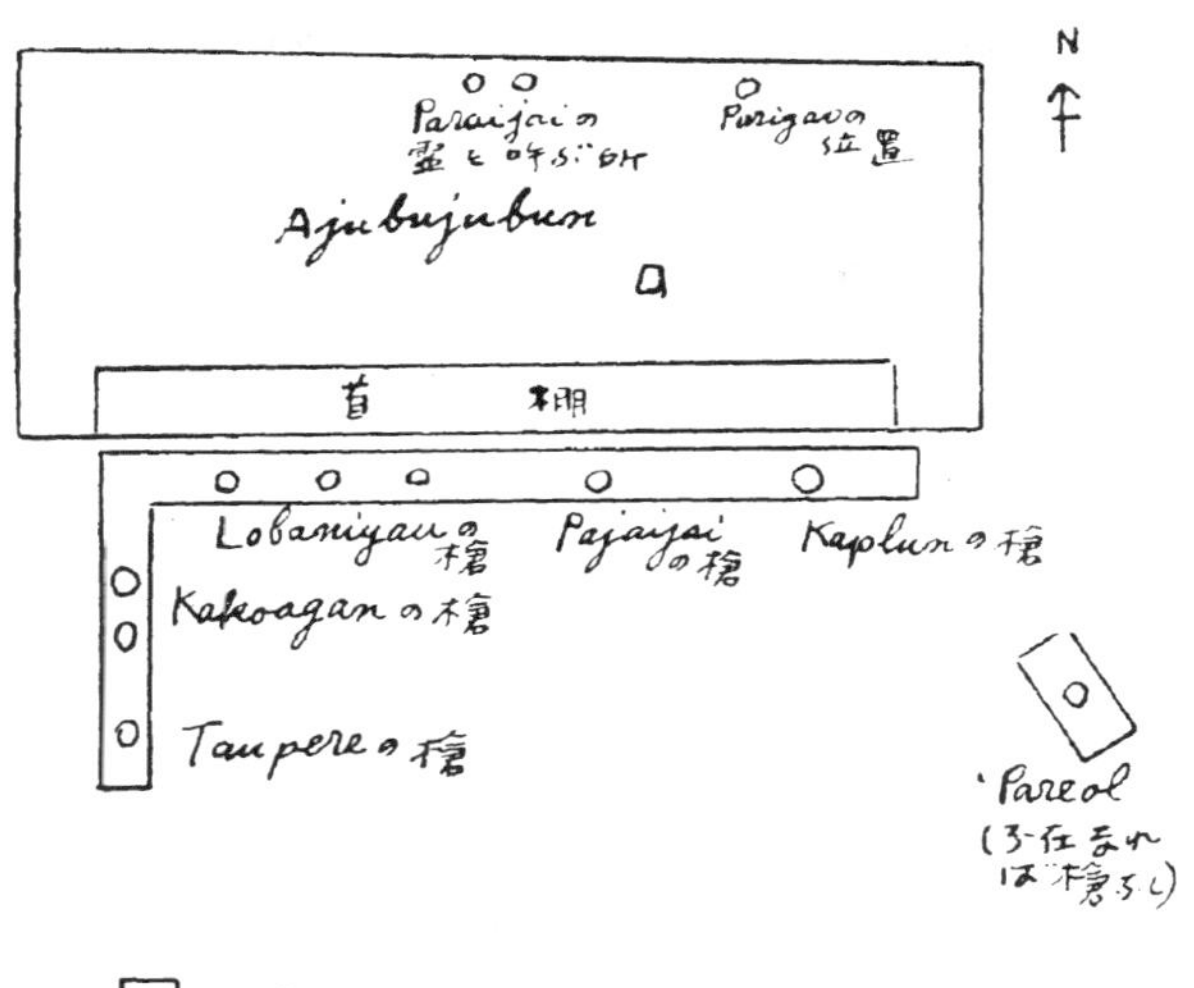


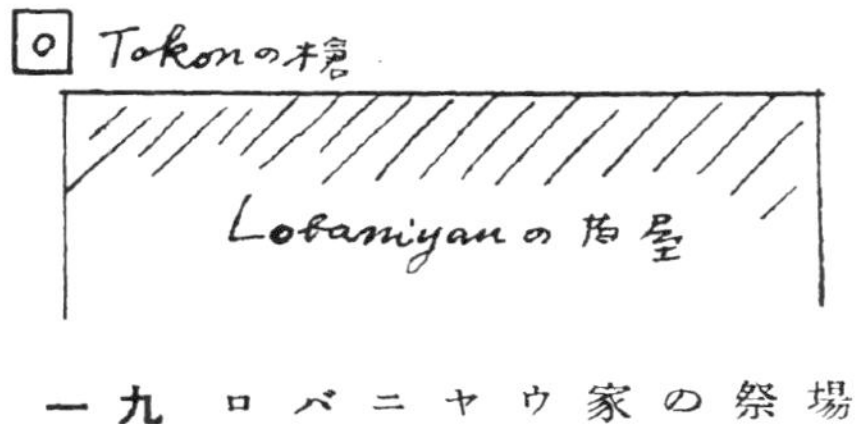


一九　ロバニヤウ家の祭場

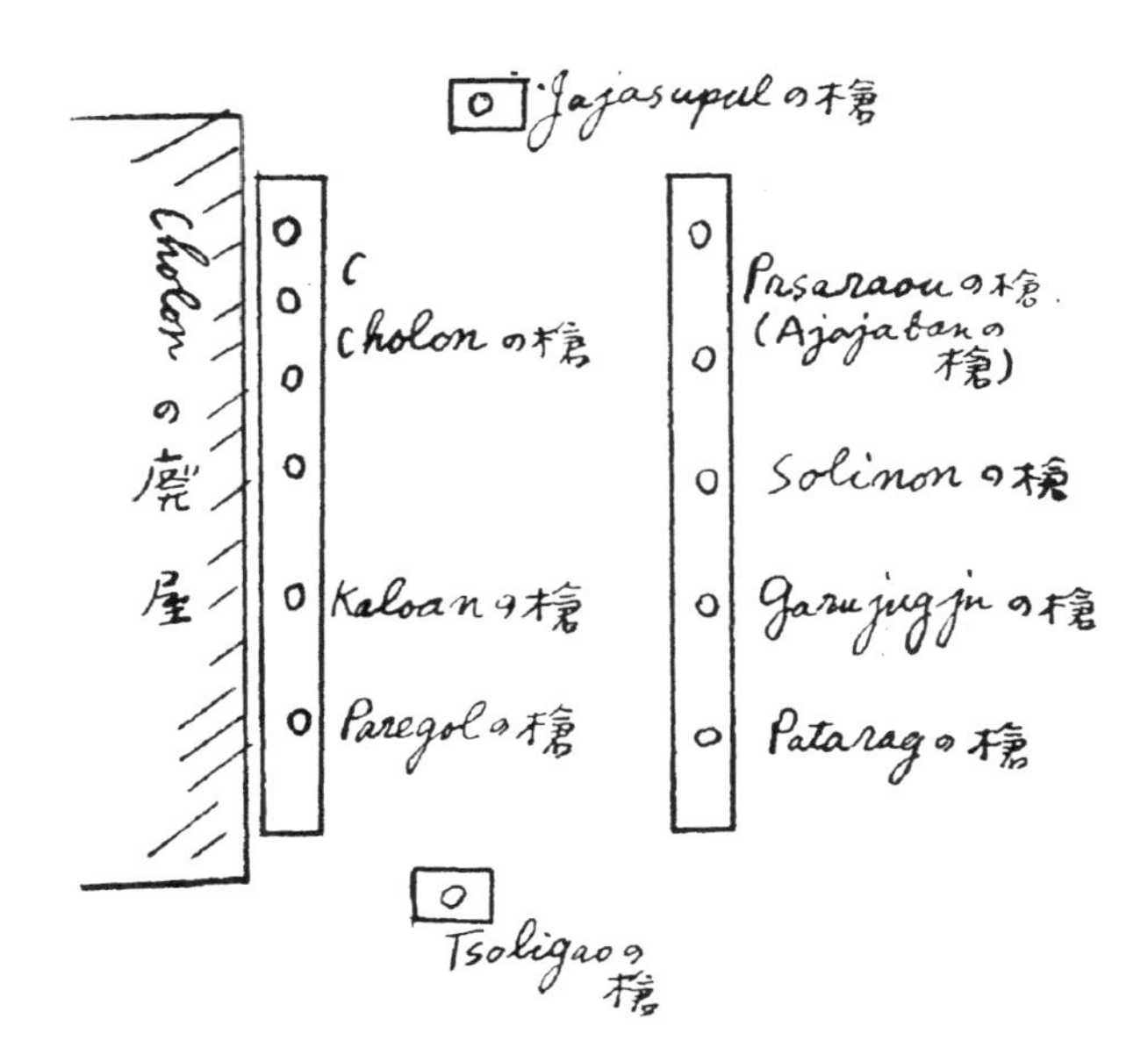


二〇　チョロン家の槍の位置

# 彙報

## 史學科講義題目

昭和九年度

史學概論(二)　村上教授

國史概說(三)　中村教授

國史演習(二)　中村教授

(近世史の諸問題)

國史特殊講義(二)　小葉田助教授

(近世產業の發達)

東洋史概說(前期)(二)　桑田教授

東洋史概說(後期)(二)　青山助教授

東洋史特殊講義(二)　桑田教授

(諸蕃志講讀)

東洋史特殊講義(二)　青山助教授

(支那制度史)

南洋史概說(四)　村上教授

南洋史特殊講義(二)　岩生助教授

(日暹交涉史—前學年續)

南洋史講讀(二)　村上教授

(J. Monters y Vidal: Historia de Filipinas)

西班牙語初步(隨意科目)(二)　村上教授

(New First Spanish Book)

南洋史講讀及演習(二)　岩生助教授

(De Jong: Overzigt der betrekkingen van de Nederlandsch Oost Indische Compagnie met Siam)

西洋史概說(二)　庄司講師

地理學概論　小野講師

土俗學人種學概論(二)　移川教授

## 土俗學人種學標本室落成

土俗學人種學研究室附屬標本室は昭和八年九月起工、九年四月落成と共に陳列を終へ、五月十七日、本學開學記念日を期して開館するに至つた。大陳列室は高砂族土俗品を主とし、考古學關係品を小室に置き廊下は室との境を廢して陳列室の一部として彫刻其他の大型標本及臺灣を除く各地の土俗品を陳列してある。

### 梨本宮・李王兩殿下本學御成

昭和九年十二月二日梨本宮守正王殿下には本學へ臺臨、理農學部・文政學部の台覧品を御巡覽遊され、史學關係にては南洋史資料特に寛永鎖國前後に於ける南洋在留日本人の史料を村上教授より、土俗學標本室にては高砂族其他の土俗品を移川教授より夫々御説明申上げた。

李王垠殿下には昭和十年一月十九日本學御成の上、移川教授の御説明にて土俗學標本室を御巡覽遊された。

### 開學記念日講演

五月十七日、開學記念日講演會は午後七時より市內教育會館に於て公開、村上教授は和蘭史料を基にして山田長政の事蹟を研究發表せられ、理農學部加福教授の講演と共に聽衆に多大の感興を與へた。

兩教授の演題は次の如くである。

一、オランダ史料に現はれたる山田長政　村上直次郎

一、臺灣の天然香料　加福均三

### 歷史關係展覽會

開學記念日の催しとして五月二十日午前九時より新築落成せる北研究室に於て土俗學、心理學の標本室實驗室を公開して學術の大衆化を計らんとするの擧あり、史學に於ても之に應じて史料、參考品の展覽を行ひ一層その意義を深からしめた。

國史は北條實政自筆書狀、足利義滿御教書、北條氏輝下知狀、特に領臺當時の臺灣及澎湖島授受條約等の古文書、法華經義疏、蒙古襲來繪詞、物語繪卷等の圖卷及び

武鑑、慶長小判金その他の徳川時代貨幣等を陳列し、東洋史は居庸關元代六種文字、涼州重修護國寺感應塔碑、女眞文字宴臺碑の拓本、臺灣關係では臺南史料館の調査による清朝古碑の拓本を始め、李朝實錄、淸三朝實錄、滿洲實錄等の實錄及び西域、印度の壁畫圖錄を出品、南洋史は末吉船の圖、茶屋新六交趾貿易の繪卷、クリストフオロ、ボルリの交趾支那布敎史、ウヰルレム、フエルステーヘンのトンキン、臺灣、廣南航海記等に江戸時代初期南洋在留日本人分布及び日本船寄港地圖を附して、日本人の南洋發展の事蹟を瞭然たらしめ、七百餘名の參觀者に充分學術民衆化の效果と滿足を與へて盛會裡に終了した。

**村上・桑田兩敎授海外出張**

村上敎授は南洋史學資料蒐集の目的を以て昭和九年七月八日基隆出帆のパナマ丸乘船瓜哇に出張、十八日スラバヤ上陸翌十九日バタビヤに赴き、專ら地方文書館 's Lands Archief, Batavia に於て史料を採錄し、三十日スラバヤ發歸途に就き途中澳門に一週間滯在、日葡關係史料を調査の上八月二十二日歸北せられた。

桑田敎授は東洋史學資料調査の爲め十月二十六日高雄發廣東に出張せられ、三十日廣東に上陸同地の史蹟史料、特に南方交通路及び廣東關係の資料を蒐集し、更に近來此地に擡頭せる考古學、民俗學研究機關の內容を調査の上廣東出發、歸途汕頭、厦門、香港の各地を訪ねて十一月十四日歸北せられた。

**史學界消息**

昭和九年中に於ける南方土俗學界の集會記事は次の如くである。

第二十六回例會　昭和九年三月十七日

パイワン族の大祭五年祭に就て

宮本延人

第二十七回例會　昭和九年六月七日

ヤルート島の話　平田甫

第二十八回例會　昭和九年九月十四日

內地人、本島人、高砂族體質の研究　森於菟

第二十九回例會　昭和九年十二月八日

沖繩の旅行談　須藤利一

**日本學術協會第十回大會**

昭和九年十二月二十三日より本學に開催された日本學術協會第十回大會第四部の人文科學部の講演會は二十四日、二十五日に泝り北研究室土俗學教室に於て行はれた。第一日土俗學關係の講演は左の通りである。

一、沖繩の Knot Records　須藤利一

一、山地原住民の心性　岡田謙

一、臺灣山地と平地の石器時代遺物　宮本延人

四、臺灣原住民族に於ける高山發祥傳說の意義に就て　移川子之藏

五、インドネシアン語に於ける臺灣蕃語の位置　小川尙義

六、血液型より見たるアミ、パイワン、サイセット各蕃族に就て　丸山芳登

七、「番社采風圖」に就て　山中樵

**史學關係出版物**

昭和九年五月史學科研究年報と題して史學科職員の論文第一輯を刊行した。その內容は次の如くである。

近世に於ける出版取締法發布の沿革と出版手續法竝に檢閱制度　中村喜代三

日本と金銀島の關係形態の發展　小葉田淳

南洋崑崙考　桑田六郎

金朝行臺尙書省考　青山公亮

ジヤガタラの日本人　村上直次郎

長崎代官村山等安の臺灣遠征と遣明使　岩生成一

米國人の臺灣占領計畫　庄司萬太郎

「パツ」を周る太平洋文化交涉問題と

臺灣發見の類似石器に就て　移川子之藏

**「臺北帝國大學記念講演集」第三輯**

昭和九年五月十七日本學記念日講演會に於ける村上教授のオランダ史料に現はれたる山田長政の事蹟と題する講演の內容は「臺北帝國大學記念講演集」第三輯に收められ十月刊行された。

**史學科卒業論文題目**

昭和八年度

教派神道三派の發生と其發達　齊藤知太郎

拾六七世紀に於ける呂宋島の日本人　鄉原正雄

昭和九年度

十六・七世紀に於ける支那と比律賓との關係　原徹郎

鄭成功の臺灣攻略と其後の對和蘭人交涉　速水家彥

臺灣に於ける西・蘭兩國人の教化事業　中村孝志

**史學科職員氏名**

| | | |
|---|---|---|
| 國史學 | 教授 | 中村喜代三 |
| 同 | 助教授 | 小葉田淳 |
| 東洋史學 | 教授 | 桑田六郎 |
| 同 | 助教授 | 靑山公亮 |
| 南洋史學 | 教授 | 村上直次郎 |
| 同 | 助教授 | 岩生成一 |
| 土俗・人種學 | 教授 | 移川子之藏 |
| 西洋史學 | 講師 | 庄司萬太郎 |
| 地理學 | 講師 | 小野鐵二 |
| | 助手 | 宮本延人 |
| | 副手 | 松本盛長 |

臺北帝國大學文政學部　史學科研究年報　第二輯

副手　中治赳夫

同　馬淵東一

昭和十年六月二十一日印刷
昭和十年六月二十五日發行

史學科研究年報（第二輯）

編輯兼發行者　臺北帝國大學文政學部

東京市神田區錦町三丁目十一番地
印刷者　白井赫太郎

發賣所　東京市神田區神保町二丁目
巖松堂書店
電話九段(33)一四一三五　四一三六
一四一三七　四一三八
振替口座東京六五五六